JOE CRAIG

# J.C.

AGENT AUF DER FLUCHT

JOE CRAIG

# AGENT AUF DER FLUCHT

Aus dem Englischen von
Alexander Wagner

Sollte diese Publikation Links auf Webseiten Dritter enthalten, so übernehmen wir für deren Inhalte keine Haftung, da wir uns diese nicht zu eigen machen, sondern lediglich auf deren Stand zum Zeitpunkt der Erstveröffentlichung verweisen.

Dieses Buch ist auch als E-Book erhältlich.

Verlagsgruppe Random House FSC® N001967

3. Auflage

cbj Kinder- und Jugendbuchverlag
in der Verlagsgruppe Random House GmbH,
Neumarkter Straße 28, 81673 München

Die englische Originalausgabe erschien 2006 unter dem Titel:
»Jimmy Coates – Target«
bei HarperCollins Children's Books,
einem Imprint der Verlagsgruppe HarperCollins Ltd, London
Übersetzung: Alexander Wagner
Umschlagkonzeption: Isabelle Hirtz, Inkcraft
unter Verwendung der Fotos von: © Shutterstock (Ivan Cholakov);
© Istockphoto (aluxum, ImageGap)
MP · Herstellung: RN
Satz und Reproduktion: KompetenzCenter, Mönchengladbach
Druck: CPI books GmbH, Leck
ISBN 978-3-570-17394-7
Printed in Germany

www.cbj-verlag.de

# ZWÖLF JAHRE ZUVOR …

Der Mann unterschied sich von den anderen Fußgängern auf der Brücke nur durch seine völlige Reglosigkeit. Sein hochgeklappter Kragen schützte ihn vor dem scharfen Pariser Herbstwind. Sein Hut war tief in die Stirn herabgezogen. Niemand beachtete ihn. Dann seufzte er und marschierte durch den Nebel in Richtung Île St-Louis. *Hoffentlich muss heute niemand sterben*, dachte er.

Er erreichte die vertraute Holztür. Ein fester Stoß mit dem Ellbogen und das alte Schloss sprang auf. Dann schlüpfte er unbemerkt in einen kleinen Innenhof, ohne ihm jedoch weitere Beachtung zu schenken. Stattdessen wanderte sein Blick hinauf zum vierten Stock des benachbarten Gebäudes. Er packte ein vom Regen schlüpfriges Abwasserrohr und zog sich mit festem Griff und gleichmäßigen, kraftvollen Bewegungen daran nach und nach empor. Oben angekommen schwang er sich lautlos auf den Balkon und zückte seine Pistole. Sie lag vertraut und doch irgendwie beunruhigend in seiner Hand. *Reine Vorsichtsmaßnahme,* sagte er sich.

Kurz darauf stürzte er durch die alte, klapprige Balkontür. »*Levez les mains!*«, rief er.

Ein älterer Mann saß aufrecht an einem von Papieren bedeckten Schreibtisch. »Es besteht kein Grund, Französisch mit mir zu sprechen, Ian«, erwiderte der Mann mit einem kaum merklichen französischen Akzent, während er langsam die Hände hob. »Und es besteht kein Anlass, mit einer Pistole auf mich zu zielen. Wenn Sie schießen wollen, dann schießen Sie. Wenn nicht, lassen Sie uns reden.«

»Sie hätten weiter weglaufen sollen, Doktor.«

»Und wohin bitte? Wo hätte mich der *NJ7* denn nicht irgendwann aufgestöbert?« Die Pistole war immer noch auf seinen Kopf gerichtet. Trotzdem erhob sich Dr. Memnon Sauvage langsam und umrundete seinen Schreibtisch.

»Sie wissen, dass ich nicht mit Ihnen kommen kann«, fuhr er fort. »Was ich getan habe, lässt sich nicht rückgängig machen. Ganz egal, was Hollingdale mir auch antut.«

»Drehen Sie sich um und legen Sie die Hände auf den Rücken«, befahl der andere Mann.

»Wie geht es Helen?« Der Doktor blieb stehen. »Wurde das Kind schon geboren? Wenn nicht, dann muss es jeden Tag so weit sein.« Über Ian Coates' Gesicht huschte eine Gefühlsregung.

»Ah«, lachte Dr. Sauvage trocken. »Glückwunsch. Zum zweiten Mal Vater!«

Ian Coates starrte ihn wütend an und beherrschte sich mit dem Finger am Abzug nur mühsam. »Folgen Sie meinen Befehlen oder ich schieße.«

»Na los, nur zu. Erschießen Sie mich«, fauchte Dr. Sauvage. »Dann wird der *NJ7* niemals erfahren, wozu Frankreich fähig ist.«

»Umdrehen und die Hände auf den Rücken!«

»Damit Sie mich nach London zurückschleppen? Zurück zum *NJ7*? Zurück zu Ihrer Frau?«

Wutentbrannt verpasste Coates dem Alten eine Ohrfeige. Der Schlag ließ ihn zu Boden gehen. »Ohne mich kann Hollingdale nicht das Geringste ausrichten«, bellte Dr. Sauvage und spuckte Blut. »Sagen Sie ihm das! Und richten Sie ihm von mir aus: Die Stunde, in der er herausfindet, was ich getan habe, ist auch seine Todesstunde.«

Ian Coates näherte sich ihm langsam, die Pistole bereit. Dr. Sauvage krabbelte rückwärts um seinen Schreibtisch herum, bis er an ein riesiges Bücherregal stieß. Die beiden Männer schienen eine Ewigkeit so zu verharren. Kurz zuckten die Augen des Doktors zu den Unterlagen auf seinem Tisch. Coates folgte seinem Blick, bereute es jedoch sofort. Denn genau in diesem Augenblick klammerte sich Sauvage mit seinem ganzen Gewicht an das Bücherregal.

»Nein!«, schrie Ian Coates, ließ die Waffe fallen und stürzte auf ihn zu. Aber es war zu spät. Die schweren alten Folianten trafen Sauvage wie die Schläge eines Schwergewichtsboxers. Und dann begrub das massive Bücherregal den zerbrechlichen Körper unter sich.

Ian Coates war fassungslos. Nur noch der Kopf des Doktors ragte hervor. Coates beugte sich hinab und tastete am Hals des Mannes nach seinem Puls – aus reiner Routine, nicht etwa, weil er noch echte Hoffnung hatte. Eine Staubwolke senkte sich auf die Leiche des Alten.

Ian Coates wandte sich von ihm ab. Nun, da er von seinem Widersacher nichts mehr zu befürchten hatte, zeigte er keine Spur von Eile. Systematisch durchsuchte er die Papierstapel auf dem Schreibtisch. Natürlich waren alle Unterlagen verschlüsselt. Er ignorierte die obenauf liegenden Ordner, die offenkundig nur zur Ablenkung dort drapiert waren.

Als er schließlich auf einen grellorangenen USB-Speicherstick stieß, stutzte er. Dieser war mit der einfachen Beschriftung »*ZAF-1*« versehen. Dasselbe Kürzel tauchte auch auf einigen Dokumenten auf, manchmal in fetten Lettern. Sie sagten ihm nichts.

Ian Coates verstaute seine Pistole, nahm so viele Aktenhefter wie möglich unter den Arm und steckte den Speicherstick in seine Hosentasche. Dann verließ er eilig das Zimmer und stieg die Treppen zum Dach hinauf. Von dort sprang er auf das angrenzende Gebäude, die Unterlagen in seinen Mantel gestopft, um die Hände frei zu haben. *ZAF-1*, dachte er, während er versuchte, das Bild des toten Doktors aus seinem Kopf zu verdrängen. *Was kann das bedeuten?*

Er hüpfte auf die Brüstung eines Balkons einen Stock tiefer und stieß sich ab, um im Sprung nach dem Bogen einer Straßenlaterne zu greifen. Von dort aus ließ er sich auf die Gasse fallen und rannte davon.

# KAPITEL 1

»Erheben Sie sich!« Alle im Gerichtssaal folgten der Aufforderung, bis auf zwei gekrümmt dasitzende Gestalten.

»Das ist nicht fair!«, schrie Olivia Muzbeke, die Stimme ganz dünn vor Angst und Müdigkeit. Ein Wachmann nötigte die beiden zum Aufstehen.

Der streng blickende Richter ließ sich in seinen Stuhl zurückfallen. »Eine bessere Behandlung haben Staatsfeinde nicht zu erwarten«, knurrte er.

Neil Muzbeke spähte hinüber zu einer Reihe leerer Bänke. Dort hatte früher einmal die Jury gesessen, als diese noch ein zentraler Bestandteil der Rechtsprechung gewesen war.

Innerlich fühlte er sich genauso leer wie diese verlassenen Bankreihen. Ihm war nicht mehr nach lautem Aufbegehren zumute.

Er hatte sein Bestes gegeben. Er hatte heftig protestiert, er hatte gebettelt und gefleht. Doch jetzt sah er keine Lösung mehr, als sich dem Urteil des Richters zu beugen. Ohnehin war er völlig in Beschlag genommen von der Sorge um seinen Sohn, den er vielleicht nie wiedersehen würde.

»Ihnen war bewusst, dass sich der gefährliche Kriminelle Jimmy Coates auf der Flucht vor der Regierung befand«, verkündete der Richter. »Trotzdem haben Sie ihm Unterschlupf gewährt. Sie halfen ihm bei der Flucht und gefährdeten damit das Leben des Premierministers Ares Hollingdale. Des Weiteren hat sich Ihr Sohn …«, der Richter blätterte in seinen Unterlagen nach dem Namen, »… Felix Muzbeke, obwohl erst zwölf Jahre alt, bereits als Feind des Neodemokratischen Staates von Großbritannien erwiesen.«

Der Richter schnaufte und rückte seine Brille zurecht. Und ohne auch nur von seinen Dokumenten aufzuschauen, verkündete er das Urteil.

»Zuchthaus«, bellte er. »Über die Länge der Haftstrafe entscheidet das Innenministerium.« Mit einem donnernden Hammerschlag besiegelte er das Urteil. Das wiederhallende Geräusch zerstörte das letzte bisschen Vertrauen, das Neil Muzbeke in das Justizsystem seines Landes gehabt hatte.

Ganz hinten im Gerichtssaal stand eine Frau, die eigentlich zu elegant für eine so elende Veranstaltung wirkte. Allerdings schien sie äußerst zufrieden mit dem Ausgang dieses eiligen Gerichtsverfahrens.

»Verbreiten Sie die Nachricht«, flüsterte sie einem jungen Mann im schwarzen Anzug zu, der von ihrer Autorität sichtlich eingeschüchtert war. »Sorgen Sie vor allem dafür, dass sie Frankreich erreicht.«

»Jawohl, Miss Bennett.«

Jimmy bemerkte kaum den dumpfen Schlag, mit dem der Helikopter auf dem Boden aufsetzte. Die Öldruckstoßdämpfer des *EC7975* waren speziell für sanfte Landungen entwickelt worden. Was ihn weckte, war das veränderte Geräusch der Rotoren. Das beständige Dröhnen, das sie seit dem Verlassen Londons begleitet hatte, verklang langsam.

Jimmy schüttelte seine Albträume ab. Wie üblich pochte sein Herz heftig und er rang nach Luft. Doch er erinnerte sich so gut wie gar nicht an die im Schlaf durchlebten Schrecken. Er wickelte seine Decke fester um sich.

Wovor musste er überhaupt noch Angst haben? In den vergangenen zwei Wochen hatte er Steinmauern durchbrochen, hatte unter Wasser geatmet und eine Gewehrkugel mit bloßen Händen abgefangen. Selbst als er sich ein Küchenmesser ins Handgelenk gerammt hatte, hatte er keinen ernsthaften Schaden davongetragen. Der Schnitt hatte kein bisschen geblutet und war außergewöhnlich schnell verheilt. Der Verband, den seine Mutter viel zu fest gebunden hatte, war eigentlich überflüssig gewesen, auch wenn er ihn inzwischen fast als tröstlich empfand. Trotz alledem fürchtete Jimmy sich sehr vor dem, was da draußen möglicherweise noch auf ihn wartete.

Angehörige des ungeheuer effektiv operierenden britischen Geheimdienstes *NJ7* konnten überall lauern. Wissenschaftler des *NJ7* hatten Jimmy als Auftragskiller programmiert, halb Mensch, halb genmanipulierte

Kampfmaschine. Ursprünglich sollte sein Einsatz erst mit achtzehn Jahren beginnen, doch dann hatte man ihn sechs Jahre zu früh aktiviert. Weil Jimmy sich dem Auftrag widersetzt und gegen seine Konditionierung angekämpft hatte, war er zum Todfeind des Geheimdienstes geworden. Und wenn es jemanden gab, den man wirklich nicht zum Feind haben wollte, dann war es der *NJ7*.

Was Jimmy vielleicht noch mehr fürchtete als seine äußeren Gegner, war sein eigenes Inneres. Er selbst fühlte sich eigentlich ziemlich menschlich, wusste inzwischen jedoch, dass da noch etwas anderes in ihm steckte: eine übermenschliche Kraft, geschaffen um zu töten.

Alle anderen in der Hubschrauberkabine schliefen noch. Nur Christopher Viggo erhob sich von seinem Pilotensitz und streckte sich, wobei sich unter seinem zerknitterten Hemd seine durchtrainierte Figur abzeichnete. Als er sich umwandte, bemerkte er Jimmys Blick, grüßte ihn mit einem müden Kopfnicken und stakste davon.

Dies war der Mann, den Jimmy im Auftrag des *NJ7* hatte töten sollen.

Viggo kämpfte dafür, dass Großbritannien wieder eine Demokratie wurde. Zur Tarnung gab er sich als Inhaber eines türkischen Restaurants aus. Gleichzeitig baute er jedoch eine Organisation auf, die hoffentlich eines Tages stark genug sein würde, eine Opposition zur Regierung zu bilden. Jimmy hatte seine ganze mentale

Kraft aufbieten müssen, um sich seinem Auftrag zu verweigern, seinem Gewissen zu folgen und sich stattdessen Viggo anzuschließen.

Jetzt, wo sie gelandet waren, wachten auch die anderen auf. Als sie aus dem Helikopter stiegen, wurden sie beinahe von einer heftigen Windböe umgerissen. Jimmy konnte die frische Landluft schmecken, die so anders war als in der Stadt, der sie gerade entkommen waren. Sie standen mitten in einem Feld. Bis auf ein altes, verwinkeltes Bauernhaus war weit und breit kein Gebäude zu sehen.

*So sieht also Frankreich aus,* dachte Jimmy. Er war noch nie außerhalb Englands gewesen. Er hatte sich auch nie groß Gedanken darüber gemacht, wie es wohl in anderen Ländern sein mochte. Erst jetzt fiel ihm auf, wie merkwürdig das war. Wahrscheinlich war er einfach davon ausgegangen, dass es überall genauso aussah wie zu Hause. Im Augenblick fühlte er sich allerdings viel zu müde und besorgt, um sich über seinen ersten Auslandsbesuch zu freuen. Schließlich war er ja nicht im Urlaub. Er war auf der Flucht.

Yannick Ertegun, der Koch von Viggos Restaurant, führte die kleine Gruppe an. Jimmy marschierte hinter seiner Mutter, gefolgt von der wunderschönen, dunkelhäutigen Saffron Walden, Viggos Freundin und außerdem wichtiges Mitglied seines Teams. Danach folgten Jimmys ältere Schwester Georgie und ihre Freundin Eva, hinter denen mit zusammengekniffenem Mund Felix Muzbeke trottete, Jimmys bester Freund.

Viggo blieb hinter der Gruppe zurück. Als sie durch den Obstgarten des Bauernhauses liefen, hielt er an und sammelte Laub vom Boden auf. Und sofort meldete sich Jimmys innerer Konflikt: Als Agent war ihm klar, dass er Viggo bei der Tarnung des Helikopters helfen sollte. Doch die Versuchung, den anderen ins Haus zu folgen, wo es warm war und Essen gab, war größer. Und so widerstand er seiner Konditionierung zugunsten seiner allzu menschlichen Bedürfnisse.

In der Tür des Bauernhauses stand eine winzige Frau, die auf Jimmy uralt wirkte. Yannick beugte sich zu ihr hinab und gab ihr einen Kuss auf die Wange. Sie erwiderte ihn mit einem festen Klaps auf seinen Hinterkopf.

»Also, Leute, das ist meine Mutter«, grinste der Koch.

Als sie alle etwas verlegen an ihr vorbei ins Gebäude schlurften, lächelte Jimmy die Frau vorsichtig an. Sie blickte finster zurück. Ganz offensichtlich hatte sie nicht mit ihrem Besuch gerechnet. Das Bauernhaus wirkte im Inneren sehr geräumig, aber auch etwas düster und karg. Die Decke senkte sich in einem merkwürdigen Winkel, als würde sich ihr Hauptbalken dem offenen Kamin zuneigen, der den Raum beherrschte. Allerdings spendete er nicht sonderlich viel Wärme, wie Jimmy zitternd feststellen musste.

In einer Ecke des Raums führte eine Wendeltreppe nach oben und jede Wand hatte eine Tür. Yannicks Mutter stampfte durch eine der Türen hinaus, und durch den Spalt konnte man eine große, altmodische Küche erahnen. Yannick folgte ihr, wobei er unablässig auf sie einredete und flüsternd um ihr Verständnis bat.

Kurz darauf saßen sie alle mit riesigen Tassen heißer Schokolade um den Kamin.

»Wann fangen wir an, meine Eltern zu suchen?«, wisperte Felix in Jimmys Ohr. Jimmy starrte ins Feuer und zuckte mit den Schultern. Er hatte beinahe vergessen, dass Neil und Olivia Muzbeke verhaftet worden waren, weil sie ihm bei der Flucht vor dem *NJ7* geholfen hatten. Er rügte sich im Stillen dafür, dass er so selbstbezogen war. Sogar in diesem Moment spürte er in seinem Inneren die unaufhörlich wachsenden fremdartigen Kräfte und die Kluft zwischen seinem menschlichen Empfinden und seiner Konditionierung. Im Moment konnte er diese Energie kontrollieren, aber nur indem er sie entschlossen unterdrückte. Die Vorstellung, dass seine menschlichen Anteile eines Tages gänzlich verschwinden könnten, beunruhigte ihn mehr als alles andere.

Jimmy musste immer wieder an die letzte Begegnung mit seinem Vater denken. Mit erschreckender Detailgenauigkeit sah er Ian Coates' Gesichtsausdruck vor sich, als dieser sich geweigert hatte, zusammen mit Jimmy vor der britischen Regierung zu fliehen. Jimmys Bestimmung sorgte mittlerweile dafür, dass seine Familie auseinanderfiel. Felix wollte gerade noch etwas hinzufügen, aber Jimmy machte ihm ein Zeichen, leise zu sein und stand auf. Er spürte ein Rumoren in seinem

Bauch. Da waren sie wieder, seine Killer-Instinkte. Er hatte draußen etwas gehört.

»Lebt hier sonst noch jemand?«, fragte er Yannick leise.

»Nein, nur meine Mutter.«

»Du bist mal wieder paranoid«, bemerkte Georgie lässig. Jimmy wünschte, seine Schwester hätte recht, aber bisher hatte sich sein Instinkt noch nie getäuscht. Auch Jimmys Mutter erhob sich.

»Ich habe auch was gehört«, bestätigte sie.

»Das muss Chris sein, der reinkommt«, flüsterte Saffron.

Jimmy schüttelte den Kopf. In seinem Inneren tobte jetzt ein wahrer Wirbelsturm. »Geht alle zur Raummitte, schnell.«

Alle folgten seiner Anweisung, außer Eva. »Das ist doch lächerlich«, kicherte sie. »Wir sind in Frankreich, mitten in der Pampa. Wie sollen die uns hier jemals …«

*RUMS!*

Eine Tür zersplitterte. Einen Rammbock in den Händen brach eine schwarz maskierte Gestalt durch die Öffnung. Dicht dahinter folgte eine zweite Person, die sich blitzschnell in Schussposition kniete. Die *Beretta 99G* in ihren Händen verschmolz mit dem Schwarz der Handschuhe und des Kampfanzugs. Und keine Sekunde später war der gesamte Raum von einem Dutzend identisch uniformierter Gestalten bevölkert.

»*Haut les mains!*«, ertönte ein Schrei von irgendwoher. Und dann wiederholte die Stimme mit starkem französischen Akzent: »'Ände 'och!«

Durch Jimmys Körper pulsierten überwältigende Kräfte. Sein Verstand jedoch war klar und gelassen. Er blieb genauso ruhig stehen wie seine Freunde und hob die Hände. Für ihn war eindeutig klar: *Die sind nicht vom NJ7.* Denn andernfalls wären sie bereits alle tot. Außerdem hätte es der *NJ7* niemals gewagt, Operationen auf französischem Boden durchzuführen.

Die kleine Gruppe stand jetzt Rücken an Rücken in der Mitte des Raums. Der Schrecken in ihren Gesichtern war einem Ausdruck der Verblüffung gewichen. Ihr hörbares Aufatmen wurde nur von Yannicks Mutter übertönt. Sie protestierte in ohrenbetäubender Lautstärke und einem polternden Französisch, während Jimmy sich zu konzentrieren versuchte.

»*La ferme!*«, rief er und schlug sich sofort die Hand vor den Mund. *Oh mein Gott,* dachte er, *ich spreche ja französisch.*

Die Eingangstür flog auf und drei weitere Männer marschierten herein. Zwei von ihnen trugen schwarze Kampfanzüge, hielten aber statt Pistolen *FAMAT-F9*-Sturmgewehre. Jimmy war sich da ganz sicher, genauso sicher wie er plötzlich französisch sprechen konnte. Dieses ganze Wissen war Teil seiner Konditionierung: Es war tief in seinem Kopf verborgen und kam Stück für Stück zum Vorschein, wenn es benötigt wurde.

Die beiden Uniformierten flankierten einen kleinen grimmig blickenden Mann. Seine Haare waren schütter und sein Rücken gekrümmt. Seine Hautfarbe setzte sich kaum von seinem eleganten grauen Mantel ab, der in dieser ländlichen Umgebung völlig unpassend erschien.

»Im Namen des französischen Militärs«, rief er in perfektem Englisch, »erkläre ich Sie alle für verhaftet. Sie werden der Spionage verdächtigt. Halten Sie die Hände über den Kopf und …«

»Das ist ein Missverständnis.« Das war Viggo. Er drückte die Mündung seiner Pistole an den Hinterkopf des Franzosen. »Lassen Sie Ihre Waffen fallen!«, rief er.

Noch bevor Viggo seinen Satz beendet hatte, wirbelte der Soldat links von ihm herum. Das Gewehr auf Viggo gerichtet, krümmte er langsam den Finger am Abzug.

»*Non!*«, blaffte der Mann im grauen Mantel – gerade noch rechtzeitig. Der Soldat feuerte nicht, hielt die Waffe aber weiter auf Viggo gerichtet. Niemand rührte sich. »Das klingt doch sehr nach Christopher Viggo«, fuhr der Mann im grauen Mantel fort. »Aber der ist kein Feind Frankreichs.«

Dann gab er ein paar Anweisungen auf Französisch. Alle seine Männer ließen gleichzeitig die Waffen sinken.

»Uno?«, staunte Viggo und beugte ich vor, um einen Blick auf das Gesicht des Mannes zu werfen. »Uno Stovorsky?«

»Und jetzt sehe ich erst, dass du uns auch Saffron mitgebracht hast.« Ungläubig schüttelte der Mann den Kopf.

»Hallo, Uno«, rief Saffron, lässig wie immer. »Wie läuft's beim *DGSE*?«

»Was geht denn hier ab?«, flüstere Felix Jimmy zu.

»Der *DGSE* ist der französische Geheimdienst«, antwortete Jimmy. Doch darüber hinaus hatte er keinen blassen Schimmer, was hier gerade geschah. Wieso schienen sich auf einmal alle bestens zu kennen?

Viggo umrundete den Mann im grauen Mantel, den Mund weit offen vor Überraschung. »Uno! Ich hätte niemals gedacht, dass …«

Und dann, ohne jede Vorwarnung, drosch Uno Stovorsky seine Faust gegen Viggos Kiefer.

»Wenn ich nicht im Dienst wäre, würde ich dich hier auf der Stelle umbringen«, knurrte er.

Mitchell hievte sich schwitzend vom Sofa hoch. Er hatte wieder einen Albtraum gehabt, konnte sich aber an nichts mehr erinnern. Sein Wecker war kaputt, doch es musste ungefähr drei Uhr morgens sein. In dem Club unter ihrer Wohnung wurden gerade die letzten Gäste rausgeschmissen. Er stakste ins Bad und spritze sich das kalte, bräunliche Wasser ins Gesicht, das aus dem Hahn tröpfelte.

Schon bald würde sein Bruder nach Hause kommen. Wie gewöhnlich würde er Streit anfangen und dann betrunken ins Bett fallen. Mitchell musste sich diese Wohnung mit seinem Bruder teilen, seit sie beide von zu Hause abgehauen waren. Manchmal wünschte sich Mitchell, er könnte dorthin zurückkehren. Allerdings war das, wonach er sich wirklich sehnte, längst nicht mehr da. Seine Eltern waren beide tot.

Er hörte die Wohnungstür klappern.

»Mitchell!« Sein Bruder klang fröhlich, aber das war nicht zwangsläufig ein gutes Zeichen. »Komm mal her, Kumpel, ich muss was erledigen.«

Mitchell wurde schlecht. Es war keine gute Idee, seinem Bruder in diesem Zustand zu nahe zu kommen. Aber in der winzigen Wohnung hatte er keine Chance, ihm auszuweichen. Sein Bruder stampfte ins Wohnzimmer und Mitchell konnte sich bildlich vorstellen, was dort jetzt ablief. Zuerst würde sein Bruder irgendetwas gegen das Sofa schleudern – vermutlich seinen Schuh. Wenn keine Reaktion kam, würde er die Decke vom Sofa reißen und verdutzt blicken, weil Mitchell nicht dort lag, wo er ihn schikanieren konnte.

»Mitchell?« Sein Bruder klang tatsächlich verblüfft. Mitchells Magen revoltierte. Er durchwühlte den Badezimmerschrank nach irgendeiner Medizin, deren Verfallsdatum noch nicht abgelaufen war.

»Hör zu, Kumpel«, fuhr sein Bruder im anderen Zimmer fort. »Dieser Typ meinte, ich krieg zehn Riesen dafür, aber, äh …«

Die Badezimmertür knarzte und Mitchell erblickte das eingefallene Gesicht seines Bruders im Spiegel.

»Alles klar, Bro?«

»Alles klar, Lenny.« Mitchell wandte sich zu seinem Bruder um und hielt sich den Bauch. Es fühlte sich an, als würde da drinnen ein Feuer brennen.

»Wie ich gesagt hab«, erklärte Lenny und versperrte seinem Bruder den Weg. »Der Kerl hat mir zehn Riesen geboten. Er hatte die Kohle sogar dabei. In ’nem richtigen Koffer und so.«

Es war ungewöhnlich, dass sein Bruder so viel quatschte. Offenbar hatte er aus irgendeinem Grund beschlossen, sich eine bescheuerte Geschichte auszudenken, bevor er ihn verprügelte. Sein Gesicht verzog sich zu einem vielsagenden Grinsen. Mitchell wusste, was das bedeutete.

»Ich glaub, du brauchst mal wieder ’ne kleine Abreibung«, gluckste Lenny. »Am besten, wir gehn dazu ins Wohnzimmer.« Er verpasste Mitchell eine Ohrfeige und wandte sich zum Gehen. Mitchell folgte ihm nicht. Blut schoss ihm ins Gesicht und er atmete tief durch.

»Los, mach schon«, beharrte Lenny und schlug Mitchell erneut, diesmal fester. Mitchells Wange brannte. Als Lenny sich wieder in Richtung Wohnzimmer umdrehte, verwandelten sich Mitchells merkwürdige Bauchschmerzen in eine Art wirbelnde Energie. Sie breitete sich aus und kroch langsam nach oben.

Mitchell wollte schreien, doch da schoss die Energie in seinen Kopf, mit einer Wucht, die fünfmal so stark war wie der Schlag seines Bruders. Er sah Lennys Rücken vor sich und, ohne nachzudenken, stürzte sich Mitchell auf ihn. Lenny war viel größer als er und drei Jahre älter, aber Mitchell umklammerte seinen Hals und riss ihn mit sich zu Boden.

»Ey!«, schrie Lenny und rammte Mitchell einen Ellbogen in die Rippen.

»Für wie blöd hältst du mich?«, fauchte Mitchell.

Er kickte Lenny von sich weg, warf sich auf ihn und rammte ihm das Knie ins Zwerchfell. »Und wie gefällt dir das?«

Lenny holte mit der Faust nach Mitchells Gesicht aus, aber Mitchell packte sie bereits in der Luft. Er hatte noch nie so viel Kraft gehabt, aber er war viel zu wütend, um sich dessen bewusst zu sein. Stattdessen schwelgte er in seiner neu gewonnenen Überlegenheit.

»Ich hab dich so satt!«, schrie er, während er mit den Fäusten auf das Gesicht seines Bruders einschlug. »Genau so fühlt es sich an, was du mir die ganze Zeit antust!« Tränen verschleierten seine Sicht, aber blinder Zorn ließ seine Arme weiter ihr Ziel finden. Innerlich fühlte er sich wie betäubt. Der Schmerz, der sich über die ganzen Jahre hinweg in ihm aufgestaut hatte, brach sich jetzt Bahn. Es kam ihm fast so vor, als wäre er gar nicht mehr in diesem Zimmer, sondern würde alles aus der Entfernung beobachten.

Dann stutzte er plötzlich – ein blaues Licht blitzte in den Spiegeln und auf den Kacheln des Badezimmers. Der blaue Streifen hüpfte durch den Raum und riss Mitchell aus seiner Raserei. Er sprang auf. Sein Bruder lag reglos da. Seine Augen waren geschlossen und sein Gesicht war blutverschmiert.

*Ich war das nicht,* dachte Mitchell, und gleich darauf: *Was hab ich getan?* Er rannte ins Wohnzimmer und legte die Hände ans Fenster. Durch die blutigen Handabdrücke konnte er einen Krankenwagen sehen. Er war umringt von drei Streifenwagen.

Die Wohnungstür flog auf und Mitchell wirbelte herum. Zwei Männer in schwarzen Anzügen standen im Türrahmen und zielten mit Pistolen auf ihn. Sein Kopf war plötzlich wie leer gefegt. Vor seinem inneren Auge tauchte das geschundene Gesicht seines Bruders auf und er konnte nicht mehr klar denken. Was ging hier vor sich?

Bevor er auch nur die Hände heben konnte, beugten sich seine Knie, ohne dass er ihnen die Anweisung dazu gegeben hätte. Dann spannten sich seine Beine, sein Körper wurde in die Luft katapultiert und er hechtete durchs Fenster.

Glassplitter übersäten Mitchell, während er fiel, und in seinem Kopf hörte er sich selbst schreien. Dann landete er – aber nicht auf dem Boden. Etwas hatte seinen Sturz abgefedert. Er sah ein Dutzend Männer, die ihn mit ausdruckslosen Gesichtern anstarrten. Mitchell lag auf einer Art Luftkissen – es fühlte sich an wie eine Hüpfburg. War das hier alles vorbereitet gewesen? Hatten sie auf ihn gewartet?

Ein großer, breitschultriger Mann mit dem runzeligen Gesicht einer Kröte zog Mitchell hoch.

»Sieht ganz so aus, als hätte hier jemand ein bisschen über die Stränge geschlagen«, sagte er und knackte mit den Kiefern. Mitchell verstand kaum etwas wegen der ganzen Energie, die durch seinen Kopf rauschte. »Ich verhafte dich wegen Mordes an Leonard Glenthorne.«

»Mord?«, keuchte Mitchell. Man zerrte seine Hände

grob hinter seinen Rücken und legte sie in Handschellen.

»Genau. Dein Bruder ist tot. Steig ins Auto.«

»Aber …« Mitchells Kehle war wie zugeschnürt. Das ergab doch alles keinen Sinn. Wieso waren diese Leute so schnell gekommen? Woher wussten sie, dass Lenny sein Bruder war? Und was am allerschlimmsten war, wie konnte es sein, dass Lenny tot war?

Mitchell wurde an jeder Seite von zwei Männern gepackt. Sie drängten ihn in ein langes schwarzes Auto mit Ledersitzen und getönten Scheiben. Als sie seinen Kopf runterdrückten, um ihn auf den Rücksitz zu befördern, erhaschte Mitchell einen Blick auf eine Transportliege, die aus dem Haus geschoben wurde. Darauf lag ein schwarzer Leichensack. Und auf einer Seite des Sacks leuchtete ein dünner grüner Streifen.

# KAPITEL 2

Uno Stovorsky signalisierte seiner Einheit, das Gebäude zu verlassen. Sie gehorchten und zogen sich beinahe geräuschlos zu den Fahrzeugen zurück, die sie in sicherer Entfernung vom Bauernhof geparkt hatten. Nur Stovorsky blieb, Auge in Auge mit Christopher Viggo.

»Kommt mit«, sagte Saffron leise zu den anderen. »Wir lassen sie besser alleine.«

Yannick nickte und schob die anderen durch eine Tür gegenüber der Küche. Nur Felix und Jimmy standen wie angewurzelt da.

»Jimmy!«, zischte seine Mutter. »Komm mit! Und du auch, Felix.«

Die Jungs tauschten Blicke aus. Offenbar blieb ihnen keine andere Wahl, auch wenn sie dringend herausfinden wollten, was da zwischen den beiden Männern an der Eingangstür ablief. Sie folgten den anderen in eine Art Schlafsaal. Es gab dort vier Betten, doch die Decken darauf waren von einer dicken Staubschicht bedeckt. Offenbar war der Raum schon seit langer Zeit nicht mehr bewohnt. Eva sprang auf eines der Betten und machte es sich gemütlich.

»Ganz schön kalt hier«, quietschte sie und wickelte sich in ihre Decke ein.

»Oben gibt's noch mehr Zimmer«, erklärte Yannick, doch niemand schenkte ihm größere Beachtung. Sobald die Tür ins Schloss gefallen war, begann draußen ein wildes Gebrüll. Die alten Steinmauern waren zu dick, um einzelne Wörter zu verstehen, aber ganz offensichtlich gab es einen heftigen Streit.

»Als ich klein war, hatten wir oft Besuch«, kicherte Yannick nervös, so als wollte er von den Ereignissen nebenan ablenken. »Aber jetzt war jahrelang niemand mehr hier, außer meiner Mutter natürlich.«

Alle anderen schwiegen. Sie spitzten die Ohren und versuchten, der Diskussion nebenan zu folgen.

»Also, dann lasst es uns doch so machen, dass die Mädchen hier unten schlafen und die Jungs oben. Was haltet ihr davon?« Yannick bemühte sich um einen heiteren Tonfall, allerdings ohne großen Erfolg. Die einzigen Reaktionen waren abwesendes Grunzen oder Nicken.

Jimmy bemerkte, dass Saffron auf einem Bett in der hintersten Ecke saß und aus dem Fenster schaute. Sie war die Einzige, die sich nicht für den Streit zu interessieren schien.

»Was ist hier los?«, flüsterte Jimmy. »Wer ist dieser Typ, Uno Stosowieso?«

Saffron spähte kurz zu den anderen, um sicherzugehen, dass niemand sonst zuhörte. »Er ist ein Agent des französischen Geheimdiensts«, erklärte sie. »Sie müssen uns entdeckt haben, als wir in den französischen Luftraum eingedrungen sind.«

»Das war mir klar«, unterbrach Jimmy sie. »Ich meine, woher kennt ihn Chris? Und worüber streiten die beiden?«

Saffron seufzte und vermied es, Jimmy in die Augen zu blicken. »Als Chris den *NJ7* verlassen hat, musste er untertauchen. Er hat sich eine Weile in Kasachstan versteckt. Aber dann wollte er sein Wissen über den *NJ7* nutzen, um Ares Hollingdale zu stoppen. Deswegen ist er zum *DGSE* gegangen.« Ihr Blick schweifte durchs Zimmer. Yannick und Jimmys Mutter gaben sich derweil alle Mühe, Felix, Georgie und Eva davon abzuhalten, ihre Ohren gegen die Wand zu pressen.

»Und dort ist er dann diesem Uno-Typen begegnet«, ergänzte Jimmy, um Saffron bei der Stange zu halten.

»Uno Stovorsky«, flüsterte Saffron. »Merk dir diesen Namen. Er könnte uns helfen.« Jimmy nickte. »Aber Chris bekam dann auch mit dem *DGSE* Schwierigkeiten.«

»Wieso? Was ist passiert?« Jimmys Stimme nahm einen drängenden Unterton an. »Warum erzählst du es mir denn nicht?«

Saffron erhob sich und holte tief Luft. »Jimmy, sie streiten meinetwegen.«

Kurz darauf öffnete sich die Tür und Yannicks Mutter kam herein.

»Jimmy, komm«, grunzte sie mit ihrem starken französischen Akzent. Jimmy trat vor, und seine Mutter folgte ihm. »Sie können mich nicht einfach im Unwissen lassen«, murmelte sie.

Saffron schlüpfte auf ihre übliche grazile Art mit ihnen durch die Tür.

»Vergiss nicht, ich will nachher alles wissen, Jimmy«, rief Felix ihm hinterher. Normalerweise hätte Felix das nicht extra betonen müssen – es war einfach selbstverständlich, dass Jimmy ihn in alles einweihte. Doch die letzten Tage waren alles andere als normal verlaufen, und das, was Jimmy nun erfahren würde, versprach besonders interessant zu werden.

»Das ist also eure tolle Killermaschine?« Uno Stovorsky durchbohrte Jimmy mit Blicken. Jimmy öffnete den Mund, um sich vorzustellen. Aber bevor er ein Wort herausbrachte, sprang Stovorsky von seinem Stuhl. Jimmy riss die Augen auf und erhaschte einen kurzen Blick auf das Messer in Stovorskys Hand.

Jimmy reagierte, ohne nachzudenken. Mit einer minimalen Bewegung wich er seitlich aus und packte Stovorskys Faust. Die Messerspitze zischte einen Millimeter an seinem Gesicht vorbei. Er verpasste dem Agenten einen Schlag in Bauch und schleuderte ihn mit einem Schulterwurf zu Boden. Jimmy fing das Messer noch in der Luft, bevor der am Boden liegende, keuchende Stovorsky es sich schnappen konnte.

»Es reicht, Jimmy!«, rief Viggo »Er wollte dich nur testen.«

»Ich weiß«, erwiderte Jimmy. »Was glaubst du, wieso er noch am Leben ist?« Jimmy staunte über seine eigenen Worte. Offenbar hatte sein Instinkt immer noch die Herrschaft über ihn. Rasch drängte er die Kraft in seinem Inneren zurück und ermahnte sich, jederzeit die Kontrolle zu behalten.

»Uno«, fuhr Viggo fort, »im Gegenzug für deine Hilfe können wir dir das komplette Arsenal von Jimmys Fähigkeiten vorführen. Damit erhaltet ihr einen Einblick in die fortgeschrittene Technologie, die England gegen Frankreich einzusetzen plant.«

Jimmy schauderte. Was meinte Viggo mit einer *Vorführung seiner Fähigkeiten*? Er war doch keine Zirkusattraktion! Zunächst wollte Jimmy protestieren, doch dann hielt er sich zurück. Er hatte gelernt, Christopher Viggo zu vertrauen.

Stovorsky rappelte sich vom Boden auf. Seine Miene war finster. »Diese Information ist jetzt genauso wertlos wie schon vor vielen Jahren, als du damit zu mir gekommen bist«, knurrte er. Viggos Miene wirkte einen Augenblick lang ratlos.

»Also, was haben wir«, fuhr Stovorsky fort. »Jimmy wurde von Wissenschaftlern des *NJ7* in einem Reagenzglas entwickelt. Einer dieser Wissenschaftler war Dr. Higgins. Ein weiterer war Ares Hollingdale, damals, bevor er Premierminister wurde. Die neue *Waffe* wurde zwei Agenten anvertraut, Ian und Helen Coates.«

»Verzeihung«, unterbrach Jimmys Mutter. »Ich bin auch anwesend.«

»Tut mir leid, Mrs Coates, ich hatte Sie nicht erkannt.« Er verbeugte sich leicht und führte galant ihre Hand an seine Lippen.

»Woher weißt du das alles?«, warf Viggo ein.

Stovorskys Auftreten änderte sich schlagartig und er wandte sich wieder mit kaum verborgener Aggression seinem Rivalen zu. »Das ist noch längst nicht alles, was wir wissen. Uns ist bekannt, dass Jimmy nicht der erste seiner Art ist. Es gibt einen weiteren jungen Agenten wie ihn. Der Junge ist zwei Jahre älter, aber seit dem Tod seiner Eltern nicht mehr auffindbar. Der *NJ7* geht davon aus, dass diese bei einem Autounfall umgekommen sind.«

Diese neue Information traf Jimmy wie ein Schlag in die Magengrube. Es gab einen weiteren genetisch optimierten Agenten? Wieso hatte ihm das niemand verraten? Er war völlig verwirrt. Glücklicherweise waren Helen Coates und Saffron selbst viel zu besorgt, um seine gerunzelte Stirn zu bemerken. Und Stovorsky und Viggo waren von ihrem Konkurrenzgehabe absorbiert.

»Dachtest du, ich hätte seit unserer letzten Begegnung einfach abgewartet und Tee getrunken?«, höhnte Stovorsky.

»Aber …«, begann Viggo.

»Wir haben unsere Informanten in England. Du kannst mir nichts wirklich Neues erzählen. Was ich dir anbieten kann, ist Folgendes: Ihr könnt hier in Frankreich bleiben. Aber wir können euch nicht schützen, und ganz sicher helfen wir dir nicht bei deinem persönlichen Kreuzzug gegen Ares Hollingdale.« Erneut wollte Viggo ihn unterbrechen, aber Stovorsky übertönte ihn. »Hollingdale mag antidemokratisch und antifranzösisch eingestellt sein, aber der *DGSE* kann sich nicht einschalten, solange keine direkte Gefahr für Frankreich besteht.«

Stille machte sich breit. Jimmys Herz pochte. Eigentlich hatte er mit guten Neuigkeiten zu Felix kommen wollen. Aber wie sollten sie ohne Unterstützung eines größeren internationalen Geheimdienstes auch nur in die Nähe von Felix' Eltern gelangen? Oder wie überhaupt unbemerkt zurück nach England kommen?

»Schaut nicht so trübsinnig!«, dröhnte Stovorsky plötzlich. »Ihr dürft hier im Land bleiben. Ich sorge dafür, dass man euch nicht verhaftet. Und wenn ihr wachsam seid, stehen die Chancen gut, dass euch der *NJ7* nicht aufspürt.« Er schüttelte den Kopf und seufzte. »Ehrlich, ihr Engländer. Merkt ihr nicht, wie viel Glück ihr habt? Dachtet ihr wirklich, ich würde euch helfen, die britische Regierung zu stürzen?« Er schnippte Staub von den Schultern seines Mantels und wandte sich zum Gehen. Dabei murmelte er irgendetwas Französisches.

»Wir brauchen Ihre Hilfe auch nicht deswegen«, hielt Helens Stimme ihn auf. »Jimmy, hol Felix herein.« Jimmy öffnete die Tür zum Nachbarzimmer. Eva, Georgie und Felix taten rasch so, als hätten sie nicht gelauscht. Wortlos kam Felix herein.

»Das ist Felix Muzbeke«, fuhr Jimmys Mutter fort.

»Die Regierung hält seine Eltern illegal gefangen. Wir wollen sie nur in Sicherheit bringen.« Felix versuchte, eine möglichst gewinnende Miene aufzusetzen.

Erst jetzt drehte sich Stovorsky zu ihnen um. Er warf einen Blick auf Felix, dann machte er gleich wieder kehrt.

»Haben Sie Kinder, Mr Stovorsky?«, fragte Jimmys Mutter.

Stovorsky legte die Hände vors Gesicht und rieb sich die Augen. »Was braucht ihr?«, brummte er widerwillig.

Viggos Antwort kam wie aus der Pistole geschossen. »Eine sichere Überfahrt nach London, damit wir herausfinden können, wo sie gefangen gehalten werden. Wir brauchen Geld und die entsprechende Ausrüstung. Wir brauchen jede Hilfe, die wir kriegen können.«

Stovorsky stöhnte und verdrehte die Augen. Er zögerte lange, bevor er schließlich murmelte: »Ich werde sehen, was ich tun kann.« Resigniert hob er ein Stück eines zerbrochenen Fensterladens vom Boden auf. »Versprechen Sie mir, dass es hierbei nur um die Gefangenen geht. Um nichts anderes.«

»Mr Stovorsky«, erklärte Helen Coates ruhig, »Sie haben mein Wort.«

»Sie sind eine sehr kluge Frau.« Stovorsky starrte Jimmys Mutter an. »Du hättest sie halten sollen, Viggo. Ich wünschte, du hättest es getan.« Er warf einen kurzen Seitenblick auf Saffron. »Ich melde mich«, rief er, während er zur Tür marschierte. »Bis dahin ruht euch aus.«

Mitchell konnte das Surren der Überwachungskameras hören. Er versuchte, mit den Männern Schritt zu halten, die ihn grob den Korridor entlangzerrten. Die Augenbinde juckte wie verrückt, doch seine Hände waren immer noch auf den Rücken gefesselt, daher konnte er nichts dagegen unternehmen. Innerlich war er so geladen wie noch nie. Seine Wahrnehmung war geschärft und in seinem Körper tobte ein Energiewirbel, der ihn fast umzuwerfen drohte.

Er war immer noch barfuß und die Kälte des Fußbodens kroch in seinen Körper. Endlich hielten sie an und man nahm ihm die Augenbinde ab. Das Erste, was er erblickte, waren die gelblichen Zähne eines grinsenden alten Mannes. Augenblicklich war Mitchells Ärger verflogen.

»Willkommen beim *NJ7*«, begrüßte ihn der alte Mann. »Ich bin Dr. Higgins.«

Bevor Mitchell antworten konnte, hoben die beiden Männer ihn hoch und pressten ihn mit dem Gesicht nach unten auf den Schreibtisch in der Mitte des Raums. Der Geruch der ledernen Arbeitsunterlage stieg in Mitchells Nase. Er wehrte sich und trat um sich, bis er plötzlich einen schmerzhaften Stich in der Ferse spürte. Er heulte auf. Die beiden Männer hoben ihn vom Tisch und warfen ihn zu Boden. Mitchell versuchte aufzustehen, aber sein linker Fuß war zu schwach und er kippte wieder um.

»Was ist hier los?«, schrie er und seine Augen zuckten im Raum umher. Die Wände waren aus nacktem

Beton. An der Decke hingen Neonröhren und zwei Kameras, die ihn anzustarren schienen. Überall standen muskulöse Männer in Anzügen. Dr. Higgins unterschied sich mit seinem weißen Mantel und seinem vom Alter gekrümmten Körper deutlich von ihnen. Eine schwarze Katze schmiegte sich an seine Beine.

Dann kam aus dem Korridor am anderen Ende des Raums eine dürre Gestalt auf sie zu. Mitchell erkannte den Mann sofort. »Sie sind der Premierminister!«, keuchte er.

Alle standen stramm, während Ares Hollingdale den Raum betrat. Seine bleiche Haut leuchtete fast. »Diesmal rennst du uns nicht davon, junger Mann«, flüsterte er und beugte sich zu Mitchell hinunter. »Dr. Higgins hat einen Ortungschip in deinen Fuß implantiert.«

»Was ist hier los?«, wiederholte Mitchell, doch plötzlich erschien ihm die Antwort offensichtlich, so als wäre eine verblasste Erinnerung in ihm aufgetaucht.

»Erklären Sie ihm die Situation«, blaffte der Premierminister Dr. Higgins an. »Und anschließend informieren Sie Miss Bennett. Sie hat unser Zielobjekt aufgespürt.« Er durchbohrte Mitchell mit einem stechenden Blick. »Wenn du Schwierigkeiten machst, landest du für den Rest deines Lebens im Gefängnis.«

Mitchells Gedanken rasten. Schmerz pochte in seinem Fuß. *Die können mich nicht ins Gefängnis stecken,* dachte er. *Ich bin erst vierzehn.* Aber in seinen Ohren hallten die Schläge wieder, die auf dem blutigen Schädel seines Bruders gelandet waren. Ein heftiges Gefühl überschwemmte ihn. War das die Schuld? Er versicherte sich selbst, dass sein Bruder es nicht anders verdient hatte. Doch gleich darauf war ihm klar, dass er zu weit gegangen war. Er hatte doch niemals seinen Tod gewollt. Er hatte die Kontrolle über sich verloren und jetzt würde man ihn dafür bestrafen.

»Tu, was wir dir sagen«, fuhr der Premier fort, »und du kannst ein Held werden.« Mitchell hatte keine Ahnung, was er damit meinte.

Dann meldete sich Dr. Higgins zu Wort. »Der *NJ7* ist der modernste militärische Geheimdienst der Welt …«

Mitchell nahm ihn wie durch einen Nebel war. Die Welt um ihn herum drehte sich und er sah, wie der Premierminister den Raum verließ. Dr. Higgins' Mund bewegte sich, aber Mitchell verstand nur Bruchteile.

»… du bist 38 Prozent menschlich … eine Killermaschine … wirst für uns arbeiten …« Was auch immer Dr. Higgins da brabbelte, es interessierte ihn nicht.

Mitchell weinte um seinen Bruder.

# KAPITEL 3

»Jetzt sind es schon drei Tage«, murmelte Jimmy vor sich hin. »Wenn ich hier nicht bald rauskomme, werde ich noch verrückt.« In der Küche hing Kochdunst und Jimmy zerhackte einen Bund Petersilie. Er trug keinen Verband mehr am Handgelenk und der Schnitt war kaum noch zu sehen – eine zarte Linie, wie der ausgeblichene Strich eines Kugelschreibers.

»So was kommt übrigens ziemlich oft vor«, zwitscherte Felix, während er mit einer Kartoffel und einem Gemüseschäler kämpfte. »Leute gehen nicht mehr vor die Tür und dann verlieren sie total den Verstand. Sie bilden sich ein, der Rest der Welt wäre bei einem Atomangriff zerstört worden oder bei einer Alienattacke oder so, und …«

»Du hältst den Schäler falsch rum«, unterbrach ihn Jimmy.

»Oh. Stimmt. Ich dachte schon, das Ding ist völlig stumpf. Wo war ich stehen geblieben?«

»Der *DGSE* war vor drei Tagen hier«, fuhr Jimmy fort und ignorierte Felix' Tagträume. »Findest du nicht auch, die könnten langsam mal was von sich hören lassen?«

Felix zuckte mit den Achseln und starrte ratlos auf seinen Gemüseschäler. »Wieso darf Yannicks Mutter eigentlich ins Dorf«, fragte er schließlich, »und wir anderen müssen drinnen bleiben?«

»Naja, irgendjemand muss uns Essen bringen und Kleidung und das ganze andere Zeug.«

»Aber wird die Bilderaufklärung sie nicht entdecken?«

»Das heißt *Bildaufklärung*. Durch Satelliten«, verbesserte ihn Jimmy. »Sie geht ja normalerweise auch immer ins Dorf. Es wäre viel verdächtiger, wenn sie es jetzt lassen würde.«

»Aber dass sie die neunfache Menge an Einkäufen mitbringt, einen ganzen Secondhandladen versiffter Kleider leer kauft und jeden Tag von ihrem Sohn im Lieferwagen abgeholt wird – das ist nicht verdächtig, oder wie?« Felix zog die Augenbrauen so weit nach oben, dass es aussah, als würden sie jeden Moment von seinem Gesicht abheben.

»Da ist was dran«, gab Jimmy zu. »Es ist riskant – aber notwendig, oder?«

»Wahrscheinlich«, murmelte Felix. Dann versuchte er, mit drei Kartoffeln zu jonglieren, allerdings ohne großen Erfolg.

Jimmy konzentrierte sich wieder aufs Kochen. Er schnitt Karotten mit der artistischen Geschicklichkeit eines Chefkochs und der eher geringen Begeisterung eines Zwölfjährigen.

In den schweren Metalltöpfen auf dem Herd brodelte

und blubberte es und köstlich riechender Dampf breitete sich in der Küche aus.

»Und wieso muss eigentlich immer ich kochen?«, stöhnte Jimmy.

»Du hättest ihnen eben am ersten Abend nicht beim Kochen helfen sollen«, antwortet Felix. »Dann hätten sie auch nicht rausgefunden, dass es eines deiner Talente ist.«

Bevor Jimmy antworten konnte, kam Georgie in die Küche gehüpft. »Wann gibt's Essen?«, fragte sie und und pickte in den Zutaten auf der Arbeitsfläche herum.

»Wenn es fertig ist!«, schnappte Jimmy. Er legte das Messer ab und warf die Karottenscheiben in einen dampfenden Topf. »Wo ist Yannick?«

»Draußen. Gönn ihm eine Verschnaufpause.«

»Oh, *gönn ihm eine Verschnaufpause*«, höhnte Jimmy. »Sieht ja wohl eher so aus, als bin ich jetzt derjenige, der sein ganzes Leben mit Kochen verbringt.«

»Was ist los mit dir?«

Jimmy versuchte seinen Ärger runterzuschlucken. »Tut mir leid, Georgie«, sagte er. »Ich wollte es nicht an dir auslassen. Es ist nur …« Er unterbrach sich mitten im Satz, um das Hühnchen zu würzen. »Ich hasse das. Wieso kann ich plötzlich kochen?«

»Es ist deine Konditionierung«, antwortete Georgie sanft.

»Das hab ich ihm auch gesagt«, plapperte Felix dazwischen.

»Aber es ist eine bescheuerte Fähigkeit«, grummelte Jimmy. »Irgendwie muss ich jede blöde Idee ausbaden, die Dr. Higgins vor zwölf Jahren hatte.« Er merkte, wie er immer mehr in Rage geriet, konnte es aber nicht stoppen. »Die wissen nicht, wo ich bin und was ich mache«, rief er. »Trotzdem kontrolliert mich der *NJ7* immer noch.«

Helen kam mit besorgter Miene in die Küche. »Was ist das für ein Lärm?«, fragte sie und hob eine Kartoffel vom Boden auf.

»Jimmy will nicht kochen«, verkündete Felix.

»Das ist schon in Ordnung«, erwiderte Helen. »Ich helfe ihm und ...«

»Nein!«, schrie Jimmy. »Ich will nicht *kochen* können. Und ich will nicht *töten* können.«

Jimmys Mutter sah zu Georgie und dann wieder zu ihrem Sohn. Da gab es etwas, das sie mit den beiden besprechen musste. Sie gab sich innerlich einen Ruck. »Hört mal«, begann sie. »Ich kann mir vorstellen, dass dies alles für euch beide sehr verwirrend ist. Das mit mir und eurem Vater, meine ich.«

Jimmy warf seiner Schwester einen Seitenblick zu und schaute dann zu Boden. Felix trat von einem Fuß auf den anderen und fühlte sich sichtlich unwohl.

»Äh ... ich muss gehen und die Sachen holen«, stotterte er und bewegte sich in Richtung Tür. »Ihr wisst schon, aus dem Zimmer.«

Sobald Felix weg war, empfand Jimmy die Stimmung in der Küche als noch drückender.

»Was auch immer passiert«, fuhr seine Mutter fort, »nichts von alldem ist euer Fehler. Macht euch keine Vorwürfe.«

Jimmy ließ die Worte an sich abperlen. Er verkniff sich eine Antwort. Dann übernahm es seine Schwester für ihn.

»Ich mache mir keine Vorwürfe«, murmelte sie. »Ich mache *euch* Vorwürfe. Dir und Dad.«

Jimmy wusste nicht, wo er hinschauen sollte. Die Worte seiner Schwester ließen erneut Wut in ihm aufsteigen. Seine Hände zitterten leicht, genau wie die seiner Mutter.

»Verstehe«, seufzte Helen. »Das ist in Ordnung. Aber wir beide lieben euch trotzdem noch genauso sehr. Und ich liebe auch euren Vater immer noch.«

»Wie kannst du jemanden lieben«, gab Jimmy zurück, »wenn er schlechte Dinge tut?«

Kaum hatte er die Worte ausgesprochen, bereute er sie schon wieder. Seine Mutter schwieg. Sie hatte keine Antwort. Einen Moment lang starrte sie Jimmy und Georgie einfach nur an, dann zog sie sich aus der Küche zurück. Genau in diesem Moment kochte die brodelnde Flüssigkeit in einem der Töpfe über.

Vor der Tür stieß Helen mit Christopher Viggo zusammen. Er fasste sie sanft an der Schulter und sah ihr ins Gesicht.

»Was ist los?«, flüsterte er. Helen vergewisserte sich, dass die Küchentür geschlossen war.

»Es ist nichts«, sagte sie mit zitternder Stimme. »Vergiss es.«

»Hör zu«, meinte Viggo, »die Kinder sind einfach aufgedreht. Sie müssen mal aus dem Haus raus – und ein bisschen Dampf ablassen.«

»Es ist zu gefährlich.«

Viggo seufzte. »Yannick sagt, das nächste Dorf ist ziemlich klein. Das Risiko, dass sich der *NJ7* genau diesen Ort aussucht, ist minimal. Es gibt dort in der Nähe einen See und Ställe …« Sanft hob er Helens Kinn an.

»Lass sie ein wenig Spaß haben. Es kann noch Tage dauern, bis wir etwas von Stovorsky hören.«

»Du findest mich zu ängstlich«, wisperte Helen. »Aber sie sind meine Kinder.« Sie hielt seinem Blick einen Augenblick stand, dann machte sie sich los und eilte die Treppen hinauf.

Viggo wollte ihr gerade folgen, da klopfte es laut an der Haustür. Jimmy hatte es ebenfalls gehört und stürzte von Dampfwolken umhüllt aus der Tür. Er schaute Hilfe suchend zu Viggo, aber der Ex-Agent schüttelte den Kopf, als wollte er sagen: *Keine Sorge*. In diesem Moment kam Felix die Treppe runtergesprungen.

»Wer ist da an der …«, begann er. Viggo packte ihn und legte ihm eine Hand auf den Mund, aber es war zu spät. Wer auch immer vor der Tür stand, hatte sie gehört, und klopfte erneut.

»Ich komme schon!«, rief Viggo und wiederholte dann auf Französisch: »*On arrive!*«

Jimmy deutete auf den Schatten unter der Tür.

Offensichtlich stand nur eine Person davor, aber was, wenn die anderen weiter hinten lauerten? Der Blick aus den unteren Fenstern war versperrt, da sie beim Überfall des *DGSE* zu Bruch gegangen waren und Yannick sie mit Brettern verrammelt hatte.

Jimmy rannte nach oben und näherte sich gebückt einem Fenster, von dem aus man den Hof überblicken konnte. Er spähte über den Fensterrahmen und suchte die Gegend ab. Doch er entdeckte nichts Ungewöhnliches, nur die Hausdächer des Dorfes weit hinten am Ende der Straße. Sein Herz pochte und er war fast erleichtert, dass endlich einmal etwas geschah, das ihn ablenkte.

So leise wie möglich öffnete er das Fenster und kletterte nach draußen, wobei er die Blumen auf der Fensterbank zerdrückte. Der Wind zerzauste seine Haare; *was für ein großartiges Gefühl, wieder an der frischen Luft zu sein.* Von hier aus konnte er die Person vor der Haustür kaum ausmachen – ein Vorsprung des Gebäudes schränkte seine Sicht ein. Rasch kletterte Jimmy an der Hauswand nach oben.

Es fiel ihm jetzt immer leichter, seine besonderen Fähigkeiten gezielt zu aktivieren. Es war schon fast angenehm, wenn die vertraute Energie emporstieg und durch seinen Körper pulsierte. Fast schon *zu* angenehm, fand er. Er musste dafür sorgen, dass auch sein menschlicher Anteil immer aktiv blieb. Viel zu schnell verfiel sein Körper sonst in diesen Ausnahmemodus. Seine Konditionierung würde mit jedem Tag leistungsfähiger und stärker werden. Sie war darauf ausgelegt, den menschlichen Teil in ihm irgendwann komplett zu verdrängen. Es war ein beängstigender Gedanke.

Jimmy erreichte das Dach und pirschte sich an dessen Rand entlang, bis er sich direkt über der Haustür befand. Dann sprang er. Der Wind pfiff ihm um die Ohren. Tränen traten ihm in die Augen und sein Magen krampfte sich zusammen und dann …

*BUMM!*

Jimmy landete direkt auf der Person vor der Haustür und begrub sie unter sich. Er hielt sie am Boden fest, ohne sie sehen zu können. Sein Gesicht steckte inmitten von Blumen. Der Mann unter ihm fluchte auf Französisch und wirkte ziemlich panisch. Die Tür flog auf. Viggo war bereit zuzuschlagen.

Aber das war nicht nötig – bei dem Mann handelte es sich lediglich um einen ängstlich zitternden Blumenboten. Jimmy taste den Mann nach Waffen ab, dann rollte er zur Seite und spuckte einen Mund voll Blütenblätter aus. Er nahm sich vor, in Zukunft mit geschlossenem Mund zu landen. Viggo schnappte sich den arg mitgenommenen Blumenstrauß und streckte dem Mann ein Trinkgeld hin. Jimmy stotterte eine Entschuldigung und schlich nach drinnen, wo Felix ihn mit hysterischem Lachen begrüßte.

»Das war so was von genial«, grölte er. »Hast du seinen Gesichtsausdruck gesehen?«

»Was ist hier los?« Es war Saffron mit wachem, konzentriertem Blick, als wäre auch sie bereit für einen

Kampf. Aber dann entdeckte sie die Blumen in Viggos Arm und ihre Gesichtszüge entspannten sich.

»Oh, Chris«, hauchte sie. »Für mich? Die sind so – zerquetscht.«

»Die sind nicht für dich«, blaffte er. »Ich meine, sie sind für niemanden.«

»Wenn sie für Helen sind, sag es mir besser gleich.«

»Nein, sie sind …« Bevor er den Satz beenden konnte, schaltete sich Felix ein und schnappte sich die Karte, die an dem Strauß hing.

»Mit den Blumen will uns Stovorsky möglichst unauffällig eine Nachricht übermitteln«, erklärte Viggo. »Also, was schreibt er?«

Felix blickte verwirrt. »Das steht nur sinnloser Quatsch«, sagte er. »Nur Buchstaben und Zahlen: *P.p18N.2300.*«

»Er wird uns helfen«, strahlte Viggo. »Wir sollen ihn in Paris treffen.«

Im St. James Park im Zentrum Londons herrschte die übliche würdevolle Ruhe. Dichtes Gebüsch dämpfte den Verkehrslärm der Straße und das einzige lautere Geräusch waren die Schritte von zwei Joggern auf dem Kies. Mitchell hielt ohne Probleme mit dem riesigen Mann an seiner Seite Schritt. Sein Körper war von der frischen Luft wie beflügelt, während Paduk heftig keuchte. Die täglichen Runden im Park waren der einzige Teil von Mitchells Training außerhalb der düsteren Tunnel des *NJ7*-Hauptquartiers.

Mitchell stellte keine Fragen und erhob keine Einwände. Tatsächlich stürzte er sich mit mehr Hingabe in das Training, als er es je für irgendetwas anderes in seinem Leben aufgebracht hatte. Es schien ihm zu gefallen. Trotzdem spürte er bei seinen Ausbildern ein gewisses Unbehagen. Was er nicht ahnen konnte: Dasselbe Team hatte auch schon Jimmy Coates trainiert. Es war dieselbe tägliche Routine, der auch Jimmy gefolgt war. Es war sogar die identische Laufstrecke.

Paduk verfiel in einen langsameren Trab und nahm einen Schluck aus seiner Wasserflasche. Obwohl er eigentlich keine Pause brauchte, tat Mitchell es ihm nach. Schließlich blieben die beiden ganz stehen. Zuerst dachte Mitchell, der Mann würde einfach kurz verschnaufen, doch dann folgte er Paduks Blick. Hinter dem Blattwerk des Parks leuchtete der Buckingham Palast wie eine majestätische Perle.

»Mitchell«, sagte Paduk mit leiser, ruhiger Stimme. »Du bist vielleicht versucht zu glauben, du bist unbesiegbar.« Er wischte sich den Schweiß von den Augenbrauen und knackte mit dem Kiefer. »Vergiss es. Du bist nicht unbesiegbar. Aber deine Feinde sind es auch nicht.«

Ohne Mitchell eines Blickes zu würdigen, rannte er weiter. Mitchell folgte ihm, darauf bedacht, einen guten Eindruck zu machen. Aber Paduks Worte hatten ihn verwirrt.

Nach Einbruch der Dunkelheit quetschten sich Helen, Saffron, Viggo und Jimmy in den uralten Lieferwagen.

Felix klopfte ans Fenster des Bauernhauses und zeigte Jimmy einen erhobenen Daumen. Jimmy lächelte. Es war toll, Felix in so guter Laune zu sehen, obwohl er immer noch besorgt um seine Eltern war. Felix war derjenige, der bei dieser Unternehmung am meisten zu verlieren hatte. Trotzdem hatte er sich nicht einmal darüber beschwert, dass er im Haus festsaß. Während Eva, Jimmy und sogar Georgie schier durchgedreht waren, war Felix immer nur unterstützend gewesen.

»Was für eine Schrottkarre«, knurrte Viggo, als er den Motor startete.

Jimmy fragte sich, ob Viggo diesen Lastwagen genauso rasant fahren würde wie seinen Bentley. Dieses schöne Auto hatte er wie den Rest seiner Londoner Existenz in der Garage seines Restaurants zurückgelassen.

»Es sind nur ein paar Stunden nach Paris, aber versucht trotzdem, ein wenig zu schlafen.« Viggos Rat richtete sich an alle, nicht nur an Jimmy. »Nach dem Treffen mit Stovorsky bringt Saffron Jimmy gleich wieder hierher zurück. Versuch es vor Sonnenaufgang zu schaffen. Helen und ich machen uns währenddessen nach England auf.«

»Hey«, unterbrach ihn Saffron, »ich dachte, wir gehen alle nach England.«

»Das ist zu riskant.« Der Lastwagen holperte über den Feldweg. »Helen und ich sind trainierte Agenten.«

»Und was bin ich?«, konterte Saffron in scharfem Ton. »Die Babysitterin?«

»Wer ist hier ein Baby?«, schaltete sich Jimmy empört ein.

»Sie hat recht«, sagte Helen ruhig. »Du solltest Saffron mitnehmen. Ich war seit Jahren nicht mehr im Einsatz und …«, sie holte tief Luft, »ich will die Kinder nicht alleine lassen.«

»Oh, Mum«, stöhnte Jimmy. »Das ist doch total …«

»Überängstlich – ich weiß. Aber egal ob es dir gefällt oder nicht, ich fahre mit dir zurück zum Bauernhof, Jimmy.«

Sie erreichten jetzt die Hauptstraße und Viggo trat aufs Gas.

»Wieso komme ich dann überhaupt mit?«, brummte Jimmy.

Saffrons Antwort fiel nüchtern aus. »Du bist das einzige Pfand, das wir zu bieten haben. Abgesehen von dir hat der französische Geheimdienst keinen Grund, uns zu helfen.«

»Pfand.« Jimmy hätte nie gedacht, dass ihn jcmand mal so beschreiben würde. Womöglich hatte sie ja recht, trotzdem fühlte er sich dadurch herabgesetzt. Saffron bemerkte sein Schweigen.

»Tut mir leid, Jimmy«, fügte sie rasch hinzu. »So hab ich das nicht gemeint. Ein *Pfand* kann auch eine Person sein.«

Das beruhigte Jimmy. Wenn er sich jemals wieder wie ein normaler Mensch fühlen wollte, dann war es nicht unbedingt hilfreich, wenn ihn alle behandelten, als sei er ein *Ding*. Er lächelte vorsichtig. Saffron lächelte zurück.

Hinter ihrer Anmut verbarg sich eine stählerne Härte, die Jimmy bewunderte. Er hatte Saffron in Aktion erlebt. Daher stand für ihn fest, dass sie Viggo nach London begleiten sollte. Niemals würde seine Mutter in einem Kampf so schlagkräftig agieren können.

In Paris regnete es in Strömen und der Verkehr auf den Straßen war mindestens so übel wie das Wetter. Viggo schimpfte und fluchte, während er den Lieferwagen durch die schmalen Seitenstraßen manövrierte. Die ganze Zeit über beobachtete Saffron im Seitenspiegel die Autos hinter ihnen. Es durfte ihnen um keinen Preis jemand folgen.

Sie fuhren am Fluss entlang in Richtung Stadtzentrum. Viggo trommelte ungeduldig mit den Fingern auf dem Lenkrad. »Alles klar?«, rief er.

»Alles klar«, antworte Saffron.

Plötzlich bog der Lieferwagen scharf ab. Jimmy wurde quer über die Sitzbank geschleudert.

Sie holperten mitten über den Gehweg und fuhren durch eine schmale Öffnung in der niedrigen Mauer neben der Straße. Dann schossen sie eine gepflasterte Rampe hinunter und fuhren jetzt direkt an der Seine weiter. Viggo trat auf die Bremse, bis der Lastwagen nur noch rollte. Schließlich hielten sie unter einem Brückenbogen. Jimmy blickte durch den Regen auf den Fluss. Es fröstelte ihn, als sie ausstiegen. Regenwasser strömte an den Brückenbögen herab und bildete einen Vorhang zwischen ihm und dem Rest der Welt.

Vom Fluss stieg ein unheimlicher schwefelgelber Nebel auf.

Schweigend zeigte Viggo ihnen den Weg. Sie rannten durch den Regen eine schmale Steintreppe hinauf, die auf die Pont de Sully führte. Dort stand Uno Stovorsky in seinem grauen Mantel, gut getarnt vor dem grauen Mauerwerk. Sein Regenmantel war bei diesem Sauwetter natürlich völlig angemessen.

Schweigend folgten sie Stovorsky über die Brücke auf die Île St. Louis. Jimmy versuchte gar nicht erst, sich gegen den Regen zu schützen. Er trug nicht einmal mehr das spezielle Hemd, das er vom *NJ7* bekommen hatte. Er zitterte. Trotzdem wäre er lieber erfroren oder im Regen ertrunken, als noch einmal den grünen Streifen zu tragen.

Strovorsky sperrte eine unauffällig aussehende Tür auf und führte sie durch einen Innenhof in das Gebäude. Als sie den vierten Stock erreichten, traten sie in ein kleines Büro mit einem Balkon zum Innenhof. An den Wänden erhoben sich Regale mit schweren ledergebundenen Büchern. Rasch ließ Stovorsky die Rollläden herunter. Merkwürdigerweise kam es Jimmy nicht so vor, als sei es hier drinnen wärmer als draußen auf der Straße.

Endlich legte Stovorsky los. »Lasst uns keine Zeit verschwenden. Kommen wir gleich zur Sache.«

»Du willst keine Zeit verschwenden?«, hakte Viggo nach. »Wieso haben wir uns dann nicht in der Nähe des Bauernhauses getroffen? Irgendwo im Wald zum Beispiel? Ist dir klar, wie schwer es für uns war, unerkannt nach Paris zu kommen?«

»Chris, entspann dich«, schaltete sich Saffron ein. »Er will uns helfen.«

»Vielleicht habt ihr in England ständig geheime Treffen im Wald«, höhnte Stovorsky. »Aber wir hier in Frankreich haben noch eine altmodische Demokratie. Dies ist eine konspirative Wohnung, ein geheimer Unterschlupf, Viggo. Hast du eine Ahnung, was das bedeutet?«

Viggo schien sich entschuldigen zu wollen, aber Stovorsky wetterte einfach weiter. »Es bedeutet, dass der Raum abhörsicher ist und die Zugangswege gegen Satellitenüberwachung abgeschirmt sind. Also, wenn du willst, kannst du meinetwegen zurückfahren und im Wald herumblödeln, oder wir kommen jetzt endlich zur Sache.«

Jimmy hielt den Atem an und beobachtete Viggo aus den Augenwinkeln. Der Mann nickte bedächtig.

»Also gut«, fuhr Stovorsky fort. »Wir haben in Erfahrung gebracht, wo die Eltern des Jungen festgehalten werden.« Jimmys Herz hüpfte.

»Gut«, sagte Viggo. »Und wo ist das?«

»Im Gebäude der französischen Botschaft in London, die mittlerweile dem *NJ7* als Geheimquartier dient.«

In Jimmy begann etwas zu vibrieren – dieses Mal allerdings nicht die Energie, mit der sich seine Kraft üblicherweise zurückmeldete. Er war einfach nur aufgeregt. Das war ein enorm wichtiger Beitrag zur Rettung der Muzbekes.

»Moment«, warf Helen Coates ein. »Wie haben Sie das herausgefunden?«

Stovorsky nickte, als hätte er die Frage erwartet. »Wir haben unsere Informanten in England«, erklärte er und fügte dann schnell hinzu: »Verlässliche Quellen.«

Saffron wandte sich besorgt an Helen und Viggo. »Was ist, wenn der *NJ7* diese Information manipuliert hat? Meint ihr, es könnte sich um eine Falle handeln?«

Ihre Skepsis übertrug sich auf Jimmy und sofort war seine freudige Aufregung wieder verflogen. *Bitte macht diese Hoffnung nicht zunichte,* dachte er. *Geht einfach hin und rettet sie.*

»Es gibt nur einen Weg, das herauszufinden«, murmelte Viggo. »Wie kommen wir nach London?« Jimmy bewunderte Viggos Entschlossenheit.

»Eigentlich sollte ich das besser nicht tun«, seufzte Stovorsky.

Bevor Viggo antworten konnte, übernahm Saffron das Ruder. »Wir sind Ihnen wirklich unendlich dankbar, Uno«, flötete sie mit honigsüßer Stimme.

Stovorsky sah kurz beiseite. Und als er wieder zu sprechen begann, vermied er nach Möglichkeit Saffrons Blick. »In Ordnung«, begann er. »Die Situation ist folgende: Der französische Botschafter ist aus London ausgewiesen worden. Anscheinend hat er eine Gruppe von Regimegegnern bei ihrer Flucht unterstützt.«

Viggo starrte schuldbewusst auf den Teppich. »Ja«, murmelte er, »das waren wir.«

»Das war mir auch klar, als ich den *EC975* hinter

dem Bauernhaus entdeckt habe.« Stovorsky klang missbilligend, aber Jimmy entdeckte auch einen Hauch von Respekt in seinem halbherzigen Lächeln. »Der *DGSE* kann ein Diplomatenvisum für einen von euch organisieren. Offiziell wird er dann als Angestellter des neuen Botschafters einreisen.«

Viggo fuhr sich übers Kinn und zögerte, mit seiner Forderung herauszurücken. Saffron übernahm das für ihn.

»Wir brauchen Schutz für zwei«, erklärte sie kühn.

»Sie hat recht. Alleine werde ich es nicht schaffen«, fügte Viggo hinzu.

Stovorskys Blick wanderte zwischen ihnen hin und her. »In Ordnung«, räumte er ein. »Ich denke, das kann ich arrangieren. Ich gehe davon aus, dass ihr beide das seid?«

Viggo zögerte und Helen brach das Schweigen. »Ja, es sind die beiden«, bestätigte sie.

Stovorsky nickte und zückte sein Handy. Er hielt es hoch, um ein Foto von Viggo und dann eins von Saffron zu machen. Dann vertiefte er sich in das Verfassen einer verschlüsselten SMS.

»Wer wird Jimmy untersuchen?«, fragte Viggo.

Stovorsky hob eine Augenbraue, ohne vom Display aufzusehen. »Was?«, fragte er.

»Im Gegenzug für deine Hilfe«, fuhr Viggo fort. »Ich gehe davon aus, dass einer eurer Wissenschaftler Jimmy untersuchen will?«

Jimmy schauderte bei der Vorstellung, *untersucht* zu

werden. Ihm war bewusst, dass es anders sein würde als beim Arzt. Er sträubte sich innerlich dagegen. Viggo behandelte ihn wie einen Gegenstand und setzte ihn als Tauschobjekt ein. Aber das Gefühl der Kränkung verflog schnell wieder. Das hier war für Felix' Eltern – und für Felix selbst.

»Dazu bin ich gern bereit«, platzte Jimmy heraus, der sehr viel zuversichtlicher klang, als er sich fühlte. »Ich weiß selber noch nicht alles über mich, aber ich zeige euch, was ich gelernt habe.«

Sovorsky war jetzt fertig mit seiner Handynachricht. Er musterte Jimmy skeptisch. »Nein«, höhnte er. »Ich hab's dir doch schon gesagt. Wir brauchen diese Information nicht.« Jimmy entspannte sich.

»Was willst du dann von uns?«, fragte Viggo.

»Nur eines: Ihr arbeitet für den *DGSE* und gebt alles an uns weiter, was ihr dort an Informationen sammeln könnt. Vor allem wollen wir wissen, was der *NJ7* über uns weiß.«

»Du verlangst also von uns, dass wir die britische Regierung ausspionieren?«

»Hast du ein Problem damit?«

Viggo starrte einen Moment ins Leere.

»Geht in Ordnung«, stimmte er schließlich zu.

Jimmy war überrascht, mit welcher Bereitwilligkeit Viggo und Saffron die Forderungen Stovorskys akzeptierten. Viggo hatte zwar jahrelang gegen die britische Regierung gearbeitet, aber immer für seine eigenen Ziele und demokratischen Ideale – niemals für Frankreich.

Stovorsky warf einen Blick auf sein Handy. »Wir müssen los«, sagte er und schritt zur Tür. »Ihr zwei kommt mit mir.« Viggo und Saffron folgten ihm gehorsam. »Ihr beiden«, Stovorsky wandte sich an Jimmy und seine Mutter, »verlasst Paris. Und zwar augenblicklich.«

# KAPITEL 4

Mitchell stand kerzengerade vor Dr. Higgins' Schreibtisch. Der Doktor hielt ein Foto in der Hand und auf seinem Schoß saß seine magere schwarze Katze. Hinter ihm standen die beiden anderen Personen, die jetzt Mitchells Leben bestimmten. Da war Paduk, der hünenhafte Mann mit der perfekt sitzenden Uniform und dem militärischen Haarschnitt. Mitchell wusste kaum mehr über ihn als seinen Namen.

Dr. Higgins gebot über die Macht der Wissenschaft, Paduk schüchterte durch seine mächtige Erscheinung ein. Doch am meisten Respekt hatte Mitchell vor der dritten Person. Auf ihren rot geschminkten Lippen lag ein halbes Lächeln und ihre eine Augenbraue war stets leicht verächtlich nach oben gezogen. Mitchell fragte sich, wie eine so wunderschöne Frau so eiskalt sein konnte. Es schien ihm unvorstellbar, dass es jemand wagen würde, sich ihr zu widersetzten.

»Du bist bereit«, verkündete Miss Bennett, die diese Situation sichtlich genoss. Die Übelkeit in Mitchells Magen war nicht verschwunden, sie hatte sich in etwas anderes verwandelt: in eine beängstigende Energie, die hervorbrechen wollte. Er hatte gelernt, wann er sie unterdrücken und wann er sich ihr überlassen musste.

»Dein Zielobjekt ist gefährlich«, fuhr Miss Bennett fort. »Du sollst es ausschalten und anschließend unversehrt hierher zurückkehren. Du warst sehr teuer.« Mitchell nickte fast automatisch. »Wenn du die Aufmerksamkeit der französischen Polizei auf dich ziehst, bist du für zukünftige Missionen wertlos. Also tarne dich gut und lass den Anschlag wie einen Unfall aussehen.«

Sie wandte sich zum Gehen, doch da fiel ihr noch etwas ein. »Du hast doch nicht etwa vor, vom Dienst zu desertieren, oder?« Ihre Augen wurden schmal. Mitchell schüttelte eilig den Kopf. »Denk immer daran: Es gibt keinen Ort, an dem wir dich nicht aufspüren können. Und für uns zu arbeiten, ist deine einzige Chance, das wiedergutzumachen, was du deinem Bruder angetan hast.«

Mitchell nickte erneut und versuchte dabei möglichst entspannt zu wirken. Er hatte überhaupt nicht die Absicht *vom Dienst zu desertieren*. Als er das geschundene Gesicht seines Bruders vor sich gesehen hatte, hatte er angefangen, seine menschliche Schwäche zu hassen. Es war fast eine Erleichterung zu erfahren, dass er nur zu 38 Prozent menschlich war. Er musste sich ein neues Leben aufbauen. Und einen gefährlichen Staatsfeind zu töten, war der erste wichtige Schritt dazu.

Er folgte Paduk durch die dunklen Gänge des *NJ7*-Hauptquartiers. Seine Mission hatte begonnen.

Dr. Higgins schnaufte resigniert.

»Kommen Sie drüber hinweg, Kasimit«, zischte Miss Bennett. »Bald wird nur noch eines Ihrer Babys am Leben sein.«

»Oh, sie waren nie wirklich *meine* Babys«, seufzte Dr. Higgins und streichelte behutsam das Fell seiner Katze. »Das wahre Genie, das hinter ihrer Erfindung steckt, wurde vor dreizehn Jahren vom *NJ7* hinausgeworfen.«

Er schloss die Augen und ließ das Foto auf den Tisch fallen. Es war erstaunlich scharf, obwohl es aus zweihundert Kilometern Höhe aufgenommen worden war. Es zeigte Jimmy Coates, der über das Dach eines französischen Bauernhauses schlich. Seine Gesichtszüge waren deutlich zu erkennen.

Auf dem Rückweg von Paris versuchte Jimmy zu schlafen, aber seine verspannten Schultern schmerzten zu sehr. Die Straßen waren leer. Niemand folgte ihnen und seine Mutter fuhr ruhig und entspannt.

Jimmy lehnte seine Stirn an die kühle Scheibe. Das Vibrieren des Motors übertrug sich auf seinen Schädel. Draußen flog die Straße vorbei, aber Jimmy schenkte ihr keine Aufmerksamkeit. Er beobachtete das Gesicht seiner Mutter, das sich in der Scheibe spiegelte.

*Kenne ich sie überhaupt?*, fragte sich Jimmy. Er wusste, er konnte ihr vertrauen, aber das war auch schon alles. Inzwischen war sie für ihn nur noch eine Ex-Agentin. Jimmy wünschte, er hätte unverdorbene glückliche

Erinnerungen an ein normales Familienleben gehabt, aber er konnte nicht ohne Bitterkeit an früher denken. Seine Eltern hatten Geheimnisse vor ihm gehabt. Geheimnisse, die sie selbst und ihre Arbeit betrafen, aber vor allem auch ihn, Jimmy, und wer er wirklich war.

Helen warf ihm einen raschen Seitenblick zu, als ahne sie seine Gedanken. Jimmy zwang sich zu lächeln und drehte sich weg. *Wieso ist Dads Verhalten eigentlich falsch und ihres nicht?*, schoss es ihm durch den Kopf. Sein Vater unterstützte Hollingdales Auffassung, dass die Masse nichts von Regierungsgeschäften verstand und deshalb auch nicht wählen sollte. Na und? Das tat doch niemandem weh, oder? Und ganz offensichtlich verteidigte der Premierminister seine Machtposition mit Gewalt; aber Helen war schließlich auch bereit, Gewalt einzusetzen, um ihn zu stürzen. Wo lag der Unterschied?

»Alles in Ordnung, Jimmy?«, erkundigte sich seine Mutter über das Dröhnen des Motors hinweg.

»Ja, ich glaub schon«, antwortete er. Eigentlich wollte er es dabei belassen, aber die ganze Sache ließ ihn einfach nicht los. »Mum«, begann er. Seine Stimme krächzte und er räusperte sich, bevor er fortfuhr. »Wenn sie mich tatsächlich untersucht hätten, was hätten sie gefunden?«

Helen Coates blickte weiter geradeaus auf die Straße, doch Jimmy konnte sehen, dass die Frage sie berührte. »Ich bin keine Wissenschaftlerin, Jimmy«, erwiderte sie.

»Aber du bist meine Mutter.«

Es folgte eine lange Stille. Die Lichter der Straße spiegelten sich flackernd in Helens Augen. »Ich verstehe es auch nicht vollständig«, erwiderte sie schließlich. »Ich weiß nur, dass sie einen speziellen Chip programmiert haben. Dieser Chip wurde dir, als du noch gar nicht geboren warst, implantiert. Er hat, während du herangewachsen bist, deine DNA durch Mikroimpulse verändert und so sind diese Kräfte in dir entstanden.« Sie sah zu ihrem Sohn. Jimmy war in Gedanken versunken.

»Aber ich war ein ganz normales Baby, wie alle anderen?«

»Du warst ein wunderschönes Baby«, erwiderte seine Mutter lächelnd. »Du bist in mir herangewachsen, wie jedes andere Baby auch, nachdem sie deine DNA bereits als Embryo verändert hatten. So konnte deine Entwicklung ungestört verlaufen.«

Eine Weile lang fuhren sie schweigend. Fast erfüllte es Jimmy mit Stolz, dass einige der weltbesten Wissenschaftler jahrelang an der Entwicklung seiner Fähigkeiten gearbeitet hatten. Doch eine Sache ließ ihn nicht los.

»Mr Stovorsky hat gesagt, es gibt noch einen wie mich.«

Seine Mutter ließ sich Zeit mit ihrer Antwort. Dann wählte sie jedes Wort mit Bedacht. »Dich gibt es nur einmal. Aber es stimmt, es gab damals zwei Versuche. Es gibt noch einen weiteren Jungen mit solchen Fähigkeiten. Er muss zwei Jahre älter sein als du, aber sie kennen seinen Aufenthaltsort nicht. Er ist von zu Hause weggelaufen. Wahrscheinlich führt er irgendwo ein ganz normales Leben. Es tut mir sehr leid, dass du das nicht kannst, Jimmy.«

»Ist schon okay, schätze ich«, antwortete er und versuchte gleichzeitig, seine wahren Gefühle zu erkunden.

»Jimmy«, begann seine Mutter zögernd. »Wenn ich gewusst hätte, dass ...« Sie verstummte.

»Wenn du *was* gewusst hättest, Mum?«

»Ach, nichts«, erwiderte sie. »Es ist nur so ... damals war alles anders.«

»Wann?«

»Als ich zugestimmt habe, deine Mutter zu werden.«

Jimmy stellte sich seine Mutter als junge Frau vor. Ihn schauderte bei dem Gedanken, dass sie mit Dr. Higgins, Paduk und Hollingdale zusammengearbeitet hatte, als wäre sie eine von ihnen. Konnte sie denn nicht ahnen, dass dieses ganze Experiment zu riesigen Problemen führen würde?

»*Warum* hast du mitgemacht?«, fragte Jimmy.

Seine Mutter holte tief Luft. »Es gab viele Gründe.« Sie klang abwesend, als sei es schwierig – oder schmerzhaft –, sich daran zu erinnern. »Es hatte mit mir und deinem Vater zu tun. Und mit Georgie. Sie war damals ein Baby. Ich dachte, es wäre eine Möglichkeit, weiter für den *NJ7* zu arbeiten, ohne *wirklich* für sie zu arbeiten, verstehst du, was ich meine?«

Seine Mutter blickte immer noch auf die Straße und bemerkte nicht, wie Jimmy den Kopf schüttelte.

»Es war ein Ausweg. Ich dachte, es würde mir achtzehn Jahre lang ein relativ normales Leben erlauben.«

»Aber was war mit mir?«, flüsterte Jimmy fast tonlos.

»Mir war klar, dass du ab deinem achtzehnten Lebensjahr für den *NJ7* arbeiten würdest. Aber ich dachte, wenn deine Programmierung sich erst voll entfaltet hat, wirst du dieses Leben auch wollen.«

In Jimmys Kopf dröhnten die Worte: *Ich habe keine echte Wahl.*

Helen beugte sich zu ihm hinüber und wuschelte ihm durchs Haar. »Mir war nicht klar, dass du … *du* sein würdest«, fügte sie hinzu und versuchte ein Lächeln. Doch Jimmy konnte sehen, wie traurig sie in Wahrheit war. Er erwiderte ihr Lächeln nicht.

Eine Stunde später schlurfte Jimmy durch die Eingangstür des Bauernhauses. Er war todmüde und bereit, sofort ins Bett zu fallen. Aber kaum waren sie eingetreten, hörte er in der Küche aufgeregtes Flüstern. Er sah zu seiner Mutter, die müde seufzte.

»Also, *ich* geh ins Bett«, murmelte sie.

Jimmy lächelte. Er war total erledigt, brannte aber gleichzeitig darauf, den anderen alles zu erzählen. In der Küche hockten Felix, Eva und Georgie um den Esstisch.

»Jimmy!«, rief Felix und sprang auf. »Was ist passiert?«

Jimmy wusste nicht, wo er anfangen sollte. »Ares

Hollingdale hält deine Eltern in der französischen Botschaft in London gefangen«, platzte er heraus.

»Und Chris und Saffron hauen sie wieder raus?«, rief Felix strahlend; ein einziges Energiebündel.

»So in der Art«, antwortete Jimmy lachend.

Felix grinste sein unverwechselbares Grinsen. Eva und Georgie sahen weniger glücklich aus. »Wenigstens wird *irgendjemand* aus seinem Gefängnis befreit«, brummelte Eva.

»Ja«, fügte Georgie hinzu. »Aber wer rettet uns?«

»Wie meinst du das?«, fragte Jimmy.

»Ich meine, dass wir alle seit Tagen in diesem Haus eingesperrt sind.« Jimmys Schwester spielte mit einem trockenen Stück Baguette. »Kein Wunder, dass wir nachts nicht schlafen können – wir unternehmen ja den ganzen Tag nichts.«

»Wenigstens müssen wir nicht in die Schule«, warf Felix ein.

»Na und?« Eva zuckte mit den Achseln. »Ich würde lieber in die Schule gehen, als hier mitten in der Pampa zu hocken. Ich hab nicht mal ein Handy.«

Jimmy fühlte sich hin- und hergerissen. Es gefiel ihm nicht, wenn Eva herumjammerte. Und vor allem mochte er es nicht, dass sich seine Schwester davon anstecken ließ. Trotzdem hatten die beiden natürlich recht. Es fühlte sich tatsächlich an, als wären sie hier eingesperrt.

»Ich wäre sogar lieber wieder bei meinen Eltern«, fuhr Eva fort. »Und die sind echt schlimm. Ich wette, die suchen nicht mal nach mir.« Jimmy erinnerte sich mit Schaudern an Evas Eltern. Sie waren begeisterte Befürworter der undemokratischen britischen Regierung.

Plötzlich schaltete sich Felix ein. »Hört endlich auf zu jammern. Das ist die beste Nacht aller Zeiten«, plapperte er fröhlich. Dann legte er die Stirn in Falten, als würde er angestrengt nachdenken. »Aber du hast schon recht. Wir haben jetzt wirklich lange genug hier drinnen gehockt. Wenn uns jemand angreifen wollte, hätte er es schon längst getan. Morgen werde ich deine Mum überreden, uns rausgehen zu lassen.«

»Wie du meinst.« Jimmy zuckte mit den Achseln und gähnte. »Lass uns in der Früh mit ihr sprechen. Du übernimmst das Reden und ich schau zu.«

Miss Bennett marschierte durch die Tunnel des *NJ7*-Komplexes – doch ihr Ziel war nicht der Regierungssitz in der Downing Street, der nach den Kämpfen bei Jimmy Coates' Flucht noch nicht wiederaufgebaut war. Vielmehr war es der am ticfsten gelegenen Teil des Hauptquartiers. Dort, in einem kahlen Bunker, kauerte Ares Hollingdale an seinem Schreibtisch, flankiert von drei Männern in *SAS*-Uniformen und zwei weiteren in *NJ7*-Anzügen. Ihm gegenüber saß Ian Coates und blätterte in einer orangefarbenen Akte.

»Wer ist da?«, schnappte der Premierminister panisch, als er jemanden eintreten hörte. »Ein Killer! Wachen zu mir! Alarm!«

Die Soldaten blickten verdutzt. Sie alle erkannten die Chefin des *NJ7*.

»Alles in Ordnung, Herr Premierminister!«, rief Ian Coates. »Es ist nur Miss Bennett.«

»Ach ja, natürlich. Wegtreten, Männer, ihr seid entlassen! Ich kenne diese Frau.« Hollingdales Blick schoss durch den Raum, als rechne er damit, jeden Moment aus dem Hinterhalt angesprungen zu werden.

»Mitchell Glenthorne wurde losgeschickt, Sir«, verkündete Miss Bennett, sobald die Wachleute den Raum verlassen hatten.

»Dieses kleine Monstrum soll nicht in meine Nähe kommen«, murmelte er. »Ich hab gesehen, wozu die fähig sind.«

»Herr Premierminister«, fuhr Miss Bennett fort. »Es ist noch nicht zu spät, ihn zurückzurufen.«

Ian Coates sprang auf. »Miss Bennett, wenn Sie irgendeinen Weg sehen, unsere Neodemokratie zu schützen, ohne Jimmy Schaden zuzufügen, dann behalten Sie ihn nicht für sich.«

Miss Bennett warf ihm ein herablassendes Lächeln zu und wandte sich wieder an Hollingdale. »Jetzt, wo wir Jimmy Coates' Versteck kennen, können wir es in weniger als einer Stunde mit einer bewaffneten Drohne dem Erdboden gleichmachen.«

Ian Coates sank in seinen Stuhl zurück, sein Gesicht war plötzlich leichenblass.

»Einen anderen Agenten auszusenden, stellt nur ein unnötiges Risiko dar«, fuhr Miss Bennett fort. »Haben wir denn aus dem letzten Mal nichts gelernt? Ordnen Sie einen Drohnen-Angriff an!«

»Sind Sie wahnsinnig, Miss Bennett?«, schrie der Premierminister. »Sie sprechen hier von einem unbemannten Flugzeug, das französischen Boden bombardieren soll!«

»Vermutlich werden die Franzosen zurückschlagen«, stellte Miss Bennett trocken fest. »Aber darauf sind wir vorbereitet.«

Hollingdales Hände zitterten. Er drehte sich mit seinem Bürosessel zur Wand und machte über die Schulter eine abwinkende Geste. Ian Coates verstand das als Aufforderung zum Eingreifen. Er erhob sich.

»Der Premierminister fürchtet, dass es viel zu gefährlich ist, die Franzosen zu provozieren.«

»Wie meinen Sie das?«, fragte Miss Bennett tonlos.

Hollingdale drehte sich wieder um und hämmerte mit der Faust auf den Schreibtisch.

»Sauvage!«, schrie er mit wütend funkelnden Augen. »Bis wir einschätzen können, wozu die Franzosen fähig sind, müssen wir extrem vorsichtig sein.«

Miss Bennett musterte die sorgenvollen Gesichter der beiden Männer. Ian Coates fuhr mit seinen Erläuterungen fort.

»Wir haben Grund zur Annahme, dass Dr. Sauvage bei seiner Flucht vor zwölf Jahren geheime Technologien an einen Geheimdienst namens *ZAF-1* weitergegeben hat.«

»*ZAF-1*?«, hakte Miss Bennett nach.

»Wahrscheinlich das französische Gegenstück zum *NJ7*«, antwortete Ian Coates. »Wir wissen es nicht. Alle

Details in diesen Dokumenten sind verschlüsselt.« Er warf die Akte auf den Tisch und zog eine Plastiktüte hervor, in der sich ein blutbefleckter orangefarbener USB-Stick befand.

»Und zwölf Jahre lang hat mir niemand etwas davon erzählt?« Miss Bennett war außer sich vor Wut.

»Niemand wusste darüber Bescheid, Miss Bennett«, beschwichtigte sie der Premier. »Auch nicht beim *NJ7*. Wenn Dr. Higgins von diesem USB-Stick erfährt, wird er davon ausgehen, dass wir Dr. Sauvage getötet haben. Und dann kann er extrem gefährlich für uns werden.«

»Sie sind vollkommen paranoid!«, schrie Miss Bennett. »Dr. Higgins ist nicht gefährlich, egal wie viele seiner Freunde wir umbringen. Er könnte diese Dateien in wenigen Minuten entschlüsseln.«

Ares Hollingdale zuckte fast unmerklich zusammen. Miss Bennett seufzte und fuhr sich durch die Haare. »Also«, stellte sie in sachlichem Ton fest. »Die Franzosen könnten Geheimwaffen besitzen, die viel gefährlicher sind als bisher angenommen.«

»Exakt«, blaffte Hollingdale. »Und sie könnten sie einsetzen.«

Miss Bennett wanderte im Raum auf und ab. »Allerdings haben wir keine zuverlässigen Informationen, ob sie diese Waffen *tatsächlich* besitzen.«

»Wir haben *diese* Informationen«, beharrte Ian Coates und deutete auf den USB-Stick.

»Das nennen Sie Informationen?«, spottete Miss Bennett. »Ich habe genug von Ihrer schlampigen Arbeit, Coates.«

»Mir gefällt Ihr Ton nicht, Miss Bennett«, erwiderte Ian Coates ruhig und fixierte sie.

»Warum sind Sie überhaupt in diesem Büro?«, höhnte sie. »Vor einem Monat saßen Sie noch mit hochgelegten Füßen in Ihrem Wohnzimmer. Denken Sie, Ihre Meinung zählt hier? Wenn Sie den Jungen vernünftig erzogen hätten, gäbe es diesen ganzen Schlamassel gar nicht. Sie sind nicht viel besser als Christopher Viggo.«

Als Viggos Name fiel, huschte ein wütender Ausdruck über Ian Coates' Gesicht.

»Miss Bennett, das reicht«, bellte Hollingdale. »Ians Meinung ist für mich von größter Wichtigkeit. Er hat mir wiederholt seine Loyalität bewiesen.« Er rieb die Hände aneinander, sodass seine Adern hervortraten. Sein Ärmel rutschte hoch und auf seinem linken Handgelenk wurde ein kleines Tattoo sichtbar: ein grüner Streifen. »Wir können nicht mit Gewissheit sagen, wozu die Franzosen fähig sind«, fuhr er fort. »Und so lange müssen wir gezielt Jimmy Coates treffen, und nicht Frankreich.«

# KAPITEL 5

Mitchells Zielobjekt zeichnete sich im Fernglas gestochen scharf ab. Es war Jimmy Coates. Das kreisrunde Blickfeld des Glases folgte ihm wie eine sich zuziehende Schlinge. Zuerst war Mitchell überrascht, wer sein Opfer war. Sie waren sich schon einmal begegnet. Es schien eine Ewigkeit her, seit Mitchell versucht hatte, den Jungen in London auszurauben, und ihm dann schlussendlich den Weg zur Polizeistation zeigen musste. Aber solche Pannen waren Vergangenheit. Jetzt konnte ihn nichts mehr überraschen. Das hier war ein Neuanfang.

Von seinem Zimmer in der Auberge de l'Aubergine aus überblickte er den Dorfplatz. Von hier bekam er alles mit, was sich im Ort abspielte. Dabei war Beuvron gar nicht mal so klein, es ging fast als Kleinstadt durch. Trotzdem registrierte Mitchell jedes noch so kleine Detail im Leben der Einwohner.

Voller Befriedigung dachte er an die Stunden, die er in der Wiese vor dem alten Bauernhaus verbracht hatte. Zu seiner Observierungstätigkeit hatte sogar die genaue Beobachtung der alten Frau gehört – Yannicks Mutter, wie er inzwischen wusste. Er hatte verfolgt, wie sie Essen und Kleidung für ihre Gäste gekauft hatte. Er hatte zugehört, wie sie sich darüber bei den Verkäufern beschwert hatte. Diese ganzen Informationen hatten ihm ein klares Bild über Jimmys Leben im Versteck verschafft.

Mitchells Erregung wuchs, als sich Jimmy am anderen Ende des Platzes vor der Crêperie niederließ. Die Situation war perfekt. Seit Jimmys Mutter ihnen vor vier Tagen erlaubt hatte, dass Bauernhaus zu verlassen, hatte Jimmy jeden Tag dasselbe getan. Mitchell hatte daher mit seinem Auftauchen gerechnet und sich die ganze Nacht vorbereitet.

Als Jimmy ein *citron pressé* bestellte, konnte Mitchell die Worte stumm mitsprechen. Es war zu Jimmys Lieblingsgetränk geworden, eine Mischung aus frischem Zitronensaft, Wasser und Zucker. *Ja,* dachte Mitchell, *dein letzter Drink. Nur schade, dass du tot bist, bevor er serviert wird.* Er legte das Fernglas auf dem Bett ab und griff in die schmale schwarze Ledertasche, die am Bettpfosten hing. Er zog drei Bambusstöcke hervor, jeder ungefähr fünfundzwanzig Zentimeter lang.

Mit der Präzision eines Chirurgen schraubte er sie an den Enden zusammen. Er fasste erneut in die Ledertasche und holte einen silbernen Ring heraus, der mit einem winzigen Clip versehen war. Diesen klemmte er oben auf die Spitze des Bambusrohrs. Dann fasste er an seinen Kopf und mit einem kräftigen Ruck riss er sich zwei Haare aus. Sie waren wie immer kurz geschnitten, doch für seine Zwecke völlig ausreichend. Er befeuchtete die Haare mit der Zunge und befestigte sie vorsichtig kreuzförmig über dem Ring.

Auf die Art entstand eine von ihm entworfene und speziell angepasste Waffe. Es war das wahrscheinlich am höchsten entwickelte Blasrohr der Welt, mit einer Zielvorrichtung und einem Fadenkreuz.

Mitchell näherte sich wieder dem Fenster. Er öffnete es einen Spaltbreit und kniete sich auf den Boden. Aus seiner Tasche zog er eine Handvoll winziger Kieselsteine. Es würde keine verdächtigen Kugeln am Tatort geben. Die Kiesel würden auf dem Marktplatz neben dem Dreck und den anderen Steinchen nicht weiter auffallen. Außerdem wäre es nicht einmal der Kiesel, der Jimmy Coates töten würde.

In Mitchell rührte sich kein Mitleid, als er seine Waffe mit einem Stein lud. Nicht ein Funken. Soweit Mitchell informiert war, verdiente Jimmy seine Strafe. *Bei dir haben die 38 Prozent die Oberhand gewonnen,* dachte Mitchell.

»Naja, du hast auch ein Leben gehabt, das einen verweichlicht«, murmelte er lächelnd. »Du bist nicht wie ich.«

Behutsam hob er das Bambusrohr und flüsterte: »Showtime.«

*»Deux citrons pressés, s'il vous plaît«,* bestellte Jimmy beim Kellner in perfektem Französisch.

»Oh, bestell mir auch eine«, flüsterte Felix und leckte sich über die Lippen.

Jimmy verdrehte die Augen. »Keine Sorge, du kriegst schon eine«, seufzte er.

»Ach so, er weiß schon, was ich möchte?«, fragte Felix leise, als der Kellner verschwunden war.

Gegen seinen Willen musste Jimmy lachen. »Übrigens, du solltest dieses Mal besser Zucker reintun.«

»Niemals«, antwortete Felix. »Ich mag den zitronigen Geschmack.«

Jimmy hatte ganz vergessen, wie lustig es war, wenn Felix einfach Felix war. Außerdem war es fantastisch, mal wieder draußen zu sein. Jimmys Mutter hatte ihrem Bitten und Betteln nachgegeben und ihnen endlich erlaubt, das Haus zu verlassen. Früher oder später wäre Yannicks Mutter sowieso durchgedreht und hätte sie alle rausgeschmissen.

Seit Viggo und Saffron vor vier Tagen nach London aufgebrochen waren, gab es keine Nachricht von ihnen. Jimmy wusste, dass es eine Weile dauern würde, um genügend Informationen für eine aussichtsreiche Befreiungsaktion in der Botschaft zu sammeln. Trotzdem war das Warten qualvoll. In der Zwischenzeit versuchten Felix und er einfach das Beste daraus zu machen, dass sie nicht zur Schule mussten und endlich wieder draußen unterwegs sein durften.

Es war Frühling in Frankreich. Es war nicht besonders heiß, aber sonnig genug, dass die Crêperie Schirme über den Tischen aufgespannt hatte. Abgesehen von dem Logo irgendeiner französischen Biermarke, hätten sie als riesige blaue Seerosen durchgehen können.

Jimmy und Felix machten es sich in ihrem Schatten gemütlich. Beinahe hätte Jimmy seine ganzen Sorgen vergessen.

Aber irgendetwas stimmte nicht.

»Was ist los?«, fragte Felix, als er Jimmys Miene bemerkte.

»Keine Ahnung. Vielleicht ist es auch gar nichts.«

»Sag schon.«

Jimmy zuckte mit den Achseln, konnte sich aber nicht richtig entspannen. »Es ist meine, du weißt schon …«, er senkte seine Stimme, »… meine Konditionierung. Dieses Gefühl ist wieder da.«

Felix beugte sich vor. »Ich dachte, es ist immer da. Du musst dich dran gewöhnen. Sonst verdirbt es dir noch einen superschönen …«

*PING!*

Das Geräusch unterbrach Felix mitten im Satz. Genau in diesem Moment kippte der Sonnenschirm über ihrem Tisch von seiner Stange.

Felix lachte auf, halb aus Belustigung und halb aus Schreck. Jimmy dagegen fand es überhaupt nicht witzig. Der Schirm sauste an seinem Gesicht vorbei und verfehlte ihn nur um Haaresbreite. Erschrocken fuhr er auf seinem Stuhl zurück. Die Speichen des Sonnenschirms steckten tief in der Tischplatte, wie Pfeile in einer Dartscheibe. Die Enden waren ungewöhnlich spitz. Der Schirm blieb auf der Seite liegen und bildete eine Stoffwand zwischen Jimmy und Felix.

Jimmy lehnte sich vor, um die Balance wiederzugewinnen. Doch genau in dem Moment brach das hintere Bein seines Stuhles durch, so glatt, als hätte jemand es angesägt. Er stürzte auf den Rücken. Dann –

*PING!*

Der Schirm vom Nachbartisch kippte nun auch – direkt auf Jimmy zu. Er sah die in der Sonne blitzenden Spitzen geradewegs auf sein Gesicht zuschießen. Im letzten Moment rollte Jimmy sich zur Seite. Die Speichen des Sonnenschirmes zerbartsen krachend auf dem Boden. Bevor Jimmy aufstehen konnte –

*PING!*

Ein weiterer Schirm. Dann: *PING! PING! PING!* Jeder der Schirme wankte auf seiner Stange, kippte und fiel dann in seine Richtung. Jimmy duckte sich unter den Spitzen weg, die sich oft nur Millimeter neben ihm wie Dolche in den Boden bohrten. Er schnappte sich einen Stuhl, um sie abzuwehren. Schließlich schaffte er es, unter einen Tisch zu hechten.

In das Geräusch klirrenden Metalls mischte sich jetzt das Schreien der Kellner. Jimmy spähte durch einen Wald aus Tisch- und und Stuhlbeinen. Felix' Gesicht tauchte auf, rot, aber grinsend.

»Bist du okay?«, brüllte er über den Tumult hinweg.

»Denk schon«, keuchte Jimmy. »Abgesehen davon, dass mich gerade ein Haufen Gartenmöbel kaltmachen wollte.«

Felix prustete. Jimmy fiel es schwer, in sein Gelächter einzustimmen.

Mitchell kniete auf dem Bett und versuchte seine Enttäuschung zu verdauen. Sein Plan war fehlgeschlagen. Jetzt brauchte er dringend einen Plan B. Er durfte keine Zeit mit unnötigen Grübeleien über sein Missgeschick verschwenden.

Er sah sich im Zimmer um. Es bot gerade eben Platz für ein Bett und das Waschbecken. Schmutzig war es auch, aber das ignorierte Mitchell. Er studierte die Dokumente und Landkarten, die er an die Wände gepinnt hatte. Seine Mission umgab ihn.

Schließlich riss er eine der Landkarten von der Wand und breitete sie vor sich auf dem Bett aus. Er schlug mit der Faust darauf ein und rügte sich dann selbst für seinen unkontrollierten Wutausbruch. Natürlich musste sein erster Versuch fehlschlagen. In seinem Hinterkopf war ihm die ganze Zeit bewusst gewesen, wie sehr das Gelingen dieses Plans von zu vielen glücklichen Zufällen abhing. Doch jetzt wurde es ernst.

Mitchell kratzte sich an der Ferse. Das Jucken erinnerte ihn beständig daran, dass Miss Bennett ihn beobachtete. Sie konnte ihn überall aufspüren. Sie kam Mitchell fast so vor wie eine Lehrerin, eine sehr strenge Lehrerin. Die von ihr aufgetragenen Hausaufgaben nicht zu erledigen, war keine Option. Aber Mitchell *wollte* seine Aufgaben auch erledigen.

Zum ersten Mal in seinem Leben sah er eine echte Chance für sich.

Er konnte seinen achtzehnten Geburtstag kaum erwarten. Dann würde die Konditionierung seine gesamte Persönlichkeit bestimmen. Das Gesicht seines Bruders würde ihn nie mehr verfolgen.

Mitchell schob diese Gedanken beiseite. Sie würden ihn nur stören – und Miss Bennetts Auftrag erforderte absolute Konzentration.

Mit dem Finger zeichnete er eine Linie auf der Karte nach. Es war die Straße, die von Beuvron zum Bauernhaus führte. Jimmy und seine Freunde spazierten sie jeden Tag entlang. *Dort?*, überlegte Mitchell. *Ein Verkehrsunfall?* Er stellte sich die schmale Fahrbahn vor, den schlammigen Graben am Straßenrand und die Pappeln, die ihn säumten. Er schüttelte den Kopf. Das würde vielleicht ausreichen, einen normalen Menschen zu töten, aber Jimmy Coates war schneller, stärker und seine Reaktionen waren unfehlbar.

*Wo dann?* Mitchells Finger kreiste suchend um das Bauernhaus. *Was ist das?* Er beugte sich über die Karte. Eine Art Industriegebiet. *Der perfekte Ort für einen Unfall,* dachte er. *Aber dazu muss ich näher an das Zielobjekt herankommen. Wie?*

Er sprang vom Bett, kniete sich vor das Fenster und spähte aus seinem Versteck hinaus. Unten auf dem Platz diskutierte Jimmy mit dem Chef der Crêperie hitzig über die defekten Schirme. Felix stolperte herum und versuchte beim Beseitigen des Chaos zu helfen. Ohne großen Erfolg.

Dann tauchten zwei Mädchen auf. Mitchell wusste, dass es sich um Georgie und Eva handelte. Sie waren ungefähr in seinem Alter und verbrachten die meiste

Zeit in einem Internetcafé um die Ecke. Offenbar hatten sie von dem Vorfall erfahren und wollten sichergehen, dass es Jimmy und Felix gut ging.

Mitchell nickte langsam, während in ihm ein neuer Plan reifte. *Ja,* dachte er, *diesmal schlage ich richtig zu.*

# KAPITEL 6

Jimmy lag in der Dunkelheit und starrte hinauf zu den Spinnweben, die seine Zimmerdecke zierten. In seinem Kopf spielte er immer und immer wieder den Vorfall in der Crêperie durch. Er bemühte sich, möglichst klare Bilder aus seinem Gedächtnis zu kramen. Er hoffte, darin Details zu entdecken, die ihm bisher vielleicht entgangen waren. Am liebsten hätte er seine Erinnerungen groß und scharf herangezoomt wie Fotos. Es gelang ihm nicht besonders gut, trotzdem ließ ihn irgendetwas nicht schlafen, ehe er nicht jeden einzelnen Moment noch einmal gründlich durchgegangen war.

»Bist du noch wach?«, flüsterte eine Stimme in der Dunkelheit. Es war Felix.

»Wie du siehst«, antwortete Jimmy. Der Mond strahlte durch die dünnen Vorhänge und erhellte das Zimmer.

Jimmy und Felix lagen in benachbarten Betten in einem der oberen Zimmer des Bauernhauses. Auf der anderen Seite des Zimmers standen zwei weitere Betten. In einem hob und senkte sich Yannicks dicker Bauch im Rhythmus seines Schnarchens. Das andere war leer.

»Glaubst du, Chris wird bald zurück sein?«, fragte Felix. »Mit meinen Eltern, meine ich.«

»Hm«, antwortete Jimmy, immer noch in seinen eigenen Gedanken versunken. »Oh ja. Bestimmt. Wenn es jemand schafft, dann er.«

»Oder du«, sagte Felix rasch. »Du würdest es auch schaffen. Du kannst alles schaffen.«

»Weiß nicht. Vielleicht.« Jimmy drehte sich zu seinem Freund. Er lächelte und schloss kurz die Augen.

»Felix«, flüsterte er zögernd, »glaubst du, das im Dorf heute war wirklich nur ein zufälliges Missgeschick?«

»Oh Mann, das war echt witzig. Der Chef konnte es kaum glauben, dass *alle* Sonnenschirme auf einmal zu Bruch gingen.«

»Die Sache ist die: Ich kann es eigentlich auch nicht ganz glauben.«

»Was meinst du?«

»Findest du es nicht ein bisschen merkwürdig, dass sie alle auf einen Schlag kaputtgingen? Und dass sie alle so scharfe Spitzen hatten? Das war echt gefährlich.«

»Ja«, antwortete Felix, das Mondlicht und die Begeisterung funkelten in seinen Augen. »Aber du warst so schnell, du hast dich einfach weggeduckt wie nix ...« Er turnte wild in seinem Bett herum, um Jimmys Abwehrreflexe nachzuahmen.

»Und hast du dieses Geräusch gehört, bevor sie umgefallen sind?«

»Welches Geräusch?«, fragte Felix, der jetzt völlig in seinem Bettlaken verheddert war.

»Dieses *PING*-Geräusch. Als ob irgendetwas sie zum Umfallen bringen würde.«

Felix starrte seinen Freund an und versuchte herauszufinden, ob er das gerade ernst meinte.

»Du glaubst, Miss Bennett hat einen unsichtbaren Mann geschickt, der die Enden von den Schirmen angespitzt hat und sie dann absichtlich umgeworfen hat, als du daruntergesessen hast?« Er zog dabei eine Grimasse, bei der eines seiner Nasenlöcher fast bis zum Auge hochwanderte. »Du bist verrückt.«

Jimmy atmete tief aus. Vielleicht hatte Felix recht. Es gab keinen vernünftigen Grund für seinen Verdacht. Aber diese Stimme in seinem Kopf gab einfach keine Ruhe. Sie wiederholte immer wieder, dass es unmöglich ein Zufall sein konnte, wenn mehrere Schirme mit spitzen Enden gleichzeitig Millimeter von seinem Kopf entfernt zu Boden stürzten.

»Was ist mit meinem Stuhl?«, beharrte Jimmy.

»Was soll damit sein?«

»Das Bein ist umgeknickt. Wie kann das Bein von einem Metallstuhl umknicken, wenn ihn nicht vorher jemand angesägt hat?«

»Moment«, sagte Felix und setzte sich aufrecht hin. »Woher konnte dieser unsichtbare Mann wissen, dass du genau auf diesem einen Stuhl sitzen wirst?«

»Er hätte es mit allen Stühlen machen können.«

»Oh, mit *allen* Stühlen«, wiederholte Felix spöttisch. »Dann gibt es den unsichtbaren Mann also *wirklich.*«

Jimmy hüstelte, um zu verbergen, dass er kurz vor

einem Lachanfall war. Wie konnte er selbst seine Sorgen noch ernst nehmen, wenn Felix ihn so durch den Kakao zog?

»Danke, Felix«, flüsterte er. »Wahrscheinlich bin ich paranoid.«

»Ja, und erzähl deiner Mum nichts von deinen verrückten Theorien, sonst lässt sie uns nicht mehr rausgehen.«

Beide kuschelten sich wieder in ihre Decken, um noch eine Mütze Schlaf abzukriegen. Dann begann Jimmy erneut, diesmal noch viel leiser, als würde er eigentlich nur zu sich selbst sprechen.

»Felix«, murmelte er, »manchmal, kurz bevor ich einschlafe, merke ich, wie meine Konditionierung komplett übernimmt. Ich fühle mich dann nicht mehr menschlich, weil ich gar nichts mehr *fühle*.«

Felix schwieg einen Moment. Yannicks Schnarchen dröhnte durch die Stille.

»Keine Sorge, Jimmy«, antwortete Felix endlich. »Für mich wirst du immer ein Mensch sein. Du *pupst* ja auch wie ein Mensch.«

Daraufhin prustete er vor Lachen los – und Jimmy stimmte ein.

»Das war ich nicht!«, grinste Jimmy. »Das war Yannick.«

Ein paar Tage später hingen Jimmy und Felix am See ab. Felix für seinen Teil hing buchstäblich. Und zwar an einem Ast, um nicht ins Wasser zu fallen.

»Jimmy«, rief er, während sich der Ast unter seinem Gewicht gefährlich bog. »Komm hoch zu mir!«

Jimmy schloss kurz die Augen und spürte in sich hinein. Die prickelnde Energie durchströmte ihn mittlerweile wie selbstverständlich, und fürs Erste schaffte er es auch, sie unter Kontrolle zu halten. Mit drei großen Schritten rannte er zu dem Baum und sprang hoch. Mit den Händen hangelte er sich an der Rinde empor und seine Beine folgten, als hätte er nie etwas anderes getan. Innerhalb von Sekunden war Jimmy auf gleicher Höhe mit Felix. Aber er hielt nicht inne.

Während er höher kletterte, sah er Felix' erstauntes Gesicht unter sich immer kleiner werden. Bald konnte er den ganzen See überblicken. Die Äste wurden dünner, brachen aber nicht, da Jimmy sie nur flüchtig berührte. Er hastete immer weiter hinauf, bis er zum Bauernhaus und sogar bis nach Beuvron schauen konnte.

Als er einen stabilen Ast fand, ließ er sich darauf nieder. Er atmete immer noch gleichmäßig und der Wind kühlte sein Gesicht. Sein Lächeln war mit jedem erklommenen Meter breiter geworden. Plötzlich erregte etwas seine Aufmerksamkeit. In Richtung des Bauernhauses konnte er drei sich nähernde Gestalten ausmachen.

»Felix!«, rief er. »Da kommt jemand!« Fast im selben Moment hörte er es unter sich in den Blättern rascheln. Und schon tauchte Felix' Kopf neben ihm auf.

»Hey, sieht ganz so aus, als hätte ich auch spezielle

Kletterfähigkeiten!«, bemerkte Felix ironisch. Jimmy wurde rot. Es war manchmal schwer zu unterscheiden, was ihm seine Konditionierung ermöglichte und zu was er von sich aus imstande war.

»Du hast recht«, bestätigte Felix, als er auf das Feld unter ihnen blickte. »Sieht nach Georgie und Eva aus.«

»Aber wer ist da bei ihnen?« Jimmy blinzelte in die Sonne. Die dritte Person war weder Yannick noch Jimmys Mutter.

»Wahrscheinlich dieser Junge«, brummte Felix.

»Welcher Junge?«

»Hörst du mir eigentlich nie zu?«, fragte Felix ungläubig. »Georgie und Eva haben im Internetcafé so einen Jungen kennengelernt. Sie wollten es vor deiner Mum geheim halten. Aber ich glaub, sie stehen total auf ihn.«

Jimmy wurde klar, dass er in letzter Zeit kaum mit seiner Schwester gesprochen hatte. Und Gespräche mit Eva versuchte er ohnehin so gut es ging zu vermeiden.

»Die beiden Mädels hocken nachts immer zusammen in der Küche, wenn ich mir einen Mitternachtssnack mache«, erklärte Felix.

»Sie sollten wirklich nicht im Internet surfen und auch keine Unbekannten anquatschen«, flüsterte Jimmy. Die Mädchen waren jetzt ganz in ihrer Nähe und schienen nach ihnen zu suchen.

»Klar, denn der Unbekannte könnte ja Miss Bennett sein, die sich verkleidet hat.« Felix schnitt eine Grimasse und begann wieder nach unten zu klettern. »Und die wahrscheinlich auch noch einen tödlichen Sonnenschirm dabeihat.« Jimmy wartete einen Moment. Dann schüttelte er seine Bedenken ab und folgte seinem Freund.

»Jimmy!«, rief Georgie, als er vom Baum sprang. »Da seid ihr also. Darf ich vorstellen: Das ist Mitchell. Seine Familie macht hier in der Nähe Urlaub. Er wollte euch beide mal kennenlernen!«

Zwischen Georgie und Eva stand ein kräftiger Junge mit kurzen Haaren. Jimmy musste zweimal hinsehen. Das war doch nicht möglich …

»Mitchell?«, fragte er ungläubig.

Der Junge hob lässig die Hand. »Hey, wir kennen uns«, sagte er. »Ich hab dich zum Polizeirevier gebracht. Vor ein paar Wochen, oder so.«

Jimmy antwortete nicht. Sie waren sich tatsächlich schon einmal begegnet. In der Nacht, als der *NJ7* Jimmy holen wollte, hatte dieser Junge ihn überfallen und beinahe ausgeraubt. Jimmy versuchte sich daran zu erinnern, aber er war damals so verängstigt und verwirrt gewesen, dass es ihm nicht wirklich gelang. Zögernd schüttelte er dem Jungen die Hand.

»So ein Zufall«, sagte Jimmy langsam und sah ihm direkt in die Augen.

»Total. Ich bin auch aus dem Norden Londons.« Mitchell erwiderte selbstsicher Jimmys musternden Blick. »Ich habe englische Stimmen gehört, mich umgedreht und zwei schöne Mädchen entdeckt.« Er deutete auf Georgie und Eva. »Ich musste sie einfach kennenlernen.«

Die Mädchen kicherten.

»Eigentlich«, schaltete sich Eva ein, »habe ich *ihn* angesprochen. Wisst ihr, das Leben hier ist eigentlich doch nicht so übel.«

Felix schüttelte peinlich berührt den Kopf.

»Wir gehen reiten«, verkündete Eva mit leicht geröteten Wangen. »Wollt ihr mitkommen?«

»Echt, auf ein richtiges Pferd steigen?« Felix klang besorgt.

»Kommt schon, das wird lustig«, rief Mitchell und wandte sich zum Gehen, flankiert von Georgie an seiner einen und Eva auf der anderen Seite.

Jimmy zögerte. Irgendetwas war hier faul. Bei der Begegnung damals im Park war der Junge aggressiv und abweisend gewesen. Und jetzt tat er auf einmal so, als wären sie die besten Freunde.

»Wir sollten mitgehen«, flüsterte Jimmy Felix zu. »Einfach um sicherzugehen, dass nichts passiert.«

»Du willst dich auf irgendeinen französischen Gaul hocken, nur weil so ein Typ deine Schwester anbaggert?« Felix wirkte keineswegs entzückt von der Aussicht, einen Pferdrücken besteigen zu müssen.

»Ich hab einfach ein mulmiges Gefühl bei dem Kerl, das ist alles.« Jimmy war sich nicht sicher, ob es sein natürliches Misstrauen als kleiner Bruder war oder ob sein Agenteninstinkt sich meldete.

»Meinetwegen.« Felix zuckte mit den Achseln und sie folgten den anderen.

Jimmys Pferd stank und war permanent von einem Haufen Fliegen umschwärmt. Aber jetzt gab es kein Zurück mehr. Bei den Ställen hatte Jimmy mit dem Besitzer einen Preis ausgemacht. Vermutlich hätten sie das Doppelte gezahlt, wenn er nicht auf Französisch verhandelt hätte. Der mürrische Mann mit seinen dreckbeschmierten Kleidern schien keinen Gedanken an ihre Sicherheit zu verschwenden. Es gab keine Helme und es war ihm egal, was sie mit den Pferden anstellten, solange sie vor Sonnenuntergang wieder zurück waren.

Die anderen ritten ein Stück voraus. Jimmy und Felix versuchten sie einzuholen, schwankten aber bei jedem Schritt ihrer Pferde gefährlich im Sattel.

»Mein Hintern!«, jammerte Felix. »Ich hab solche Schmerzen. Mein armer Arsch wird sterben und abfallen.« Obwohl es Jimmy ähnlich ging, gluckste er. Aber Felix war mit seiner Tirade noch nicht am Ende. »Schade. Ich mochte meinen Hintern nämlich ziemlich gerne«, fuhr er fort. »Außerdem brauche ich ihn noch … zum Sitzen.«

Eva war als Einzige schon geritten. Und sie war ganz wild darauf, den Übrigen ihre Kenntnisse zu vermitteln. Jimmy war froh, dass er ihre albernen Ratschläge nicht hören musste. Georgie saß auch nicht sehr fest im Sattel. Jimmys Aufmerksamkeit galt jedoch ausschließlich Mitchell. Er ließ ihn keine Sekunde aus den Augen.

Zuerst folgte die Gruppe den markierten Pfaden und ritt in gemäßigtem Tempo. Doch das wurde Eva schnell zu langweilig. »Lasst uns galoppieren«, rief sie. Ohne eine Antwort abzuwarten, beugte sie sich vor, öffnete ein Gatter und drückte ihre Fersen in die Pferdeflanken. Das Tier schoss direkt auf einen Obstgarten zu. Mitchell folgte ihr als Erster. Sehr zum Ärger von Jimmy.

Jimmy seufzte und versuchte seine Rückenschmerzen zu ignorieren. Warum machte man Sättel nur so unbequem? Das Leder knarzte, während er sich alle Mühe gab, das Pferd zum Verlassen des Pfads zu bewegen. Im Gegensatz zu Georgie und Felix gelang es ihm nach einer Weile.

»Dieses Pferd ist so ein Esel!«, schrie Felix und hämmerte ohne Erfolg seine Fersen in die Pferdeflanken. Jimmy hätte beinahe losgelacht, war aber zu sehr darauf konzentriert, die beiden Reiter vor sich im Blick zu behalten.

»Das ist ja auch kein Pferd, Felix«, verbesserte ihn Georgie. »Du sitzt auf einem Pony.« Sie wollte Mitchell und Eva auf keinen Fall verlieren, also schrie sie: »Wartet auf uns!« Doch ihr Pferd bewegte sich nicht von der Stelle. Frustriert ließ sie die Zügel fallen. »Das ist doch bescheuert.«

»Ganz genau«, bestätigte Felix. »Wenn die Menschen dazu bestimmt wären, auf Pferden zu reiten, hätte Gott keine Motorräder erfunden.«

Jimmy wartete auf die beiden und wurde immer ungeduldiger.

»Jimmy!«, hörte er Georgie schließlich rufen. »Uns reicht es. Wir sehen uns dann später zu Hause!«

Sie und Felix winkten verzweifelt. Jimmy winkte zurück. Unter anderen Umständen wäre er natürlich sofort mit ihnen zurückgekehrt. Aber er konnte sein Misstrauen gegenüber Mitchell nicht abschütteln. Es war viel zu unwahrscheinlich, dass er zufällig im gleichen Dorf Urlaub machte. Jimmy entschied, auf Nummer sicher zu gehen und ihnen zu folgen, selbst wenn sich am Ende herausstellen sollte, dass er übervorsichtig war. Letztlich sprach auch nichts wirklich dagegen – außer vielleicht den Schmerzen in seinem Hintern. Wenn Mitchell ihnen absichtlich hierher gefolgt war, musste Jimmy herausfinden, wieso.

Mitchell konnte offensichtlich genauso gut mit Pferden umgehen wie Eva. Die beiden quatschten und flirteten, während Jimmy sich ein Stück hinter ihnen hielt und sie beobachtete. *Wieso kann er so gut reiten,* fragte sich Jimmy, *wenn er ein Straßendieb aus London ist?*

Jimmy duckte sich unter den Ästen und spähte durch die Blätter. Es wurde einfacher, die beiden im Blick zu behalten, als die Bäume sich lichteten und sie über die Felder ritten. Obwohl sie fast den ganzen Nachmittag unterwegs waren, schaffte Jimmy es nie, sie ganz einzuholen.

Irgendwann ritt Mitchell dicht an Eva heran. Ihre Füße in den Steigbügeln berührten sich. *Worüber redeten sie?* Plötzlich presste Eva ihre Fersen in die Flanken ihres Pferdes und galoppierte mit einem fröhlichen Quietschen davon. Gleich darauf preschte Mitchell in die entgegengesetzte Richtung. *Die wollen mich abschütteln,* dachte Jimmy. Er hätte nichts dagegen gehabt, die beiden endlich los zu sein, wenn da nicht das Misstrauen gegenüber Mitchell gewesen wäre. Außerdem waren sie mittlerweile so weit vom Bauernhaus entfernt, dass Jimmy sich nicht sicher war, ob er alleine zurückfinden würde. Und dann war da noch etwas tief in Jimmy, das ihn weitertrieb.

Es waren seine Instinkte. *Natürlich*, dachte er, *warum nicht?* Wenn er kochen, fechten und unter Wasser atmen konnte, wieso sollte er dann nicht auch reiten können? Eva war schon fast in einem Wäldchen am Horizont verschwunden, doch Mitchell war erst wenige Hundert Meter entfernt. Mitchell blickte über die Schulter, fast so, als wolle er Jimmy herausfordern. Gut, das konnte er haben.

Die Muskeln in Jimmys Beinen spannten sich. Seine Haltung im Sattel veränderte sich. Er saß jetzt wie ein echter Reiter. Und das Pferd reagierte augenblicklich. Es setzte zu einem gestreckten Galopp an. Jimmy beugte sich vor wie ein Jockey. Die Mähne streifte sein Kinn und Staub wirbelte ihm ins Gesicht. Die donnernden Hufe trugen ihn rasch in Mitchells Richtung.

Die beiden Reiter preschten über die Äcker und Jimmy holte immer weiter auf. Kurz vor ihm erreichte Mitchell das Ende eines Feldes. Sein Pferd sprang mühelos über die Hecke. Sekunden später schoss Jimmy auf das gleiche Hindernis zu. Er versammelte sein Pferd und ließ die Zügel lockerer. Das Pferd senkte den Kopf und fast im selben Augenblick spürte Jimmy die gewaltige Kraft seiner Hinterbeine, als es sich vom Boden abstieß. Er klammerte sich fest an den Sattel. Jimmy blinzelte in die Sonne. Für einen kurzen Moment schien er zu fliegen. Doch dann landeten die Vorderhufe schon wieder auf dem Boden. Der Aufprall ging Jimmy durch Mark und Bein. Das Pferd beschleunigte erneut und jagte durch das nächste Feld.

Hier war der Boden uneben und vor ihnen erhob sich mitten in der Landschaft eine Art Industriegebiet. Mitchell verschwand hinter einem Hügel. Für einen Moment hatte Jimmy ihn aus dem Blick verloren. Er trieb sein Pferd zu mehr Tempo an. Er wusste, er konnte ihn einholen.

Als er den Hügel erreichte, hielt er nach Mitchell Ausschau, konnte ihn aber nirgendwo entdecken. Plötzlich spürte er einen Luftzug auf seiner Wange. Er wirbelte herum und Mitchell tauchte grinsend neben ihm auf. In einer Hand hielt er die Zügel, in der anderen einen Strick mit einer Schlinge am Ende. Aus dem Handgelenk schleuderte er die Schlinge in Jimmys Richtung und sie legte sich um seinen Hals wie ein Lasso. Jimmy griff sofort nach dem Strick, aber es war zu spät. Blitzschnell zog sich die Schlinge zu und Mitchell zerrte ihn aus dem Sattel. Jimmy knallte auf den Boden.

Mitchell schleifte ihn durch den Dreck, ohne sein Tempo zu drosseln. Jimmys Pferd galoppierte immer noch hinterher, aber das nutzte Jimmy nicht mehr viel. Seine Haut wurde aufgeschürft, überall wo sie den

Boden berührte. Er drehte und wand sich, zog dadurch aber die Schlinge nur noch fester um seinen Hals. Er schnappte keuchend nach Luft und schluckte jede Menge Staub.

Jimmys Gesicht war knallrot. Verzweifelt versuchte er die Schlinge zu lockern. Sein Gehirn schrie nach Sauerstoff und seine Wirbelsäule spannte sich, um nicht zu brechen. Ohne nachzudenken, ließ Jimmy seine Hand über die Erde schleifen, so schmerzhaft das auch war.

Er packte einen spitzen Stein und schloss seine Faust fest darum. Seine spitzen Kanten bohrten sich in seine Handfläche.

Er konnte jetzt kaum noch etwas sehen. Schmutz und Staub peitschten ihm ins Gesicht und seine Augenlider waren geschwollen. Er musste seine ganze Energie aufbieten, um nicht bewusstlos zu werden. Blind seinen Instinkten folgend, stieß er die Spitze des Steins in den Strick. Immer und immer wieder. Er zerschrammte damit zwar seine Haut – aber auch den Strick.

Felix und Georgie schleppten sich ins Haus, staubbedeckt und voller blauer Flecken. Georgies Mutter erwischte sie im Flur.

»Was ist denn mit euch passiert?«, fragte sie.

»Pferde«, brummte Georgie nur.

Helen Coates kicherte. »Ihr wart doch diejenigen, die rausgehen und sich amüsieren wollten. Wo sind die anderen?«

»Die konnten besser reiten«, antworte Felix, genauso deprimiert über den Verlauf des Nachmittags wie Georgie. »Und Jimmy wollte ihnen folgen.«

»Was meinst du mit *ihnen*?« Helen starrte Felix an. »Wer ist noch dort?«

Georgie funkelte Felix wütend an. Er blickte schuldbewusst zu Boden, weil er sich verplappert hatte.

»Ich nehme an, es ist okay, wenn wir es dir sagen«, seufzte Georgie schließlich. »Wir haben vor ein paar Tagen im Dorf so einen Jungen kennengelernt. Er wollte unbedingt mitkommen.«

Helen wurde schlagartig nervös. *Bleib ruhig,* ermahnte sie sich selbst. *Sei nicht paranoid.* »Was für ein Junge?«, hakte sie nach und versuchte dabei, so entspannt wie möglich zu klingen.

»So ein Junge halt, okay?« Georgie zuckte mit den Achseln und steuerte auf die Treppe zu. »Sein Name ist Mitchell.«

Helen erstarrte. »Er ist Engländer und etwa in deinem Alter«, keuchte sie. »Er ist ein bisschen kleiner als du, hat hellbraune Haare, wahrscheinlich sehr kurz geschnitten.«

»Woher weißt du das?« Georgie wandte sich um und blickte direkt in das todernste Gesicht ihrer Mutter.

»Ich habe vor vierzehn Jahren eine Computersimulation seines zukünftigen Äußeren gesehen.«

Georgie und Felix waren völlig perplex. Georgie wollte etwas sagen, brachte aber keinen Ton heraus.

»Los, steigt sofort ins Auto, ihr beiden«, befahl Helen mit fester Stimme. »Ihr müsst mir zeigen, wo ihr sie zuletzt gesehen habt.«

# KAPITEL 7

Jimmys Lungen rangen verzweifelt nach Sauerstoff. Er spuckte eine Handvoll Schmutz aus und wischte sich mit dem Ärmel über die Augen. Instinktiv befühlte er die Kratzer an seinem Hals. Sie bluteten nicht mehr. Aber er durfte sich noch nicht ausruhen. Der Boden unter ihm dröhnte. Als er sich aufrichtete, sah er Mitchell und sein Pferd, die wendeten und wieder auf ihn zu galoppierten. Mitchell würde wohl kaum aufgeben, ehe er Jimmy ausgeschaltet hatte.

Jimmy stemmte sich hoch und rannte zu seinem eigenen Pferd. Es galoppierte an ihm vorbei und auf seinen Stallkameraden zu. Jimmy packte den Sattelknauf und schwang sich auf seinen Rücken. Er musste seine ganze Körperkraft aufbieten, um das Pferd zum Wenden zu bringen. Als es ihm endlich gelang, war Mitchell nur noch wenige Meter entfernt.

»Komm schon«, fauchte Jimmy, als ob das Pferd ihn verstehen könnte. Irgendwie musste es tatsächlich Jimmys Verzweiflung gespürt haben, denn es preschte los. Mitchell rammte die Fersen in den Flanken seines Pferdes und galoppierte hinter ihnen her.

Hier auf offenem Feld konnte sich Jimmy nirgendwo

verstecken. Die Verletzungen, die er sich zugezogen hatte, als Mitchell ihn hinter sich herschleifte, verheilten bereits. Trotzdem verlangte sein ganzer gebeutelter Körper nach einer Ruhepause. Er fixierte die Gebäude, die vor ihm aufragten. Wenn er es bis dorthin schaffte, hätte er vielleicht eine Chance.

Mitchell holte langsam auf. Die beiden Pferde streckten sich im Galopp, als wollten sie einen Geschwindigkeitsrekord aufstellen. Die langen Schatten der Industriegebäude fielen bereits auf sie. Ein rostiges Schild verriet, dass es sich um eine Anlage zur Schrottverwertung handelte.

Doch Jimmy war noch längst nicht in Sicherheit. Mitchell lag jetzt fast gleichauf. Mit einem weiteren, gewaltigen Sprung setzte Jimmys Pferd über den Zaun und landete mit donnernden Hufen auf dem Industriegelände. Eine Sekunde später hörte er, wie Mitchells Pferd hinter ihm dasselbe tat.

Jimmy suchte zwischen den verrosteten Metallschuppen nach einer Möglichkeit, seinen Verfolger abzuschütteln. Die gesamte Anlage war verlassen. Mitchell war jetzt ganz nah. Er griff über den Pferdehals und packte von hinten Jimmys Sattel. Bald schossen sie dicht nebeneinander durch das Gelände. Mitchell versuchte Jimmy einen Schlag in den Nacken zu verpassen, doch Jimmy duckte sich. Mit jeweils einem Arm tauschten sie Schläge aus, während ihre Pferde weiterpreschten.

Dann donnerten sie durch den Eingang eines Fabrikgebäudes. Mitchell erhob sich aus dem Sattel, um nach

Jimmys Zügeln zu greifen. Und rasch wurde Jimmy klar, warum. Sie ritten geradewegs auf die Zufahrtsrampe vor einer gewaltigen eisernen Maschine zu. Jimmy versuchte vergeblich sich aus Mitchells Griff zu befreien. Wollte er, dass sie beide beim Zusammenprall mit der Maschine zerschmettert wurden?

Dann, in allerletzter Sekunde, zerrte Mitchell an den Zügeln. Die Pferde drehten ab, aber für Jimmy hatte Mitchell andere Pläne. Er packte Jimmys T-Shirt am Rücken und als die Pferde abrupt stehenblieben, riss er ihn aus dem Sattel. Jimmy segelte durch die Luft. Er flog über den Rand der Maschine und landete krachend in ihrem Inneren.

Er fand sich auf einem Haufen verbogener Metallteile und zerfetztem Plastik wieder. Plötzlich schien der Schrotthaufen leise zu grollen. Das Brummen schwoll zu einem gewältigen Dröhnen an. Und dann begann sich der Müll zu bewegen. Mitchell hatte die Maschine eingeschaltet.

Gleich darauf gähnte zu Jimmys Füßen eine Öffnung. Als er hinuntersah, erhaschte er einen Blick auf ein Stück Holz, das in einen Trichter fiel und dort von rotierenden Klingen in tausend Splitter zerhackt wurde. Jimmy war in einem gewaltigen Schredder gefangen.

Er krabbelte rückwärts von dem Loch weg und versuchte sich an den meterhohen Innenwänden der Maschine hochzuziehen, doch sie waren aus glattem Metall. Seine Wunden brannten immer noch und seine Gedanken rasten. Er versuchte an der Wand einen Stapel aus größeren Plastikteilen aufzutürmen. Wenn es eine Situation gab, in der seine besonderen Fähigkeiten gefragt waren, dann jetzt. Er ließ sich vollkommen von seinen Instinkten leiten. Der Turm wuchs Stück für Stück, während der Boden gleichzeitig immer weiter absank. Doch Jimmys Plan ging auf. Er kletterte an dem Plastikstapel empor, bis er den Rand der Maschine packen konnte. Doch dann fühlte er eine gewaltige Kraft, die seinen Kopf wieder nach unten drückte.

Es war Mitchell. Er war von außen an der Maschine hochgeklettert – und hatte nicht vor, Jimmy entkommen zu lassen. Jimmys Finger waren blutverschmiert und er fand kaum Halt. Trotzdem durfte er nicht loslassen. Da drosch Mitchell seine Handkante gegen Jimmys Schulter, sodass die Nervenbahnen zu den Fingern für einen Augenblick unterbrochen waren.

Während Jimmy stürzte, starrte er in Mitchells eiskalte Augen.

Verzweifelt versuchte er, sich durch den Schrott nach oben zu wühlen, doch der Trichter saugte ihn förmlich ein. *Kann ich das überleben?*, fragte Jimmy sich panisch. Tausend Gedanken zuckten durch seinen Kopf – aber einer stach deutlich hervor: Den Schredder würde er niemals überleben, so stark war er nicht. Seine Hände versuchten sich irgendwo festzuklammern, aber er erwischte nur ein Stück Kabel und einen Nagel. Beides rutschte mit ihm in dem Trichter. Er hörte sich selbst schreien, als sein Bein mit einem der mit tausend Umdrehungen pro Minute rotierenden Stahlmesser in

Berührung kam. Unerträglicher Schmerz explodierte in seinem Inneren. *Ich kann keine Schmerzen haben,* protestierte er innerlich, *ich bin besonders.* Doch die Höllenqualen nahmen nur noch zu.

Mitchell wandte sich von der Maschine ab. Das Schreien verstummte. Sein Job war erledigt. Er sah sich um und bemerkte, dass er nicht mehr alleine war. Eva sprang von ihrem Pferd, das sofort das Weite suchte. Sie rannte auf Mitchell zu, Panik in den Augen.

Mitchell überlegte rasch. Das war nicht Teil seines Plans. Er hatte seine Mission unbeobachtet erfüllen und dann allen von einem schrecklichen Unfall berichten wollen. Diese Zeugin hier konnte alles ruinieren. Aber dann kam ihm eine Idee – vielleicht konnte er die Situation sogar zu seinem Vorteil nutzen.

»Das Pferd hat sich direkt vor der Maschine aufgebäumt und hat ihn abgeworfen«, schrie er über den Lärm der Maschine hinweg. »Jimmy ist im Schredder gelandet. Ich wollte ihm helfen, aber der Ausschalter klemmt.«

Er spähte zu der Schalttafel, die er kurz zuvor mit einer Brechstange zerschmettert hatte.

»Ich weiß«, schrie Eva zurück und Tränen flossen in Sturzbächen ihre Wangen hinunter. »Ich hab gesehen, wie du dich zu ihm runtergebeugt hast.«

»Hör zu, ich brauch deine Hilfe.« Mitchell starrte Eva in die Augen. »Es war ein schrecklicher Unfall. Aber das wird mir niemand glauben.«

»Was meinst du damit?«

»Ich habe in England ein Vorstrafenregister. Ich muss von hier weg. Sag allen, dass ich mein Bestes gegeben habe und es mir leid tut.« Mitchell wartete, bis Eva seine Lüge geschluckt hatte. Sie starrte ihn auf merkwürdige Art an. War das Bewunderung in ihrem Blick?

Er sprintete zurück zu seinem Pferd, griff nach den Zügeln und sprang in den Sattel. Ein wenig entfernt konnte er einen Lieferwagen erkennen, der sich der Anlage näherte. Er musste sofort hier verschwinden. Aber Eva rannte auf ihn zu.

»Geh!«, schrie Mitchell. »Hol Hilfe.«

Eva drehte sich ein letztes Mal zu der riesigen, immer noch laut rumorenden Maschine um. Dann sah sie zu Mitchell auf. »Nimm mich mit«, flehte sie. Mitchell verstand sie nicht, konnte aber die Worte von ihren Lippen ablesen.

Er musste sich schnell entscheiden. Sollte er das Mädchen auch erledigen? Nein – gleich zwei Todesfälle würden viel zu verdächtig wirken. Und bevor er irgendetwas unternehmen konnte, rannte Eva auf ihn zu, packte seinen Arm und schwang sich hinter ihm aufs Pferd. Das Tier bäumte sich auf, empört über die zusätzliche Last. Mitchell blieb keine Zeit für lange Diskussionen. Ein scharfer Tritt in die Pferdeflanken und schon flogen sie durch die Landschaft dem Horizont entgegen.

Das Kabel, an das Jimmy sich klammerte, schnitt tief in seine Handflächen. Das andere Ende hing über den Rand der Maschine. Daran befestigt war ein in Hakenform gebogener Nagel. Jimmy hoffte, dass Mitchell ihn nicht bemerken würde. Diese improvisierte Konstruktion war das Einzige, was ihn in seiner Position hielt: einen Fuß gegen Wand gestemmt, hing er fast horizontal über den hungrigen Klingen. Sein anderes Bein baumelte leblos herab, es war verletzt und blutete heftig.

Jimmy schloss die Augen und versuchte verzweifelt, den Schmerz zu verdrängen. Seine Konditionierung war noch nicht voll entwickelt, und er hatte nicht damit gerechnet, dass sie vorzeitig auf so eine extreme Probe gestellt würde. Er lauschte. Bis er sicher sein konnte, dass Mitchell verschwunden war, saß er fest. Doch das Donnern der Maschine übertönte jedes andere Geräusch. Irgendwann konnte er über den Lärm hinweg das Schreien zweier Personen ausmachen. Doch gleich darauf verstummte es schon wieder. Er mobilisierte den letzten Rest seiner Kraft und zog sich an dem Kabel hoch, bis er über den Rand spähen konnte.

Und sah Mitchell und Eva davonreiten.

Jimmy hievte sich über den Rand der Maschine und ließ sich fallen. Es war ihm egal, wie tief der Sturz sein würde. Der Aufprall auf dem steinharten Boden tat weh, aber es war nichts im Vergleich zu dem, was er gerade durchgemacht hatte. Der Lärm war ohrenbetäubend. In seinem Kopf dreht sich alles. Wenn er jetzt bewusstlos wurde, würde er dann verbluten, bevor ihn irgendjemand fand? Einem normalen Jungen drohte das mit Sicherheit, aber wie war es in seinem Fall?

*Komm schon!*, befahl Jimmy sich selbst. *Beweg dich oder du stirbst.* Er schleppte sich bis zum Ausgang des Schuppens. Dort waren einige Ölkanister gestapelt. Jimmy hob einen von ihnen herunter. *Ich muss auf mich aufmerksam machen,* dachte er. Er sah zurück zum Schredder. Eine Blutspur zog sich bis zur Maschine. *Ist das mein Blut?*, fragte er sich. *Blute ich wirklich so stark?*

Mit all seiner Willenskraft stieß Jimmy den Ölkanister in Richtung der gewaltigen Kolbenstangen, die den Schredder antrieben. Der Kanister rumpelte über den Boden. Kurz bevor er von dem pumpenden Gestänge in einem Funkenregen zermalmt wurde, brachte Jimmy sich vor dem Schuppen in Sicherheit. Völlig erschöpft klappte er zusammen. Das Letzte, was er wahrnahm, bevor er bewusstlos wurde, war die Hitze der gewaltigen Explosion in seinem Rücken.

Der Lieferwagen fuhr mit Höchstgeschwindigkeit. Felix und Georgie wurden auf ihren Sitzen hin und her geschleudert, während Helen über die Feldwege bretterte.

»Seid ihr sicher, dass sie hier entlang sind?«, schrie Helen.

»Sie sind in diese Richtung geritten, aber über das Feld«, erwiderte Georgie und das Holpern des Wagens ließ ihre Stimme vibrieren.

»Wir haben uns schon vor Stunden von ihnen getrennt«, schrie Felix. »Es hat ewig gedauert nach Hause zu kommen.«

Helen blickte sich um und suchte den Horizont ab. Dann bemerkte sie etwas, das sich bewegte.

»Da!«, rief Georgie. Sie hatte es ebenfalls gesehen. Zwei Pferde. Eines war schwarz, so wie Evas, und das andere haselnussbraun, so wie Jimmys. Aber keines von beiden trug einen Reiter. Sie galoppierten auf den Lieferwagen zu, weg von einer Reihe Gebäude, die wie eine kleine Industrieanlage aussahen.

Einen Sekundenbruchteil später zuckten dort orangerote Flammen in den Himmel. Der Boden bebte. Helen reagierte augenblicklich. Obwohl sie auf eine gigantische Explosion zufuhr, verlor sie keine Sekunde die Kontrolle über den Wagen. Dichter Rauch quoll empor und sie erkannten ihre Umgebung nur noch schemenhaft. Doch das reichte.

Der Lieferwagen bog vom Weg ab und krachte durch einen Zaun. Sie waren dicht vor ihrem Ziel und Helen legte eine Vollbremsung hin.

»Bleibt hier!«, schrie sie, aber Georgie und Felix waren bereits aus dem Wagen gesprungen. Zu dritt rannten sie auf das Feuer zu.

»Bleibt bei mir!«, rief Helen und schirmte ihr Gesicht gegen den Qualm und die Hitze ab. Als sie das Zentrum des Feuerherds erreichten, lichtete sich der Rauch. Felix entdeckte Jimmy zuerst: Verletzt und bewusstlos, an die Außenwand eines der Gebäude gekauert. Sein eines Hosenbein war blutgetränkt.

Felix winkte Helen und Georgie herbei. Gemeinsam hoben sie Jimmy hoch und trugen ihn vorsichtig zum Lieferwagen. Als sie ihn auf die Rückbank legten, öffnete er die Augen einen kleinen Spalt.

»Mitchell …«, murmelte er. »Eva …«

»Sind sie da drinnen?«, fragte Helen panisch.

Jimmy schaffte es, leicht den Kopf zu schütteln, bevor er erneut bewusstlos wurde. Blut sickerte aus seinem Bein und tränkte die Polster. Georgie hielt seinen Kopf, während der Lieferwagen zurück zum Bauernhaus rumpelte.

# KAPITEL 8

Mitchell und Eva marschierten schweigend durch die dichte Menschenmenge in der Gare du Nord. Sie hatten das Pferd in einem Nachbarort Beuvrons zurückgelassen und Paris mit dem Taxi erreicht. Unterwegs hatte Eva ihre Entscheidung, mit Mitchell zu gehen, immer wieder in Frage gestellt. Mitchell für seinen Teil hatte kaum ein Wort verloren. Vielleicht war es ihm unangenehm, mit einem Mädchen unterwegs zu sein – zudem mit einem, das offenkundig Gefühle für ihn hatte. Aber Eva spürte da noch etwas anderes. Er verhielt sich ihr gegenüber nicht direkt abweisend – er schien eher in Gedanken versunken.

Sie stellten sich in die Schlange vor der Passkontrolle. Eva wollte Mitchell gerade fragen, ob seine Familie, die ja immer noch im Urlaub war, über sein Verschwinden nicht besorgt sein würde, als sie plötzlich erstarrte.

»Ich habe meinen Pass nicht mit«, flüsterte sie. Er lag immer noch zu Hause auf dem Schreibtisch ihres Vaters. Als sie im Helikopter aus London geflohen waren, hatten sie keinen Gedanken an ihre Pässe verschwendet. Mitchell seufzte und sah sich abwesend um.

»Hast du gehört?«, fragte Eva. »Wir können nirgendwo hin. Ich hab meinen Pass nicht. Hast du deinen?«

»Wir brauchen keinen«, erwiderte Mitchell rasch.

»Was?«

»Hör zu, es tut mir leid, Eva«, er senkte die Stimme und sah ihr direkt in die Augen. »Ich hab dich angelogen. Ich war nicht im Urlaub und war auch nicht mit meiner Familie unterwegs. Und was ich dir über mein Vorstrafenregister erzählt habe …« Er schüttelte langsam den Kopf.

Eva starrte ihn an. Sie fühlte sich, als hätte man ihr den Boden unter den Füßen weggerissen. Mitchell packte sie an den Schultern und fuhr leise fort. »Ich bin vom Geheimdienst«, bekannte er. »Man hat mich nach Frankreich geschickt, um dich zu finden und wieder nach Hause zurückzubringen.«

Evas Knie drohten nachzugeben. Der ganze Bahnhof schien sich um sie drehen. Konnte das wahr sein? Viggo hatte Eva versehentlich mitten in der Nacht entführt; er und Jimmy hatten eigentlich Georgie vor Evas Familie retten wollen, die Unterstützer Ares Hollingdales waren. Daher musste der *NJ7* wohl davon ausgegangen sein, dass Eva eine Geisel Viggos war und keine freiwillige Helferin.

Aber warum wurde sie dann vom Geheimdienst gesucht und nicht von der Polizei? Warum hatte Mitchell ihr nicht von Anfang an die Wahrheit gesagt? Und warum hatte er sogar nach Jimmys Tod weiter gelogen?

Diese Fragen quälten sie. So vieles schoss ihr durch

den Kopf: Erinnerungen an die erste Begegnung mit Mitchell im Internetcafé, an ihren Flirt während des Ausritts, Mitchells seltsames Benehmen während Jimmys Unfall. Sollte sie jetzt weglaufen? Hätte sie überhaupt eine Chance, ihm zu entkommen?

Noch bevor sie sich über alles richtig klar werden konnte, zerrte Mitchell sie weiter, an der Schlange vorbei. Auf der anderen Seite des Abfertigungsschalters befand sich eine Kabine mit verspiegelten Fenstern. Ein großer dunkelhaariger Mann in der Uniform eines Zollbeamten trat heraus. Mitchell nickte ihm unauffällig zu und der Mann erwiderte sein Nicken. Er winkte sie an dem Schalter vorbei.

Alles geschah so schnell, dass Eva es kaum verarbeiten konnte. Sie eilten durch das Terminal, und der Zollbeamte eskortierte sie bis zu einem Zugabteil erster Klasse. Erst nachdem sie ihren Platz eingenommen hatten, bemerkte Eva das glänzende Abzeichen am Revers des Mannes – ein grüner Streifen.

*Semper Occultus* – stets geheim. Mitchell starrte hinauf zum Motto des Geheimdienstes. Es zierte die Wand hinter dem Schreibtisch direkt unter dem Wappen der Königlichen Familie. Doch es war nicht Miss Bennetts Schreibtisch in den Räumen des *NJ7*. Mitchell und Eva waren in Waterloo von einem Wagen abgeholt und direkt zum Hauptquartier des *MI6* am Ufer der Themse gebracht worden. Das Gebäude wirkte beinahe wie ein Schloss, allerdings wie eines, das über und über mit

Überwachungskameras gespickt war. Mitchell stand im obersten Stockwerk und konnte aus dem Fenster auf den dichten Verkehr der Vauxhall Bridge und die Londoner Skyline blicken.

Er war hier, weil Eva als Zivilperson unter keinen Umständen das Hauptquartier des *NJ7* betreten durfte. Selbst der Agent, in dessen Büro sie jetzt saßen, war völlig von den Socken, als er erfuhr, dass der *NJ7* tatsächlich existierte. Er hatte ihn bisher für bloße Legende gehalten. Nun, wo er Bescheid wusste, würde er allerdings bis ans Ende seiner Tage an einen entlegenen Beobachtungsposten auf den Äußeren Hebriden versetzt werden.

Mitchell war darauf bedacht, den Augenkontakt mit seiner Auftraggeberin zu vermeiden.

»Also?« Miss Bennetts Blick durchbohrte ihn.

»Jimmy Coates ist tot«, verkündete Mitchell, ohne eine Miene zu verziehen.

Miss Bennett schwieg. Hatten ihre Augen für einen Moment aufgeleuchtet? Mitchell konnte es nicht mit Bestimmtheit sagen. Er wagte nicht, genauer hinzusehen.

»Sonst noch etwas?«, fragte sie schließlich.

»Möglicherweise wollen zwei feindliche Agenten die französische Botschaft überfallen. Sie müssten schon im Land sein. Ein Mann und eine Frau.«

»Möglicherweise?«

»Vielleicht wollte sich die Quelle, von der ich diese Information habe, nur vor mir wichtigmachen.« Mitchell unterbrach sich und stellte dann klar: »Sie hat es sich vielleicht nur ausgedacht.«

Miss Bennett lächelte, trotzdem wirkten ihre Augen kalt.

»Und du hast uns Eva Doren mitgebracht«, bemerkte sie.

»Ja«, antworte Mitchell. »Ich habe ihr erzählt, der Geheimdienst hätte mich geschickt …«

»Andernfalls hätte es wohl auch ziemlich merkwürdig gewirkt, wenn du sie direkt in dieses Gebäude schleppst«, unterbrach ihn Miss Bennett.

»Aber sie glaubt, ich wäre geschickt worden, um *sie* zu finden, nicht Jimmy Coates.«

Miss Bennett tippte sich kurz mit dem Finger ans Kinn und sagte dann leise: »Das war clever. Ausgezeichnet.« Sie warf einen Blick zur Tür, wo ein Mann in schwarzem Anzug Wache schob. »Schicken Sie das Mädchen rein.«

Der Mann nickte und verließ den Raum. Mitchells Herz schlug heftig.

»Was geschieht jetzt mit mir?«, fragte er und seine Stimme verriet Angst.

»Solange du weiter für uns arbeitest«, antwortete Miss Bennett, keineswegs überrascht über seine Frage, »hast du nichts zu befürchten.«

Mitchell wollte etwas erwidern, doch da betrat bereits Eva Doren den Raum. Er machte ihr Platz und stellte sich an die Wand. Eva spähte zu ihm hinüber, doch er vermied jeden Blickkontakt.

»Guten Tag, Miss Doren«, begrüßte Miss Bennett Eva mit falscher Freundlichkeit. »Deine Eltern werden in Kürze hier sein. Wenn wir in der Zwischenzeit irgendetwas für dich tun können – psychologische Betreuung oder dergleichen –«

Eva unterbrach Miss Bennett. »Ich will nicht zurück zu meinen Eltern«, verkündete sie unvermittelt.

Miss Bennett war kurz aus dem Konzept gebracht, fing sich aber rasch wieder. »Eva, deine Eltern haben seit deiner Entführung jede Minute nach dir gesucht«, erklärte sie.

»Aber ich kann Ihnen helfen«, warf Eva ein. »Lassen Sie mich für Sie arbeiten.«

Miss Bennett lachte laut. »Ich weiß, als Spionin zu arbeiten, mag dir glamourös oder abenteuerlich erscheinen. Und vielleicht wirst du eines Tages, wenn du älter bist …«

»Ich meine *jetzt*. Sie müssen mich auch nicht bezahlen. Betrachten Sie es als eine Art Praktikum.«

Miss Bennetts Lachen brach abrupt ab, und sie gab dem Mann an der Tür ein Zeichen, Eva wegzuführen.

»Christopher Viggo und Saffron Walden wollen in die französische Botschaft einbrechen!«, schrie Eva rasch. Miss Bennett bedeutete dem Agenten innezuhalten. »Sie wollen die Eltern von Felix Muzbeke befreien«, fuhr Eva fort.

»Ach, ist das tatsächlich wahr?«, fragte Miss Bennett. »Oder versuchst du mich nur zu beeindrucken?« Sie warf Mitchell ein vielsagendes Lächeln zu.

»Ich weiß alles über ihr Vorhaben.« Eva wartete und versuchte, Miss Bennetts Gedanken zu erraten. »Und ich weiß auch alles über Ihre Pläne, Miss Bennett. Wenn Mitchell nämlich wie Jimmy ist, dann ist er ebenfalls nur zu 38 Prozent menschlich.«

Mitchell fuhr herum und starrte sie an. »Du weißt davon?«, staunte er. Eva nickte. »Und trotzdem …«, Mitchell machte eine Pause und suchte nach den passenden Worten, »… *magst* du mich?« Eva nickte erneut und ein Leuchten erschien in Mitchells Augen, das sie bei ihm noch nie zuvor gesehen hatte. Miss Bennetts Miene dagegen blieb ausdruckslos.

»Ich weiß über den *NJ7* Bescheid«, verkündete Eva. Diese Information hingegen schien Miss Bennett nun sichtlich zu beunruhigen.

»Deine Eltern wurden verständigt, dass wir dich gefunden haben«, erklärte sie betont sachlich. »Es wäre doch eine Schande, wenn wir ihnen jetzt sagen müssten, dass wir lediglich deine Leiche aufgespürt haben.«

Mitchell, der plötzlich ängstlich um Eva besorgt war, stockte der Atem. Doch sie brauchte seine Hilfe nicht. »Entweder Sie töten mich oder Sie stellen mich ein«, konstatierte das Mädchen nüchtern.

Das entlockte Miss Bennett ein echtes Lächeln. Eine Idee schien in ihrem Kopf Gestalt anzunehmen. Ihr Handy klingelte und sie ging dran, während sie Eva unverwandt anstarrte. Mitchell begann sich auf seine Agenteninstinkte zu konzentrieren. Falls sie versuchen sollten, Eva zu töten, würde er eingreifen.

»Ja?«, bellte Miss Bennett in ihr Handy. »Sagen Sie ihnen, es war doch nicht ihre Tochter, die wir gefunden haben. Ein Irrtum. Aber versichern Sie ihnen, dass wir weiter nach ihr suchen.« Sie ließ ihr Telefon wieder in die Tasche gleiten. »Deine Einstellung gefällt mir, Eva Doren«, erklärte sie. »Du denkst pragmatisch. Genau wie ich.«

»Es war die richtige Entscheidung, mich anzurufen, Stovorsky«, erklärte der Arzt, während er sich über Jimmys Bein beugte. »Jeder andere wäre direkt zur Polizei gegangen.«

»Wie geht es ihm?«, erkundigte sich Stovorsky. Sie unterhielten sich auf Französisch, aber selbst in seinem benebelten Zustand konnte Jimmy ihnen ohne Probleme folgen. Felix allerdings war vollkommen verwirrt. Er saß neben dem Bett und starrte mit offenem Mund in die Runde.

Der Arzt rieb sich den Nacken. »Schwer zu sagen«, seufzte er. »Der Unterschenkelknochen ist gebrochen, aber er scheint sich von alleine wieder zusammenzufügen. Sogar noch während ich ihn untersucht habe. Seine Wadenmuskeln sind verletzt, aber auch diese Wunde beginnt sich bereits von innen her zu schließen. Angesichts der Schwere seiner Verletzung hat die Blutung auffallend schnell aufgehört. Auch wenn mir völlig schleierhaft ist, wie so etwas möglich sein kann.« Während er sprach, verband der Arzt die Wunde. Jimmy verzog keine Miene. Sein Körper schien jegliches Gefühl unterhalb des linken Knies einfach auszuschalten, als hätte sein Gehirn automatisch eine körpereigene Betäubung angeordnet.

Der Doktor sah Jimmy ins Gesicht, ohne dass seine medizinische Fürsorge von einem freundlichen Lächeln begleitet wurde.

»Sofern ich das beurteilen kann, wirst du wieder gesund«, bemerkte er sachlich. »Bleib noch ein paar Tage im Bett und leg das Bein hoch. Und mach die Übungen, die ich dir aufgeschrieben habe.« Er begann seine Utensilien einzupacken, doch Jimmy war noch nicht zufrieden.

»Doktor, ich verstehe das nicht.« Seine Stimme war rau und sein Hals tat beim Reden weh, aber das war ihm egal. »Warum war mein Körper nicht stärker?«, wollte Jimmy wissen.

Der Arzt blickte Stovorsky fragend an und der nickte zustimmend. »Du bist mit besonderen Fähigkeiten ausgestattet«, begann der Arzt in leicht gereiztem Tonfall, »aber sie sind noch nicht voll ausgebildet.«

Jimmy fühlte sich auf einmal sehr verletzlich – als hätte sein eigener fehlerhafter Körper ihn verraten.

»Hör zu«, seufzte der Arzt. »Selbst wenn du dich weiterentwickelst, wirst du niemals Superman. Sicher, du wirst mit ziemlich harten Schlägen und Verletzungen fertigwerden, und dein Körper wird schneller heilen als jeder normale Körper. Trotzdem musst du damit rechnen, dass dein Bein blutet, wenn du es in einen Schredder steckst, du dummer Junge. Du hast Glück, dass du noch lebst.«

Jimmy war geschockt. Noch nie hatte ein Arzt so mit ihm gesprochen. Offensichtlich waren Militärärzte etwas anders drauf, wenn es um Patientenansprache ging. Er wollte keine weitere Predigt provozieren, daher lehnte er den Kopf zurück und seufzte.

»Hör zu, mein Sohn«, knurrte der Arzt und hielt drohend einen Finger vor Jimmys Gesicht. »Überheblichkeit kann tödlich sein. Eines Tages wird dich eine Kugel umbringen, glaub mir.« Zum ersten Mal sah er Jimmy wirklich in die Augen. »Vielleicht wird die erste Kugel noch nicht tödlich sein, aber spätestens die zweite. Und es wird kein schneller Tod sein. Dein Körper ist genauso stur wie du. Er wird sich dagegen sträuben. Du wirst dich dagegen wehren zu sterben, aber du wirst trotzdem zugrunde gehen. Und zwar langsam.«

Jimmys Gesicht brannte. Er biss sich auf die Zunge, um die Tränen zurückzuhalten. Der Arzt griff nach seiner Tasche und stampfte aus dem Zimmer, wobei er einen missmutigen Blick in die Runde warf. An der Tür begegnete er Jimmys Mutter und seiner Schwester.

»Danke, Doktor«, flüsterte Helen und schüttelte seine Hand, bevor sie ins Zimmer trat. Jimmy hätte sich am liebsten übergeben. Er war froh über den Anblick seiner Schwester, der ihn ablenkte. Aber etwas stimmte nicht. Es sah aus, als hätte Georgie geweint.

Helen räusperte sich. »Hört bitte alle zu – wir haben ein Riesenproblem.«

Die anderen schwiegen erwartungsvoll; Jimmy spürte, wie sich ein Knoten in seinem Bauch bildete.

»Falls Mitchell tatsächlich beim *NJ7* ist«, fuhr seine Mutter fort, »dann wissen sie jetzt über Chris' und Saffrons Plan Bescheid.«

»Was?«, entfuhr es Stovorsky. »Wie hat dieser Kerl das herausgefunden?«

»Ich habe es ihm erzählt.« Georgies Stimme klang schuldbewusst.

Jimmy brauste auf. »Wie konntest du nur?«, brüllte er und ignorierte das Stechen in seiner Kehle. »Hat er dich etwa gefoltert?«, krächzte er.

»Ich wollte ihn beeindrucken.« Georgie starrte zu Boden. »Es war total bescheuert. Eva hat es mitbekommen und war total sauer deswegen. Zuerst dachte ich, sie wäre bloß eifersüchtig, aber sie hatte recht. Am Ende hat er sich ja sowieso für sie entschieden.« Das Ende ihres Satzes ging in wildem Schluchzen unter – dann stürmte sie aus dem Zimmer.

Die anderen blieben schweigend zurück. Sogar Felix hatte nichts mehr zu sagen. Jimmy konnte nur erahnen, in welchen Schwierigkeiten Viggo und Saffron steckten, wenn ihre Tarnung aufgeflogen war.

Stovorsky marschierte mit hochgezogenen Schultern im Raum auf und ab. »Ich kann's nicht glauben«, fauchte er. »Wie konnte Viggo so dumm sein und einem Haufen Kinder vertrauen?«

»Georgie hat einen Fehler gemacht, das ist alles«, beschwichtigte ihn Helen »Wir können das wieder hinbiegen.«

»Das könnte sämtliche in England im Einsatz befindliche *DGSE*-Agenten auffliegen lassen.« Stovorsky wurde immer wütender und sein französischer Akzent immer stärker. »Der *NJ7* könnte ihr geheimes Schlupfloch nach England aufspüren. Ist Ihnen klar, zu was das führen würde?«

»Dann haben Sie ja jetzt umso mehr Grund, uns zu helfen, oder?«

Jimmys Mutter war sichtlich verärgert, bewahrte aber die Ruhe und versuchte, eine weitere Eskalation zu verhindern.

Stovorsky schloss die Augen und stieß einen langen, tiefen Seufzer aus. »Wenn uns der *NJ7* auf der Spur ist, hören sie möglicherweise auch unsere geheimen Kommunikationskanäle ab«, murmelte er. »Jemand muss hin und die Sache vor Ort regeln.« Er musterte erst Jimmy und dann seine Mutter. »Ich bin der Einzige, der noch auf normalem Weg in England einreisen kann. Euer Foto ist sicher schon auf sämtlichen Fahndungslisten.«

Plötzlich meldete sich Felix zu Wort. Er war zwar still gewesen, doch in seinem Kopf hatte es die ganze Zeit über gearbeitet. »Was ist mit mir und Georgie? Wir können doch zurück nach London – wir werden schließlich nicht gesucht, oder?«

Stovorsky grunzte in einer Mischung aus Belustigung und Entsetzen. Er machte sich nicht einmal die Mühe, Felix zu antworten. Felix warf Jimmy einen resignierten Blick zu und starrte dann zu Boden.

»Ich folge Viggo und Saffron zur Botschaft«, erklärte

Stovorsky schließlich, zog ein Notizbuch heraus und kritzelte etwas hinein. »Ich finde heraus, was dort vor sich geht. Ihr beide kommt in ein paar Tagen nach.« Er deutete auf Helen und Jimmy. »Die Zeit muss reichen, um einen Weg zu finden, euch ins Land zu schmuggeln, und um Jimmys Bein wieder auf Vordermann zu bringen.« Er riss die Seite aus dem Notizbuch. Felix beugte sich vor, um die Notiz zu entziffern. Aber Stovorsky zog sie vor seiner Nase weg und drückte sie Helen in die Hand. »Es ist jetzt fünf Uhr nachmittags. Ihr beide werdet getrennt reisen. Hier ist die Adresse des geheimen Unterschlupfs. Wir treffen uns dort in genau zweiundsiebzig Stunden. Prägt euch die Adresse gut ein und vernichtet anschließend den Zettel.«

Er blickte von Jimmy zu Helen und schließlich auf seine Uhr. Dann marschierte er aus dem Zimmer.

Jimmy lag mit dem Rücken auf dem Küchentisch. Seine Beine ragten mit angewinkelten Knien in die Luft. Sein Gesicht war verzerrt vor Anstrengung und Konzentration. Kein Wunder, denn Felix saß auf seinen Füßen.

»Einmal noch!«, schrie Georgie, die neben ihnen stand.

Jimmy drückte die Knie durch, Millimeter für Millimeter, und hob Felix in Richtung Decke.

»Hundert!«, rief Georgie. Felix sprang ab und stürmte mit gereckten Fäusten durch die Küche, als hätte er selbst gerade diese Kraftübungen absolviert.

Jimmy wischte sich den Schweiß von der Stirn und

holte ein paarmal tief Luft. Seine Verletzungen heilten schnell, auch weil er mit großer Entschlossenheit trainierte. Er hatte immer noch einige Kratzer und blaue Flecken im Gesicht.

»Wie fühlen sich deine Beine an?«

»Weiß nicht«, antwortete Jimmy. »Stärker, glaub ich.«

»Was redet ihr da?«, warf Felix ein. »Das sind die mächtigsten Beine im ganzen bekannten Universum.« Jimmy hüpfte vom Tisch und drehte vorsichtig eine Runde im Raum.

»Ich glaub's nicht«, sagte Georgie. »Vor zwei Tagen war dein Bein noch gebrochen und jetzt humpelst du kaum mehr. Das ist einfach fantastisch.«

»Ich fühle mich aber nicht fantastisch«, brummte Jimmy.

»Stütz dich auf mich«, bot Felix an und hielt ihm seinen Arm hin.

»Das mein ich nicht.« Jimmy sank auf einen Stuhl und trank Wasser aus einer Plastikflasche. »Ich hätte nie zulassen dürfen, dass Mitchell mich in diesen Schredder wirft.«

Georgie legte eine Hand auf sein Knie. »Du bist zu hart mit dir«, tröstete sie ihn. »Mitchell ist zwei Jahre älter, schon vergessen? Er ist zwei Jahre weiter in seiner Entwicklung.«

»Aber er hat seine Kräfte noch nicht so lange geübt zu kontrollieren wie ich«, konterte Jimmy. »Was hat es für einen Sinn, nur ein halber Mensch zu sein, wenn ich trotzdem die ganze Zeit Angst vor Verletzung haben muss?«

»Jimmy«, versuchte Georgie ihn zu stoppen, aber Jimmy ließ sie nicht zu Wort kommen.

»Du verstehst das nicht«, beharrte er mit trübem Blick. »Ich spüre Tag und Nacht diese merkwürdige Energie in mir. Und was hab ich davon – man jagt mich, steckt mich in einen Schredder und schießt auf mich. Ihr habt ja den Arzt gehört. Dass ich ein Unmensch bin, hilft mir kein bisschen. Ich sterbe nur langsamer, wenn mich eine Kugel erwischt.«

»Du bist kein Unmensch«, erinnerte Felix ihn.

»So schnell kann dir eine Kugel nichts anhaben«, fügte Georgie hinzu. »Du hast einen Vorteil gegenüber uns allen.« Sie griff unter ihr T-Shirt und zog eine Halskette hervor. An ihr war ein silberner zylinderförmiger Anhänger befestigt. Sie legte ihn auf ihre Handfläche. Jimmy erkannte sofort, was es war – eine Gewehrkugel.

»Wo hast du die her?«

»Du hast sie mir mal gegeben«, erwiderte Georgie. Jimmy erinnerte sich: Es war die Kugel, die ein *NJ7*-Agent auf ihn abgefeuert und die er mit bloßer Hand abgefangen hatte.

»Kopf hoch«, sagte Georgie sanft und sah ihren Bruder aufmunternd an. »Ich hab was dagegen, wenn meine Freunde so schlecht drauf sind.«

Jimmy musste lächeln. Er hatte sich noch nie als einen Freund seiner Schwester betrachtet. Der Glücksmoment hielt jedoch nicht lange an. Georgie hatte ihn an seine letzte Begegnung mit Eva erinnert.

Georgie bemerkte seinen Stimmungswechsel. »Was ist los?«, fragte sie, doch dann gab sie sich selbst die Antwort auf die Frage. »Lass uns nicht mehr von ihr reden. Sie existiert nicht mehr.«

»Leider doch«, entgegnete Jimmy leise, »und sie hat uns verraten.«

»Ich kapier das einfach nicht«, murmelte Georgie kopfschüttelnd. »Sie hatte sich hier gerade richtig eingewöhnt und angefangen, den Ort echt zu mögen. Und wir waren uns einig, dass wir klarkommen, sogar ohne unsere Handys.«

»Sie hat sogar weniger rumgenervt als am Anfang«, ergänzte Felix.

Georgie ließ den Kopf hängen. »Und dann – hat sie alles ruiniert.«

Jetzt war es an Jimmy, Georgie zu trösten. Er legte einen Arm um sie, so behutsam er konnte.

»Ich bin stolz auf euch«, ertönte eine Stimme hinter ihnen. Sie drehten sich um. Es war Jimmys Mutter, die unbemerkt ins Zimmer getreten war.

»Hey, Mum«, freute sich Jimmy.

»Hey, Jimmy.« Ohne ein weiteres Wort lief sie zu Georgie und Jimmy und drückte sie fest an sich. Dann zog sie auch Felix in ihre Arme.

»Mum!«, krächzte Jimmy. »Ich krieg keine Luft!«

»Oh, Entschuldigung.« Sie ließ die drei los und trat einen Schritt zurück.

»Ich fahre jetzt«, verkündete sie. »Nach London, meine ich. Später bringt Yannick dich zu dem Treffen mit deiner Kontaktperson.« Sie lächelte Jimmy zu.

»Super«, sagte er. »Jacob Estafette, oder? Er arbeitet für ein holländisches Metzgereiunternehmen?« Er war die Daten, die Stovorsky für sie notiert hatte, immer wieder im Kopf durchgegangen.

»Ja«, warf Felix begeistert ein, »und du bist Michael Vargas, der Geheimagent.« Er sprach den Namen aus wie in einem Trailer für einen Actionfilm und brach dann in Lachen aus.

»Halt die Klappe!«, schimpfte Jimmy scherzhaft. »Du dürftest das alles eigentlich gar nicht wissen.« Jimmy war es fast schon peinlich, dass er Felix von seiner neuen Identität erzählt hatte.

Jimmys Mutter schien es nichts auszumachen. »Keine Sorge«, lachte sie. »Du musst dir das nicht alles merken. Er wird dich erkennen.«

»Natürlich«, antwortete Jimmy und sortierte seine Gedanken. »Cool.«

»Aber hört zu«, fuhr seine Mutter an alle drei gerichtet fort. »Es ist nicht einfach, Menschen über die Grenze zu schmuggeln. Ganz besonders nicht über die britische. In gewisser Weise ist es sogar leichter für dich, Jimmy, ganz einfach weil du kleiner bist als ich.«

»Mum, das klappt schon«, sagte Georgie, aber ihre Stimme klang besorgt.

»Ich weiß. Danke, Georgie. Aber falls ich es aus irgendeinem Grund nicht zu unserem Unterschlupf schaffe, mach dir keine Sorgen. Ich finde meinen Weg hierher zurück und kontaktiere dich später.« Sie blickte Jimmy tief in die Augen. Er wandte sich ab, damit das nervöse Flattern in seinem Bauch nicht noch stärker wurde.

Das Gefühl kam ihm bekannt vor. Es erinnerte ihn an jene Nacht, als der *NJ7* das erste Mal gekommen war, um ihn zu holen. Miss Bennett hatte ihn damals von seiner Mutter getrennt; auch wenn er da noch nicht wusste, dass es Miss Bennett war. Jimmy wurde den Gedanken nicht los, dass sie auch diesmal für ihre Trennung sorgte.

»Viel Glück, Mum«, flüsterte er.

»Ja, viel Glück«, fügte Georgie hinzu. »Obwohl du es nicht brauchen wirst.«

»Viel Glück«, stimmte auch Felix ein.

Sie umarmte jeden von ihnen einzeln und drückte ihnen einen Kuss auf die Wange.

»Wir sehen uns in London«, verkündete Jimmy so zuversichtlich wie möglich.

Helen nickte. »Wir sehen uns in London wieder«, erwiderte sie mit der Andeutung eines Lächelns. Dann war sie aus der Tür.

In Jimmy krampfte sich etwas zusammen. Es war weder die Angst noch sein Agenteninstinkt. Es hatte auch nichts damit zu tun, dass Viggo und Saffron in Gefahr schwebten; ja, nicht einmal damit, dass sie vielleicht bald Felix' Eltern finden würden. Natürlich würde er sich unglaublich darüber freuen, doch tief in seinem Herzen ging gerade etwas ganz anderes vor.

Er würde nach London zurückkehren. Was daran versetzte ihn so in Unruhe?

Dann fiel es ihm ein.

Er drehte den Deckel seiner Wasserflasche zwischen den Fingern. In der anderen Hand fühlte er das Gewicht der halb leeren Flasche. Und in einem plötzlichen Wutausbruch schleuderte er den Deckel an die Wand. Die Flasche folgte gleich hinterher und zerplatzte in einer Fontäne aus Wasser und Plastikfetzen.

In London würde er seinen Vater wiedersehen.

# KAPITEL 9

Jimmy war froh, dass Felix ihn begleitete. Er fühlte sich viel ruhiger, wenn sein Freund dabei war. Denn was immer auch geschah, Felix behandelte Jimmy genauso wie früher.

»Sie hätten sich wirklich etwas ausdenken können, um das abzuschalten«, knurrte Jimmy. Er schnaufte tief und schloss die Augen.

»Hör auf zu jammern, okay?«, sagte Felix. »Dir wird also übel, wenn du im Auto liest? Wo liegt das Problem?«

»Ich jammere nicht«, entgegnete Jimmy. »Aber wenn *ich* jemanden optimieren könnte, würde ich dafür sorgen, dass ihm im Auto nicht schlecht wird.«

»Wie auch immer, einer von euch muss die Karte lesen«, grunzte Yannick, »oder wir kommen nie irgendwo an, in London schon gar nicht.«

Jimmy reichte die Karte an Felix weiter, der sofort die Nase reinsteckte. »Die ist ja auf Französisch«, protestierte er.

»Was meinst du damit, die ist auf Französisch?«, fragte Yannick und hob kurz den Blick von der Straße. »Eine Straßenkarte ist eine Straßenkarte. Die Straßen können schlecht auf Französisch sein, oder?«

»Okay«, seufzte Felix leise und drehte die Karte in den Händen.

»Mal sehen. Wir sind da, oder?« Er stach mit seinem Finger fast durch das Papier.

Jimmy öffnete ein Auge. »Ja«, stöhnte er, »genau da sind wir.«

»Super«, verkündete Felix. »Dann müssen wir die blaue nehmen.«

»Welche blaue?«, sagte Yannick. »Die Straßen sind im wirklichen Leben nicht blau, weißt du.«

»Schon klar«, antwortete Felix. »Sie sind natürlich straßenfarben. Trotzdem ist es genau die blaue, die wir nehmen müssen. Nur, wie kommen wir dorthin?« Er studierte die Karte aus der Nähe und hob hin und wieder den Kopf, um nach irgendwelchen Orientierungspunkten Ausschau zu halten.

Jimmy blinzelte hinüber zu Felix. Er musste einfach nachsehen, was sein Freund da trieb. »Meinst du *diese* blaue Straße?«, fragte er.

Felix nickte wild und wedelte mit der Hand. »Pst, ich muss mich konzentrieren.«

»Äh, Felix«, sagte Jimmy vorsichtig, »das ist ein Fluss.«

Sie brauchten eine volle Stunde, bis sie den Treffpunkt endlich gefunden hatten. Es war eine *aire,* ein Rastplatz, neben einer der *autoroutes,* die sich wie Adern durch die nordfranzösische Landschaft zogen. Der Rastplatz war einfach gehalten – lediglich mit einer Telefonzelle, einer Toilette und ein paar Picknicktischen ausgestattet.

»Wir sind da, Jimmy«, murmelte Yannick. »Die Vereinbarung war, dass wir nicht mit dir warten.«

»Ich weiß«, stimmte Jimmy zu.

Yannick befolgte strikt Stovorskys Anweisungen und schaltete nicht einmal den Motor aus, während Jimmy die Tür des Lieferwagens öffnete. Jimmy drehte sich noch einmal zu seinen Freunden um und zwang sich zu lächeln. Er bereute es sofort. Es ließ ihn wahrscheinlich nur noch nervöser aussehen.

»Grüß sie von mir«, platzte Felix heraus.

»Was?«

»Wenn du meine Eltern siehst. Grüße sie von mir.«

Jimmy sah seinem Freund die Augen. »Bald kannst du sie selbst begrüßen«, meinte er, sprang aus dem Wagen und knallte die Tür hinter sich zu.

Yannick winkte und rollte langsam davon. Felix presste sein Gesicht an die Scheibe und blies die Wangen auf. Er sah bescheuert aus. Jimmy gluckste. Dann wandte er sich ab, schlurfte zu einem der Picknicktische und winkte beiläufig über die Schulter. Er wollte so locker wie möglich rüberkommen. Und er wollte nicht sehen, wie das Auto in der Entfernung immer kleiner wurde. Es war Zeit, sich wieder ans Alleinsein zu gewöhnen.

Der Parkplatz war verlassen. Das Rauschen der Autobahn wurde von den hohen, wildwuchernden Hecken gedämpft. Ein kühler Wind pfiff und Jimmy atmete tief durch, um sich zu entspannen. *Aber ich bin nicht wirklich alleine*, dachte er. Uno Stovorsky, ein Topagent des französischen Geheimdiensts, hatte ein Netz von Kontakten für ihn gespannt. Nicht mehr lange und er wäre in London, wo er wieder im Team arbeiten würde. Trotzdem beschlich Jimmy ein mulmiges Gefühl, während er mutterseelenalleine dasaß und die Sonne am Horizont unterging.

Um sich die Zeit zu vertreiben, ging Jimmy noch einmal seine Geschichte durch. Die Kontaktperson kannte weder seinen echten Namen noch die Gründe, weswegen er nach England wollte.

Schon nach kurzer Zeit bog ein Lastwagen von der Autobahn ab. Es war kein sonderlich großer Lastwagen – nur ungefähr sechs Meter lang und in keinem besonders guten Zustand. Das Führerhaus war schlammbespritzt und der Aufbau rumpelte, als der Lastwagen anhielt. Er war mit einem riesigen Schwein bemalt, das fröhlich auf ihn herabgrinste. In fetten Buchstaben stand »PORKY'S« darunter.

Das Fahrzeug kam stotternd und zischend zum Stehen. Ein stämmiger, komplett in Ölzeug gekleideter Mann sprang heraus. Sein Gesicht war von einem dichten schwarzen Bart überwuchert. Aber als er näher kam, erkannte Jimmy, dass er über die Jahre hinweg in einige Prügeleien geraten sein musste. Seine Nase sah platt gedrückt und leicht verbogen aus und sein linkes Auge saß weiter unten als das rechte. Ein Geruch nach altem Schweiß stieg aus den Klamotten des Mannes.

Er blieb direkt vor Jimmy stehen, ohne ihn anzusehen. »Michael Vargas?«, knurrte er mit einer Stimme, die genauso rau war wie sein Gesicht. Jimmy versuchte unauffällig zurückzutreten, um dem stinkenden Atem des Mannes auszuweichen.

»Zwölf Jahre, reist alleine, Kragen hochgeklappt«, fuhr der Mann fort. »Das bist du, oder?«

»Und Sie sind Jacob Estafette«, sagte Jimmy endlich, so selbstbewusst wie möglich.

Der Mann hatte die Fäuste in den Taschen vergraben, aber jetzt zog er seine Rechte ein Stück heraus. Aus der Tasche lugte eine Messerspitze. »Sag noch einmal meinen Namen und ich schlitz dir die Kehle auf.«

Jimmy brauchte nicht genauer hinzusehen. Er hatte das Messer schon gleich zu Anfang bemerkt, an der Art, wie die Jacke sich ausbeulte.

Er starrte Estafette unverwandt in die Augen – eigentlich nur in ein Auge, in jenes, das nicht von der herunterhängenden Augenbraue verschattet wurde. Er spürte hinter der Großspurigkeit des Mannes seine Nervosität. Estafette war offensichtlich misstrauisch, weil Jimmy nach England *hinein*geschmuggelt werden wollte. Normalerweise brachte der Mann Waren rein und Menschen raus. Er war wie ein winziges Zahnrad in der gigantischen Schwarzmarktwirtschaft, die ausländische, von Hollingdale verbotene Waren ins Land schmuggelt: Cola, Nike-Schuhe und sogar ausländische Musik.

Jimmy nickte langsam und beruhigte sich wieder. Es bestand kein Grund, diesem Kleinkriminellen zu verraten, dass er sehr viel gefährlicher war, als er aussah. Estafette hatte offensichtlich keine Ahnung von Jimmys wahrer Identität oder seinen Verbindungen zum Geheimdienst. Sie marschierten zum Lastwagen und Estafette öffnete die Tür an der Heckseite.

Jimmy fühlte sich, als hätte man ihm einen Hammerschlag vor die Stirn verpasst. Er taumelte zurück. Als er wieder durchatmen konnte und sich aufrichtete, wurde ihm klar, was ihn wirklich umgehauen hatte. Es war der Gestank. Von der Decke des Anhängers hingen in drei Reihen Dutzende von Schinken. Die Schweine, von denen sie stammten, mussten gigantisch sein, vermutlich die größten Europas.

Jimmy hielt sich die Nase zu. *Muss ich da rein?*, dachte er und sah fragend zu Estafette auf. Der Mann grinste und unter seinem struppigen Schnurrbart erhaschte Jimmy einen Blick auf eine gewaltige Zahnlücke.

Jimmy kletterte in den Laderaum, wobei er die Luft in kleinen Portionen einatmete. *Es hätte schlimmer sein können*, dachte er. Doch genau in diesem Moment raubt ihm der Kälteschock den Atem. Der Laderaum war tiefgekühlt.

»Das … ist … lächerlich!«, sagte Jimmy und schnappte bei jedem Wort nach Luft.

Estafette deutete mit einem Wurstfinger auf den Boden des Laderaums. Zuerst konnte Jimmy nichts erkennen außer dem geriffelten Muster im Metall, doch bei genauerem Hinsehen entdeckte er eine Klappe. Er bahnte sich einen Weg durch die Schinken und bückte sich. Sicherheitshalber warf er Estafette noch einen fragenden Blick zu. Und als dieser nickte, steckte Jimmy einen Finger durch das Loch in der Klappe und zog sie hoch. Sie gab eine kleine versteckte Kammer im Boden des Kühlabteils frei.

Jimmy benötigte keine weiteren Anweisungen von Estafette. Er wusste, was zu tun war. Mit klappernden Zähnen stieg er in das Loch und rollte sich zusammen. Es bot nicht einmal genug Platz, um sich auszustrecken. Estafette kletterte nun ebenfalls in den Anhänger und spähte auf Jimmy hinab. *Eine fette Schweinehälfte mit Bart und Öljacke,* dachte Jimmy schlecht gelaunt.

»Sie sind sicher Fan von Ölsardinen?«, witzelte Jimmy, während er sich in seiner persönlichen Blechdose wand, um eine einigermaßen bequeme Haltung zu finden.

»Ich bin ein Fan von allem, was das Maul hält«, ertönte die Antwort.

Dann hatte Jimmy noch eine Frage: »Das Fleisch – kann ich ein Stück davon haben?«

Estafette betrachtete die Schinken, als hätte er ihre Anwesenheit gerade eben erst bemerkt. Dann, mit einem Anflug von Belustigung im Gesicht, trennte er einen Streifen von einem Schinken ab und ließ ihn in Jimmys Hand fallen.

»Keine Decke, sorry«, grinste er hämisch.

»Bringen Sie mich einfach nach England«, zischte Jimmy.

Estafette ließ die Klappe über Jimmys Versteck zufallen. Mit der Dunkelheit ging eine angenehme Wärme einher. Dieser Teil des Laderaums war nicht gekühlt.

Dann knallte es erneut – diesmal flog die Hecktür des Lasters zu. Jimmy fühlte sich lebendig begraben.

Jimmy war sich nicht sicher, wie viel mehr er ertragen konnte. Obwohl er sich nach Möglichkeit drehte und wendete, steckte er seit fast vier Stunden in derselben Position fest. Zuerst dachte er, die Reise würde vielleicht sogar ganz erträglich. Doch er hatte die Kanalüberquerung nicht miteinkalkuliert. Die Fähre schaukelte und schwankte unaufhörlich von einer Seite zur anderen. In Jimmys optimierten Genen fehlte definitiv eines gegen Reiseübelkeit.

*Nicht übergeben,* beschwor sich Jimmy immer und immer wieder. *Bloß nicht übergeben.*

Er schloss die Augen und stellte sich vor, wie er an einem sonnigen Tag in einer duftenden Blumenwiese im Park lag. Ohne großen Erfolg. Es war stockdunkel, und selbst wenn er seine Nachtsicht benutzt hätte, gäbe es nicht viel zu sehen. Alles was er wahrnahm, war die Übelkeit in seinem Bauch und das Donnern der Wellen gegen den Schiffsrumpf, das seine Ohren noch zu verstärken schienen.

*Fast geschafft,* beruhigte Jimmy sich, obwohl er jegliches Zeitgefühl verloren hatte. Er hatte sein Stück Schinken schon lange aufgegessen, und jetzt war ihm nicht nur übel, sondern er hatte auch noch Hunger. Keine gute Kombination.

Endlich hörte er die Anlasser von Automotoren. »Danke«, seufzte er erleichtert, als der Lastwagen vom Schiff rollte. *England,* dachte er. Er konnte es nicht sehen, aber er wusste, es war da.

Nach wenigen Minuten hielt der Laster erneut. Jetzt wurde es ernst – die Passkontrolle. Es hatte mal eine Zeit gegeben, da konnte man die britische Grenze jederzeit frei und ungehindert überqueren. Aber Hollingdale hatte das alles abgeschafft. Nun musste jeder Reisende eine lächerlich strenge Kontrolle durchlaufen.

Der Motor des Lastwagens wurde abgewürgt. Jimmy lauschte und versuchte mitzukriegen, was draußen vor sich ging. Er hörte Gemurmel. Doch der pochende Herzschlag in seinen Ohren übertönte die Worte. *Warum dauert das nur so endlos lange?,* schrie er stumm.

Jimmy war überzeugt, dass jeden Moment die Klappe zu seinem Versteck aufgerissen würde. Er fantasierte von Miss Bennetts Gesicht, das sich über ihn beugte. Instinktiv hielt er die Luft an.

Doch seine Sorgen waren unnötig. Nach drei weiteren qualvollen Minuten rumpelte der Lastwagen weiter. Jimmy atmete tief durch und kam sich wegen seiner Ängste ein bisschen albern vor. Er fragte sich, ob seine Mutter gerade dieselbe Tortur durchmachte. Für sie würde es zweifellos noch härter. Nicht nur weil Jimmy kleiner war – das Erste, was er über seine Konditionierung als Agent gelernt hatte, war, dass Hunde ihn nicht wittern konnten. Seine Mutter hatte diesen Vorteil nicht.

Ein paar Stunden später hielt der Lastwagen erneut. Ein gluckerndes Geräusch verriet Jimmy, dass sie tankten. Sobald der Tank gefüllt war, hörte Jimmy, wie die Hecktür krachend aufflog. Die Klappe zu seinem Versteck wurde aufgerissen und Estafettes schrundiges Gesicht tauchte auf. Jimmys Augen passten sich dank seiner Konditionierung schnell an das grelle Licht an.

»Komm mit«, grunzte Estafette. »Du kannst für den Rest der Fahrt vorne sitzen. Wir sind fast da.«

»Wird auch Zeit«, erwiderte Jimmy. Er stemmte sich aus dem Loch, während Estafette davontrottete, um das Benzin zu bezahlen. Jimmy zitterte in der Kälte des Laderaums und riss sich ein weiteres Stück Schinken ab. Seine Knie fühlten sich an wie Wackelpudding. Er hatte so lange verkrampft in der gleichen Position gelegen, dass er sich an den Schinken festhalten musste, als er aus dem Anhänger stolperte. Die Tankstelle leuchtete in der Nacht wie eine Oase aus Neonlicht.

In Jimmys ganzem Körper prickelte es, als das Blut ihn wieder ungehindert durchströmte. Er streckte sich und schlurfte vor zur Fahrerkabine des Lastwagens. Dabei schaute er sich um. Ungefähr ein Dutzend Leute betankten gerade ihre Autos und stierten dabei in die Dunkelheit. Schenkte etwa einer von ihnen Jimmy besondere Aufmerksamkeit? *Sei doch nicht so paranoid,* ermahnte er sich selbst.

Er kletterte auf den Beifahrersitz und kaute auf dem Schinkenstück herum. Die Fahrerkabine war mit allem möglichen Krimskrams dekoriert. Am Rand der Windschutzscheibe steckten Fotos, manche schon verblichen und zerknittert. Lächelnde Kinder, Menschen am Strand – anhand dieser Szenen konnte Jimmy sich beinahe Estafettes gesamtes Leben ausmalen. Doch dann bemerkte er etwas, das ihn Estafettes Dekoration augenblicklich vergessen ließ. Ein Streifenwagen hielt an der Tankstelle. Der Fahrer stieg aus und griff nach dem Füllstutzen.

Jimmy erstarrte. *Wenn der Polizist zu dir schaut,* sagte er sich, *dann verzieh bloß keine Miene.* Er wollte um keinen Preis Verdacht erregen.

Jimmys Agentengene sorgten dafür, dass er äußerlich völlig gelassen blieb. Warum sollte die Polizei nach ihm fahnden? Schließlich musste der *NJ7* davon ausgehen, dass er tot war. Ansonsten wäre Mitchell sicher bei dem Schredder geblieben, um seine Mission zu vollenden. Es war einfach ein unglücklicher Zufall, dass der Streifenwagen ausgerechnet hier hielt.

Der Polizist war jung und sein Körper schien sich unter der Last seiner schusssicheren Weste und der schweren Ausrüstung zu krümmen. Er sah sich auf dem Parkplatz um, während das Benzin in seinen Tank strömte. *Mach schon,* flehte Jimmy innerlich, und meinte damit sowohl den Polizisten wie auch Estafette. Er hielt den Blick starr geradeaus gerichtet. Der junge Mann hatte jetzt aufgehört, sich umzusehen. Stattdessen fixierte er etwas: den Lastwagen, in dem Jimmy saß.

Jimmy kaute auf dem Stück Schinken. Er rutschte

tiefer in seinen Sitz, versuchte sich klein zu machen und unbedeutend zu wirken, wie ein ganz gewöhnliches Kind. Seine Finger zupften nervös an einem Streifen Klebeband, der einen Riss im Beifahrersitz zusammenhielt.

Wenigstens kam Estafette jetzt zurück. Er steuerte direkt auf den Lastwagen zu und schenkte dem Polizisten keine Beachtung. *Gut so,* dachte Jimmy. *Komm einfach her.*

Estafette war nur noch zwei Meter vom Lastwagen entfernt, da blieb er stehen. Der Polizist hatte ihn zu sich gerufen. Jimmy sah die Zweifel in Estafettes Gesicht. Sollte er dem Befehl folgen? Oder lieber so tun, als hätte er nichts gehört? *Mach was,* flehte Jimmy, unfähig, auch nur einen Muskel zu rühren. Der Polizist hatte ihn direkt im Blick.

Endlich wandte sich Estafette um. Er zog einen Apfel aus der Tasche und begann ihn betont gelassen mit seinem Messer zu schälen – zu gelassen, wie Jimmy fand. Er konnte gar nicht hinsehen. Der Polizist deutete auf ihn. Estafette warf lachend den Kopf in den Nacken. Die Apfelschale kringelte sich wie eine elastische Sprungfeder.

Aus dem Augenwinkel konnte Jimmy im Streifenwagen einen zweiten Polizisten erkennen. Er kramte nach etwas. Was, wenn er in seinem Laptop suchte oder über Funk mehr Informationen anforderte? Oder war dieser dunkle Schatten sogar der Lauf eines Gewehres?

Das Blut pumpte rascher durch Jimmys Körper. Irgendetwas rumorte in seinem Kopf. Seine Agentenkräfte machten sich bereit. Aber wofür? Dann ertappte er sich bei der Überlegung, wie er am effizientesten sämtliche Personen an der Tankstelle ausschalten könnte. *Behalte die Kontrolle,* ermahnte er sich und schloss die Augen. Aber seine Konditionierung sandte weitere Anweisungen: *Erledige Nummer eins mit dem Messer, Nummer zwei mit einem Tritt gegen den Kopf, drei und vier mit –*

*STOPP!*, schrie Jimmy innerlich.

Er versuchte verzweifelt, seine Beine ruhig zu halten. Wenn er dem inneren Drang jetzt nachgab, würde ein Dutzend Menschen sterben. Er beschwor sich: *Riskier es nicht.*

Endlich drehte Estafette sich um und kam zurück zum Lastwagen. Der Polizist beobachtete sie immer noch. »Sie haben nach dir gefragt«, flüsterte Estafette und hievte sich auf den Fahrersitz. »Ich hab behauptet, du bist mein Sohn.«

Jimmy nickte anerkennend. »Verschwinden wir von hier«, sagte er und fügte dann schnell noch hinzu, »Dad.«

Estafette grinste sein zahnloses Grinsen und rollte von dem Parkplatz. »Hast du gut gemacht gerade«, bemerkte er. Jimmy sah ihn mit unschuldigem Blick an. Estafette hatte keine Ahnung, dass Jimmy kurz davor gewesen war, ihm dasselbe Kompliment zu machen.

»Weißt du«, fuhr Estafette fort und klang jetzt wieder leicht genervt, »ich muss diese Schinken tatsächlich abliefern. Die merken sicher, dass jemand dran geknabbert hat.«

»Sagen Sie ihnen doch, es waren Ratten«, schlug Jimmy vor.

»Ratten? Das Zeug hängt aber drei Meter hoch über'm Boden.«

»Dann eben fliegende Ratten.«

»Fliegende Ratten?« Estafette konnte nicht anders und musste lachen. Seine harte Fassade schien langsam zu bröckeln.

»Okay, dann meinetwegen – Fledermäuse«, witzelte Jimmy.

»Fledermäuse?«, rief Estafette. »In einem Kühlwagen?«

»Ähm, Polarfledermäuse?«

Beide brachen in hysterisches Gelächter aus. Estafette röhrte: »Polarfledermäuse, das ist es, Michael Vargas. Polarfledermäuse.«

Der Lastwagen rollte weiter mit dröhnendem Auspuff über die Autobahn und näherte sich unaufhörlich London. Ein paar Autos hinter ihnen debattierten zwei ehrgeizige junge Polizisten, ob sie Sirene und Blaulicht einschalten sollten.

# KAPITEL 10

Etwas Blaues blitzte im Rückspiegel und ließ Jimmy aufschrecken. Sein Magen krampfte sich zusammen.

»Geben Sie Gas.« Seine Stimme klang ernst, geschäftsmäßig.

»Was?« Estafette warf einen Blick in den Rückspiegel und entdeckte ebenfalls das Blaulicht. »Vielleicht hat es gar nichts mit uns zu tun.«

»Doch«, versetzte Jimmy, »die sind hinter mir her.«

Estafette spähte über die Schulter. Das Geheul der Sirenen war jetzt deutlich zu hören. Jimmy beugte sich vor, um die Vorgänge im Rückspiegel genau zu beobachten. Im Meer der Scheinwerferlichter konnte er einen Streifenwagen ausmachen. Dann, wie aus dem Nichts, tauchte ein zweiter auf.

»Schneller!«, rief Jimmy. »Bevor sie eine Straßensperre errichten können.«

»Wir kommen jetzt nach London«, protestierte Estafette. »Es könnte auch eine Routinekontrolle sein. Vielleicht sollte ich rechts ranfahren.«

Jimmy überlegte. Möglicherweise hatte der Mann recht. Er kurbelte das Fenster herunter, um bessere Sicht auf die Autos hinter ihnen zu haben. Er steckte den Kopf hinaus und der Wind zerrte an seinen Haaren. Dann sah er es. Keine Ahnung, wie es auf die Autobahn gekommen war, denn sie waren an keiner Ausfahrt vorbeigekommen. Doch da war es – ein langes schwarzes Fahrzeug ohne Herstellerplakette oder Nummernschild – aber am Kühlergrill prangte ein grüner Streifen.

»Sie sind es«, japste Jimmy.

»Wer?«

»Das wollen Sie lieber nicht wissen. Aber wenn die mich erwischen, bin ich tot.«

Estafette musterte Jimmy misstrauisch. Als er jedoch seinen Gesichtsausdruck sah, trat er entschlossen das Gaspedal durch und wechselte auf die Überholspur. Der Lastwagen kachelte jetzt mit Höchstgeschwindigkeit über die Autobahn.

»Fahren Sie einfach weiter«, schrie Jimmy über das Rauschen des Verkehrs hinweg. »Gibt es einen Weg von hier in den Kühlraum?«

»Nur durch die Hecktür.«

»Unmöglich.« Ebenso wie der Motor des Lastwagens arbeitete Jimmys Gehirn auf Hochtouren. »Hören Sie, ich muss hier raus.« Er griff nach einem Straßenatlas zu seinen Füßen. »Wenn die mitkriegen, dass ich aussteige, sind Sie in Sicherheit, denke ich. Die werden alle verfügbaren Kräfte auf mich hetzen.«

Jimmy blätterte schnell das Straßenverzeichnis durch. Dann riss er eine Seite heraus und stopfte sie in seine Tasche.

»Du willst rausspringen?«, schrie Estafette. »Das ist Wahnsinn.«

»Danke für alles«, rief Jimmy, löste seinen Gurt und rutschte zum Fenster. Dann fügte er hinzu: »Ich muss mir noch etwas von Ihren Schinken ausleihen.«

Zu seinem Erstaunen grinste Estafette breit. »Ist okay«, gluckste er. »Polarfledermäuse – richtig?«

»Genau«, antwortete Jimmy. »Polarfledermäuse.«

Mit einem Lächeln auf den Lippen schwang er sich aus dem Fenster. Der Wind traf ihn mit voller Wucht. Er wirbelte herum und landete zwischen Fahrerkabine und Laderaum. Gekonnt balancierte er auf dem Metallsteg, der beides verband. Hier war es windgeschützt, aber dafür unfassbar laut. Allerdings bei Weitem nicht so laut wie die Stimme in Jimmys Kopf. Seine Konditionierung bombardierte ihn mit einer Million Anweisungen pro Sekunde und versetzte jeden seiner Muskel in Alarmbereitschaft.

Jimmy kniete sich hin. Der Asphalt flog unter ihm vorbei. Die Reifen schleuderten Dreck in sein Gesicht und zwangen ihn zu blinzeln. Er konzentrierte sich, packte den Metallsteg mit beiden Händen und ließ sich hinunter. Jimmy presste sich flach an die Unterseite des Lastwagens, dicht über der vorbeizischenden Straße.

Er atmete Staub und Schmutz ein. Mit jeder Armlänge, die er sich unter dem Fahrzeug weiterzog, spuckte er schwarzen Speichel aus. Er versuchte den Lärm auszublenden, die Schmerzen in seinen Unterarmen und die Blaulichter, die sich auf dem Asphalt spiegelten. Er tastete am Unterboden des Kühlabteils entlang, um festzustellen, wo die Temperatur ein wenig niedriger war. Dort war die Dämmung am dünnsten.

Mit einem letzten Blick überprüfte Jimmy seine Position. Dann hakte er die Beine in das Metallgestell, um sein Gewicht gleichmäßiger zu verteilen. Er holte aus und rammte die Faust gegen den Unterboden des Lastwagens. Beim zweiten Schlag gab das Metall ein wenig nach. Jimmy schlug erneut zu und dann noch einmal. Das reichte. Seine Faust bohrte sich direkt in die Kammer, in der er sich ein paar Stunden zuvor noch versteckt hatte.

Jetzt konnte ihn nichts mehr stoppen. Er riss an dem Blech, bis das Loch groß genug war, um sich hineinzuzwängen. Ein scharfer Stoß ließ die Klappe über seinem Versteck aufspringen. Eiskalte Luft schlug Jimmy entgegen. Sogar der Geruch war jetzt eine willkommene Abwechslung nach der Hölle unter dem Wagen.

Jimmy wand sich mit angehaltenem Atem durch das Loch. Dann landete er zwischen den Schinken auf dem Boden. Doch das war erst der Anfang. Ohne eine Verschnaufpause einzulegen, sprang Jimmy auf und trat die Tür des Laderaums auf. Sofort duckte er sich zur Seite, um möglichen Schützen kein Ziel zu bieten.

Da waren sie – inzwischen ein ganzer Konvoi. Jimmy konnte sie genau unterscheiden – drei Streifenwagen und zwei *NJ7*-Limousinen. Er hatte keine Zeit zu verschwenden. Vorsichtig löste er einen Schinken von dem Haken an der Decke. Er war mehr als halb so groß wie

Jimmy und erstaunlich schwer. Jimmy packte ihn mit beiden Armen und wuchtete ihn aus der Tür, direkt vor einen der Streifenwagen.

Das Auto versuchte, dem über die Straße rollenden Fleischhügel auszuweichen und geriet ins Schleudern. Hinter ihm bremsten die anderen kreischend und hupten wild, doch Jimmy sah nicht einmal hin. Er griff direkt nach dem nächsten Schinken. Er stolperte damit zur Tür und ließ ihn auf die Straße plumpsen. Wie hüpfende Bomben folgten immer mehr Schinken und zwangen die Verfolger, deutlich Abstand zu halten.

Als die Lücke groß genug war, warf Jimmy einen letzten Schinken. Er krachte in die Scheinwerfer des unmittelbar folgenden Autos und ließ sie in tausend Splitter zerspringen. Dann blieb er wie ein Keil zwischen dem Wagen und der Straße stecken. *Hm,* dachte Jimmy, *Schinkensandwich.*

Jimmy schwang sich aus der Tür und auf das Dach des Laderaums. Dort blieb er flach auf dem Bauch liegen. Inzwischen hatten sie London erreicht. Alle paar Hundert Meter vor ihnen überspannte eine Brücke die Autobahn.

Jimmy spähte über die Schulter. Die *NJ7*-Limousinen waren ihnen immer noch auf den Fersen. Ein paar Schinken reichten nicht, um sie aufzuhalten. Sie kamen unaufhaltsam näher. Während der Lastwagen weiter über die Autobahn dröhnte, richtete Jimmy sich langsam auf. Die nächste Brücke schoss auf ihn zu. Und genau im richtigen Moment sprang Jimmy ab.

Die Brücke traf ihn mit voller Wucht. Der Aufprall erschütterte seinen ganzen Körper. Für einen Moment stockte ihm der Atem, aber er fiel nicht in die Tiefe. Seine Finger umklammerten das Brückengeländer und er schwang sich daran hoch.

Genau in dem Augenblick, als er auf den Beinen landete, hielten die *NJ7*-Limousinen mit kreischenden Bremsen auf dem Seitenstreifen. Jimmy verharrte für einen Augenblick bewegungslos, während der Verkehr auf der Brücke an ihm vorbeirauschte. Er wartete ab, bis einer der *NJ7*-Agenten ausstieg und zu ihm aufsah. Estafette war schon außer Sichtweite. Niemand war ihm gefolgt.

*Er wird sich wegen der Schinken einiges einfallen lassen müssen,* dachte Jimmy. Dann schlüpfte er in die Schatten der Nacht und machte sich auf den Weg ins Herz der Stadt. Er war zurück in seinem Heimatland, aber was erwartete ihn hier?

Miss Bennett knallte den Hörer auf und fauchte: »Wir haben jetzt die offizielle Bestätigung.« Sie stand von ihrem Schreibtisch auf und drehte sich zum Fenster. Die Rollläden waren herabgelassen – schließlich war es mitten in der Nacht. Miss Bennett trug immer noch ihren Hosenanzug, und der uniformierte Paduk stand in Habachtstellung.

*Schlafen die beiden eigentlich nie?*, fragte sich Mitchell. Er trug immer noch seinen Schlafanzug. Man hatte ihn aus dem Bett gezerrt und direkt hierher zum

Verhör geschleift. Er starrte wie gebannt auf die dünne grüne Haarspange an Miss Bennetts Hinterkopf. Es schien eine gefühlte Ewigkeit zu vergehen, bis sie sich endlich umdrehte.

»Ich muss genau wissen, was passiert ist, als du *dachtest,* du hättest Jimmy Coates getötet!«

»Wie meinen Sie das?« Mitchells Stimme verriet heillose Verwirrung. Er sah verzweifelt von Miss Bennett zu Paduk und wieder zurück.

Dann verkündete Miss Bennett: »Jimmy ist noch am Leben und wieder hier in England.«

»Aber das ist unmöglich«, protestierte Mitchell. »Es war genau so, wie ich es Ihnen berichtet habe: Ich habe ihn in die Maschine geworfen. Dann habe ich ihn runtergedrückt. Das kann er unmöglich überlebt haben.«

Miss Bennett brachte ihn mit einer unwirschen Geste zum Schweigen. Mitchells Mund blieb offen stehen. In seinem Inneren begann es zu brodeln. Es waren seine Agentenkräfte, in Aufruhr versetzt von den Neuigkeiten. Miss Bennett wandte sich an Paduk. »Bringen Sie sie rein«, brummte sie.

Paduk marschierte zur Tür und nickte Eva zu, die im Flur gewartet hatte. Sie gähnte und lächelte dann beschämt zu Mitchell, weil ihr der geborgte Schlafanzug sichtlich ein paar Nummern zu groß war. Er erwiderte ihr Lächeln nicht.

»Was ist los?«, erkundigte sich Eva.

Miss Bennett sagte ohne Umschweife: »Du warst

Zeugin bei diesem Unfall in Frankreich, Eva. Erzähl mir, was passiert ist.«

Eva zögerte und versuchte an einem der Gesichter in der Runde abzulesen, was für eine Katastrophe über England hereingebrochen war. Man hatte sie in der französischen Botschaft untergebracht und eigentlich war es hier nachts immer ziemlich ruhig. Aber als sie heute Nacht geweckt und hierher gebracht worden war, herrschte auf den Korridoren hektische Betriebsamkeit.

»Die Maschine …«, begann sie stotternd, »… die Maschine lief …«

»Versuch dich genau zu erinnern«, bat Miss Bennett sanft. »Konzentrier dich auf Details, die du letztes Mal vielleicht vergessen hast.«

Das war das Allerletzte, wonach Eva der Sinn stand. Der Schock über Jimmys Tod verfolgte sie noch immer. Jedesmal wenn sie die Augen schloss, hörte sie das Röhren des Schredders. Sie sehnte sich nach Zuhause und nach Geborgenheit. Wenn sie nur schon wieder bei ihrer Familie wäre …

*Nein,* ermahnte sich Eva. *Ich muss hierbleiben. Das hier ist wichtig.*

»Ich hab gesehen, wie Mitchell Jimmy helfen wollte«, fuhr sie fort. »Er hat sich über die Maschine gebeugt, aber dann …«

Paduk unterbrach sie und seine Stimme dröhnte noch tiefer als üblich. »Besteht irgendeine Chance, dass Jimmy überlebt hat?«, fragte er.

Eva wurde plötzlich eiskalt, als wäre alles Blut aus

ihrem Körper gewichen. Ganz sicher würde ihre Stimme versagen, wenn sie jetzt den Mund öffnete. Aber bevor es dazu kam, schaltete sich Miss Bennett ein.

»Was für eine lächerliche Frage, Paduk. Wir wissen, dass Jimmy unmöglich überleben konnte. Und trotzdem *hat* er es ganz offensichtlich geschafft.«

Eva war plötzlich hellwach. Was hatte sie da gerade gehört? Das Blut schoss in ihre Wangen. Jimmy lebte! Eine Welle der Erleichterung überrollte sie, doch dann schlug sie rasch die Hände vors Gesicht und tat, als würde sie verzweifelt schluchzen.

»Oh nein!«, heulte sie. »Sie werden kommen und mich holen ...«

Die Tränen, die ihr über das Gesicht flossen, waren echt – nur dass es Tränen des Glücks und nicht der Verzweiflung waren.

»Sieh nur, was du angerichtet hast.« Miss Bennett schüttelte missbilligend den Kopf in Paduks Richtung. »Das reicht, ihr beiden. Zurück ins Bett.«

Sie entließ Eva und Mitchell mit einem knappen Winken. Eva gehorchte augenblicklich. Sie stürmte aus der Tür, schniefend und das Gesicht in den Händen verbergend. Mitchell folgte ihr. Sein ganzer Körper war angespannt. Ausgeschlossen, dass er heute noch mal einschlafen würde.

»Warum haben Sie dem Mädchen nicht die Wahrheit gesagt?«, fragte Paduk, als die beiden gegangen waren. »Warum so tun, als ob es ein Unfall gewesen wäre?«

»Sie hat gerade erst hier angefangen, Paduk«, antwortete Miss Bennett. »Sie muss nicht gleich mit dem härtesten Aspekt unserer Arbeit konfrontiert werden. Wenn sie sich eingearbeitet hat, können wir sie Stück für Stück einweihen.«

»Sie haben also vor, sie zu behalten?« Paduk war entrüstet. »Ist Ihnen klar, was das für ein Risiko …«

Miss Bennett unterbrach ihn. »Wenn wir Kinder zu Killermaschinen heranziehen«, schnappte sie, »dann sehe ich keinen Grund, wieso wir nicht auch ein kluges junges Mädchen unterrichten und zu einer erstklassigen Agentin ausbilden sollten.«

»Aber die Killer sind genetisch für diese Aufgabe konditioniert«, wandte Paduk ein.

»Ja und? Wir haben ja alle miterlebt, wozu das führt, oder?«, fauchte Miss Bennett. »Da ziehe ich es vor, mich auf meine Menschenkenntnisse zu verlassen. Und Eva ist genau die Art Person, die wir in dieser Organisation brauchen. Sie haben ihre Reaktion eben miterlebt. Sie war tief erschüttert. Das ist wahrer Patriotismus, Paduk. Übergegangen in Fleisch und Blut durch eine gute Erziehung.« Miss Bennett ließ sich in ihren Stuhl zurückfallen, gähnte und senkte die Stimme. »Sie wird es weit bringen. Ich kann mir sogar vorstellen, dass sie in zwanzig Jahren meine Stelle übernimmt. Machen Sie sich keine Gedanken wegen Eva, Paduk – ich lege meine Hand für sie ins Feuer.«

Jimmy erreichte Kensington kurz vor Einbruch der

Morgendämmerung. Gleich würde die Sonne aufgehen und Jimmy war völlig erschöpft vom Rennen. Seine Hände zitterten. Der kalte Wind pfiff durch seine verschwitzten Kleider und aus seiner Kehle stieg ein bitterer Geschmack. Seine Konditionierung hatte den Schmerz ausgeschaltet, doch mit der Erschöpfung drohte sie auch zunehmend die Kontrolle über seinen menschlichen Teil zu übernehmen. Er musste unbedingt eine Pause einlegen.

Widerwillig schlüpfte er in einen Hauseingang, stützte die Hände auf die Knie und atmete keuchend. Ein letztes Mal studierte er die Seite, die er aus dem Straßenatlas gerissen hatte. Er war jetzt fast am Ziel und den Rest des Weges konnte er langsamer gehen.

Der geheime Unterschlupf hatte die perfekte Lage. Er war nur ein paar Hundert Meter von der französischen Botschaft in South Kensington entfernt. Dieses Viertel war einst von schicken Boutiquen geprägt gewesen, aber jetzt, wo nur noch britische Designer verkaufen durften, war es genauso heruntergekommen wie der Rest Londons.

Jimmy schlich um die letzte Ecke und beäugte den Häuserblock gegenüber. Millionen Fenster schienen auf ihn herabzustarren. Was, wenn ihn eine Polizeistreife entdeckte und den Geheimdienst alarmierte?

Er kämpfte seine Angst nieder. Und während er die letzten Meter zu seinem Ziel zurücklegte, war sein Inneres von wilder Entschlossenheit erfüllt, diese Mission erfolgreich zu Ende zu bringen. Selbst wenn er noch kilometerweit laufen müsste, in eisiger Kälte und mit leerem Bauch, nichts könnte ihn aufhalten. Er würde Viggo und Saffron finden und Felix' Eltern retten. Aber zunächst musste er warten, bis seine Mutter und Stovorsky Kontakt zu ihm aufnahmen.

Jimmy musterte das Haus. Es sah aus wie alle anderen in der Straße – ein Stadthaus im georgianischen Stil, das wohl schon vor vielen Jahren zu einem Apartmenthaus umgebaut worden war. Jimmy trottete die Stufen zum Eingang hoch und spähte über die Schulter zurück auf die Straße. Neben der Haustür gab es keine Klingel, nur eine kleine Tastatur. Damit hatte er gerechnet. Er tippte den Code ein: 311#279. Er wusste ihn auswendig. Er hatte auf dem Zettel gestanden, der inzwischen längst vernichtet war.

Die Tür klickte leise. Jimmy stieß sie vorsichtig auf und trat ein. Das Innere des Hauses wirkte ziemlich altmodisch. Der Boden schien noch mit den Originalfliesen ausgelegt, viele davon waren zerbrochen. Ein Flur führte an den abgetretenen Treppen vorbei zu weiteren Türen. *Leben dort ganz normale Menschen oder sind es ebenfalls geheime Treffpunkte und konspirative Wohnungen?* Jimmy streifte die Mäntel an der Garderobe neben der Tür, dann schlich er auf Zehenspitzen die Treppe hinauf. Seine Anweisung lautete, sich direkt ins oberste Stockwerk zu begeben.

In der obersten Etage stieß er auf eine weitere Tür. Erneut tippte er den Code ein und stieß sie auf. Er fand sich in einer kleinen Einzimmerwohnung wieder. Alles war schmutzig und es roch, als wäre hier seit Jahrzehnten nicht mehr gelüftet worden.

Zuerst dursuchte Jimmy das Zimmer. Er wusste nicht genau, wonach er eigentlich Ausschau hielt. Doch sein Instinkt ließ ihm keine Ruhe, bevor er nicht den ganzen Raum gründlich inspiziert hatte. Es dauerte nicht lange. Das Zimmer war klein, spärlich möbliert mit zwei Betten und einem leeren Schrank. In einer Ecke befand sich eine kleine Kochnische. In einer der Küchenschubladen entdeckte Jimmy ein bisschen Bargeld und im Kühlschrank ein paar Lebensmittel, die offensichtlich für ihn und seine Mutter gedacht waren.

Jimmy aß alleine. Währenddessen nahm er den Kühlschrank sorgsam auseinander und baute ihn wieder zusammen. Er fand jedoch nichts Ungewöhnliches.

Es gab auch ein winziges Badezimmer: nur eine Toilette, ein Waschbecken und eine Dusche – eigentlich war es eher eine Abstellkammer.

Jimmy war schwindlig vor Müdigkeit. Er hatte die ganze Nacht nicht geschlafen. Trotzdem musste er wach bleiben, bis er wusste, dass er hier wirklich sicher war. Erst dann durfte er sich zurücklehnen und in Ruhe auf Stovorsky und seine Mutter warten.

Er zog sich aus und legte seine Klamotten über die Heizung. Dann wickelte er den Verband von seinem Bein. Die Wunde war wieder verheilt, aber an manchen Stellen waren noch rote Narben zu sehen. Und überall schimmerte diese merkwürdige blaugraue Substanz unter seiner Haut durch.

Er stellte sich unter die Dusche und versuchte sich zu entspannen und wieder klare Gedanken zu fassen. Es dauerte eine Weile, bis das Wasser heiß wurde, aber dann hätte Jimmy die Dusche am liebsten nie wieder verlassen. Obwohl seine Konditionierung ihr Bestes getan hatte, um seine Körpertemperatur zu regeln, fühlte es sich fantastisch an, dass endlich wieder warmes Blut durch seine Finger und Zehen zirkulierte.

Da war doch was – unten an seinen Zehen. Jimmy blickte auf seine Füße hinab. Das Wasser stand bis zu seinen Knöcheln. Etwas verstopfte den Abfluss. Er bückte sich und tastete vorsichtig den Boden der Dusche ab. Eine Fliese war lose. Aber es war nicht nur eine Fliese, es war eine ganze Platte, die eincn falschen Boden bildete. Jimmy hob die Platte hoch und fand darunter eine Plastiktüte. Sie enthielt einen Laptop und eine Pistole.

Ein paar Minuten später hatte Jimmy sich abgetrocknet und herausgefunden, dass der Laptop einen geladenen Akku, aber eine völlig leere Festplatte hatte. Außerdem besaß er ein eingebautes Modem für den Internetzugang. Würde er seinen Aufenthaltsort verraten, wenn er es benutzte?

Bei der Pistole handelte es sich um eine *Beretta 99G* – dasselbe Modell, wie es der französische Geheimdienst beim Überfall auf das Bauernhaus benutzt hatte. Jimmy versteckte den Laptop wieder in dem Geheimfach in der Dusche. Die Pistole behielt er.

Er hatte noch nie eine Pistole in der Hand gehalten.

Es war merkwürdig, wie selbstverständlich sich das anfühlte. Jimmy untersuchte die Waffe. Sollte er sich vor ihr fürchten? Oder sollte sie ihm vielmehr das Gefühl von Macht verleihen? Je länger er sie betrachtete, desto mehr wirkte sie einfach wie ein Stück Metall. Die Pistole war definitiv bedrohlich, aber was in Jimmys Umgebung war eigentlich nicht bedrohlich: Gefahr lauerte überall, wo Agenten des Premierministers operierten. Und sie schlummerte sogar in Jimmy selber.

Ihn schauderte und er ließ die Pistole angewidert auf die Matratze fallen.

Er wühlte in einer Küchenschublade und fand einen Schraubenzieher. Damit begann er die Waffe sorgfältig auseinanderzumontieren. Er löste die ganzen winzigen Schrauben, bis das Ding in Einzelteilen zu Boden fiel. *So ist es sicherer,* dachte er. *Nur Killer brauchen Pistolen.*

Nachdem Jimmy ins Bett gekrochen war, starrte er lange auf seine Hände. Er konnte nicht wegsehen und Angst zog sich wie eine Gewitterwolke ihn ihm zusammen. *Was ist, wenn meine Hände noch tödlicher sind als eine Pistole?,* fragte er sich. Irgendwann legte er den Kopf auf dem Kissen ab. Und endlich schloss er auch die Augen.

Sein Bein begann wieder zu schmerzen. Und seine Fäuste zitterten.

# KAPITEL 11

»Komm rein.« Miss Bennetts Stimme drang mit Leichtigkeit durch die massive Tür. Eva öffnete sie zaghaft und schlüpfte hindurch, in der Hand einen braunen Umschlag mit der Aufschrift *Streng Geheim*.

»Der Verteidigungsminister dachte, Sie würden diesen Bericht sofort lesen wollen, Miss Bennett.«

Eva trat vorsichtig auf Miss Bennett zu, die sie interessiert musterte. Sie nahm den Umschlag entgegen, ohne sich zu bedanken, betrachtete Eva aber weiter eingehend. »Du weißt, dass du hier keine Gefangene bist, Eva?«, fragte sie ruhig. »Du kannst jederzeit nach Hause gehen.«

Eva nickte leicht. »Sobald ich bereit dazu bin.«

»Ich verstehe.« Endlich lächelte Miss Bennett. »Du hast eine Menge durchgemacht.« Sie öffnete den Umschlag. »Weißt du, ich war ziemlich jung, als ich in den Geheimdienst eintrat. Nicht so jung wie du, aber trotzdem sehr jung.« Eva versuchte zu lächeln. Ihre Lippen zuckten.

»Es gibt vieles, was ich dir beibringen möchte«, fuhr Miss Bennett fort. »Warum fängst du nicht damit an, dass du unseren Gästen ihr Frühstück bringst?«

Eva nickte erneut. Sie huschte aus dem Raum und zog die Tür fest hinter sich zu. Sie lauschte nicht einmal. Das brauchte sie nicht. Sie wusste, dass Miss Bennett jetzt umgehend den Premierminister anrufen würde.

Eva hatte den Bericht gelesen, bevor sie ihn Miss Bennett übergeben hatte. Sie konnte ihn fast Wort für Wort auswendig: *Patrouillenschiff der Marine fängt kleines Boot vor Südostküste ab und versenkt es. Alle Mannschaftsmitglieder und Passagiere festgenommen. Unter den Verhafteten befindet sich auch eine Frau. Offenbar hat sie das Training für Sondereinsatzkräfte absolviert; der Beschreibung nach handelt es sich möglicherweise um Helen Coates.*

Eva dachte an die Tragweite dieser Informationen: Jimmys Mutter war gefangen genommen worden. Trotzdem war Eva alles andere als hoffnungslos, jetzt wo sie wusste, dass Jimmy am Leben war.

Wie benommen lief sie durch die plüschigen Korridore – samtroter Teppich zu ihren Füßen und alte französische Tapeten an den Wänden. *So sieht also eine Botschaft von innen aus,* dachte sie. Sie folgte einer breit geschwungenen Treppe und versuchte einer Putzkraft aus dem Weg zu gehen, die mit grimmigem Gesichtsausdruck staubsaugte. In der Lobby, drei Stockwerke tiefer, holte sie bei der Wache an der Rezeption ein Tablett mit Essen ab.

»Miss Bennett hat mich gebeten, das runterzubringen,« erklärte sie.

Sie durchquerte die Lobby und ein weiterer Wachmann grüßte sie salutierend. Er drückte einen Knopf, um den Lift für sie zu rufen. Nach ein paar Sekunden blinkte das Licht neben den Türen. Der Aufzug hatte die Lobby erreicht, aber die Türen blieben geschlossen. Der Wachmann zog einen Schlüsselbund aus der Tasche und steckte einen kleinen goldenen Schlüssel in das Schloss neben den Aufzugtüren. Jetzt erst glitten sie auf.

Es dauerte fast eine Minute, bis Eva das Untergeschoss erreichte. Hier war nichts mehr von dem Glamour der oberen Stockwerke zu ahnen. Eva schien es in ein völlig anderes Gebäude verschlagen zu haben. Vor ihr erstreckte sich eine kahle Betonhalle, die eher an eine Tiefgarage als an ein Botschaftsgebäude erinnerte. Der Raum hatte die Ausmaße eines Fußballfelds und an einem Ende wurde gerade die Wand von einer gewaltigen Tunnelbohrmaschine durchbrochen. Männer mit Schutzhelmen und schwarzen Anzügen eilten umher und halfen bei den Bauarbeiten.

Eva marschierte zielstrebig auf eine Reihe von Zellen am anderen Ende der Halle zu. Unmittelbar vor den Zellen erhob sich eine Schleuse aus kugelsicherem Acrylglas. Dort kontrollierte ein Wachmann ihren Ausweis. Ein weiterer tippte ein Passwort in einen Computer, woraufhin die Schleuse aufglitt und Eva passieren konnte.

Näher kam sie jedoch nicht an die Gefangenen heran. Der Wachmann nahm ihr das Tablett ab und wartete, bis sie wieder auf die andere Seite der Glaswand zurückgekehrt war. Bevor sie sich zum Gehen wandte, versuchte sie noch einen Blick auf die zusammengekauert in der Zelle hockenden Personen zu erhaschen. Zwei Gefangene saßen dort bereits seit drei Tagen ein: Christopher Viggo und Saffron Walden. Erst in der vergangenen Nacht war dann noch ein dritter hinzugekommen: Uno Stovorsky, der wegen Spionage verhaftet worden war und im Laufe des Tages verhört werden sollte.

Jimmy war auf einen Schlag hellwach und sprang aus dem Bett. Er trat gegen die Pistolenteile, die über die Dielen schlidderten. Sein Blick suchte den Raum ab. Wie viel Uhr war es? Die rötlich leuchtende Anzeige an der Mikrowelle verriet es ihm: 17 Uhr 34. Konnte das stimmen? Hatte er den ganzen Tag verschlafen? Warum war Stovorsky nicht gekommen und hatte ihn geweckt? Und wo war seine Mutter? Die beiden hätten längst hier sein sollen.

Vage Erinnerung an einen Albtraum benebelte immer noch seinen Verstand. Auch diesmal konnte er sich nicht an seine Träume erinnern. Alles was blieb, war eine ängstliche Anspannung. An diesem Spätnachmittag fiel es ihm schwerer als sonst, sie abzuschütteln.

Irgendwas musste schiefgelaufen sein. Ein paar Tage zuvor war der Plan gewesen, nur die Eltern seines besten Freundes zu befreien. Inzwischen hatte Jimmy das Gefühl, dass er als Einziger noch *nicht* irgendwo eingesperrt war.

Ob es Viggo und Saffron gut ging? Und was war mit

seiner Mutter? Jimmy brauchte ein paar Minuten, bis er wieder klar denken konnte. Es bestand kein Grund zur Panik. Sie waren nur spät dran – das war alles. Er brauchte nur geduldig zu warten. Trotzdem schnürte ihm die Besorgnis die Kehle zu.

Jimmy bastelte sich aus ein paar Essensresten ein Sandwich, dann marschierte er im Raum auf und ab. Immer wieder spähte er durch die Vorhänge auf die Straße. Jedes Geräusch entfachte in ihm die Hoffnung, seine Mutter könnte gerade die Treppen hochsteigen. Doch niemand kam.

*Ich bin auf mich alleine gestellt,* hallte eine Stimme in seinem Kopf. Er weigerte sich, ihr zu glauben. Aber mit jeder verstreichenden Sekunde wurde ihm deutlicher bewusst, dass er der Wahrheit ins Auge sehen musste. Er hatte keine Ahnung, wo seine Mutter steckte. Er hatte keinen Schimmer, wo Stovorsky blieb. Und er hatte keine Nachricht von ihnen.

Jimmy warf sich auf eins der Betten und starrte hinauf zu den Spinnweben an der Decke. *Ihr wird schon nichts passieren,* beruhigte er sich selbst. *Sie hat es mir versprochen.* Er wagte nicht darüber nachzudenken, ob seine Mutter es tatsächlich schaffen würde, ihr Versprechen zu halten. Das war viel zu beängstigend.

Er sprang auf, stürmte durch den Raum und trat gegen jedes Möbelstück, das ihm im Weg stand. »Warum musste es schiefgehen?«, schrie er laut und war überrascht von der Wut in seiner Stimme. Er ballte die Fäuste. Hitze wallte in seiner Brust empor. Seine Faust schoss auf die Wand zu. Aber im letzten Moment stoppte er sich. *Das bringt nichts,* dachte er. *Behalt die Kontrolle.*

Dann wurde ihm klar, dass er in dieser Situation vor allem eines brauchte: seine Freunde. Jimmy stellte sich Felix und Georgie vor, die im Bauernhaus festsaßen. Sollte er mithilfe des Laptops versuchen, sie zu kontaktieren? Es war riskant, aber so wie er seine Schwester kannte, verbrachte sie jede Menge Zeit im Internetcafé im Dorf. Sie würde es niemals riskieren, ihren Standort preiszugeben, indem sie ihre E-Mails checkte, aber es gab andere Wege der Kommunikation.

Jimmy grübelte angestrengt. Seine Mutter und Stovorsky würden wohl nicht mehr kommen, so viel stand fest. Er war definitiv auf sich alleine gestellt. Aber das musste nicht so bleiben. Wenn es irgendeine Chance gab, dass Georgie und Felix ihm halfen, sollte er sie ergreifen. Bereits die Vorstellung, dass sie kommen und ihm beistehen würden, tröstete ihn. Yannicks Gesicht prangte vermutlich auf sämtlichen Fahndungslisten, aber warum sollte man zwei harmlosen Jugendlichen die Einreise verweigern?

Jimmy spürte, dass Hoffnung in ihm aufkeimte. Aber wie konnte er ihnen eine Nachricht schicken, die nicht abgefangen wurde? Jimmy versuchte sich an die Websites zu erinnern, die seine Schwester regelmäßig besuchte. Der größte Teil des Internets wurde von der englischen Regierung zensiert, also blieben nicht viele übrig.

Er ging die Sache methodisch an und postete in jedem Chatroom und auf jedem Blog, den seine Schwester vielleicht besuchen würde. Es war nicht leicht, sich in eine Vierzehnjährige zu versetzen – und manche dieser Seiten fand er extrem peinlich. Doch irgendwann hatte er einen Rhythmus gefunden, er klickte sich von Seite zu Seite und erstellte Dutzende Accounts. Er registrierte sich immer mit demselben Usernamen: *TschorTschie*, und die Nachricht, die er hinterließ, war immer dieselbe: *Auf nach London. Fehl x auch? Den Koch zu Hause lassen*. Jimmy war ziemlich zufrieden mit sich. Er fand, es klang nach etwas, das ein Mädchen schreiben würde. Daher würde sich hoffentlich niemand daran stören, dass es keinen Zusammenhang mit dem auf der Seite diskutierten Thema hatte. Mädchen plapperten ja gerne mal zusammenhangloses Zeug, oder?

Irgendwann wurden Jimmys Augen müde und die Ideen gingen ihm aus, welche Seiten er noch besuchen könnte. Er fuhr den Laptop herunter. Wenn Georgie die Nachricht lesen und verstehen würde, würden sie und Felix zum Unterschlupf kommen. Das konnte allerdings noch Tage dauern – falls es überhaupt geschah. Fürs Erste war Jimmy auf sich alleine gestellt.

Seine Nachforschungen mussten logischerweise an einem ganz bestimmten Ort beginnen – der französischen Botschaft.

Jimmy ging ins Bad und starrte sich im Spiegel an. Ein Sprung im Glas zog sich über seine eine Gesichtshälfte. Er nahm die Seife und brach zwei kleinere

Stücke ab. Er knetete sie zu länglichen Halbmonden und klebte sie über den Augenbrauen auf seine Stirn. Dann wiederholte er den Vorgang, nur presste er diesmal die Seifenstücke auf seine Wangen.

Seine Hände bewegten sich flink und routiniert. Und langsam begann Jimmy zu begreifen, was sein Instinkt ihn da tun ließ – er verschaffte sich eine Tarnung.

Als Nächstes rollte er etwas Klopapier zusammen und stopfte es unter seine Oberlippe. Noch mehr davon wanderte in die Backentaschen. Er ließ eine Weile lang Wasser über seine Hände rinnen, bevor er sie an dem rostigen Rohr unter dem Waschbecken rieb. Diese farbige Schmiere verteilte Jimmy auf Gesicht und Hals, sodass die Seifenstücke mit seiner neuen Hautfarbe verschmolzen.

Schließlich mussten auch noch seine Haare bearbeitet werden. Er brach ein loses Stück Holz aus einem der Fensterrahmen und legte es ins Waschbecken. Im Küchenschrank fand er eine Schachtel Streichhölzer und ein paar Sekunden später stand das Holz in Flammen. Als es vollständig verbrannt war, sammelte Jimmy die Asche ein und verrieb sie mit den Fingern in den Haaren.

Als er erneut in den Spiegel blickte, musste er beinahe lachen. Die Form und die Farbe seines Gesichts waren komplett verändert. Er sah wie ein alter Mann aus und nicht mehr wie ein Junge. Ein alter Mann, der bereit war für seine Mission.

# KAPITEL 12

Felix trommelte mit den Fingern auf den alten eichenen Küchentisch. Vor ihm lag ein geöffnetes Buch, in das er in der letzten halben Stunde kaum einen Blick geworfen hatte. Es war auf Französisch. Ihm gegenüber tat Georgie so, als würde sie eifrig lesen. Ab und zu warf sie ihm einen Blick zu, der ihn wohl ermahnen sollte, den Eindruck eines fleißig Lernenden zu erwecken.

Yannicks Mutter wuselte in der Küche herum. Dabei murmelte sie irgendetwas Unverständliches vor sich hin und funkelte Felix böse an. Endlich verzog sie sich. Sofort sprang Felix auf und schob einen Stuhl vor die Tür.

»Ich dachte schon, die verschwindet nie!«, rief er.

»Pst!« Auch Georgie war aufgesprungen. »Was, wenn sie zurückkommt?«

»Ganz sicher nicht. Die macht jetzt ein kleines Nickerchen. Ich hab ihr ordentlich Cognac in die heiße Schokolade gekippt.« Felix grinste breit und Georgie musste gegen ihren Willen lachen.

»Prima – dann bleibt uns knapp eine Stunde, bevor Yannick aus der Stadt zurückkommt. Legen wir los.« Sie kletterte auf den Tisch. »Du zuerst.«

Felix wippte auf den Fußballen und lockerte seine Muskeln. Dann nahm er drei Schritte Anlauf, hechtete nach vorn und versuchte Georgies Beine zu packen. Doch sie war mindestens ebenso flink. Sie sprang blitzschnell hoch und ließ seinen Angriff ins Leere laufen. Felix stolperte, stürzte, rappelte sich wieder auf und versuchte es mit einem Drehkick. Doch Georgie packte seinen Fuß und stieß ihn um. Felix legte eine saubere Bauchlandung hin.

»Sieht ganz so aus, als müsstest du noch an deiner Technik feilen«, kicherte sie. Felix schenkte ihr keine Beachtung. Ohne aufzublicken, hakte er den Fuß um ein Tischbein und riss das Möbelstück unter Georgie weg. Sie stieß einen leisen Schrei aus und knallte auf den Boden. Felix kriegte sich nicht mehr ein vor Lachen.

»Ob das deiner Mum vorschwebte, als sie uns aufgefordert hat, in ihrer Abwesenheit fleißig zu lernen?«

»Wir lernen die Kunst der waffenlosen Selbstverteidigung«, kicherte Georgie.

»Sieht eher so aus, als würdest du das Leben der Insekten auf dem Küchenboden studieren.« Felix stellte den Tisch wieder an seinen Platz und sprang auf die Tischplatte. »Du bist dran.«

Auf die Art trainierten sie fast eine Stunde; so wie bei jeder sich bietenden Gelegenheit, seit Jimmy und seine Mutter nach England abgereist waren.

»Glaubst du, wir haben eine echte Chance gegen Erwachsene?«, keuchte Felix schließlich und ließ sich in den Sessel neben dem Herd fallen.

»Hoffen wir mal, dass es nie so weit kommt«, schnaufte Georgie völlig außer Puste. Keinem von beiden war bei dieser Vorstellung zum Lachen zumute. Wenn sie sich tatsächlich irgendwann selbst verteidigen mussten, dann gegen einen äußerst gefährlichen Gegner. Sie wussten, dass mit dem *NJ7* nicht zu spaßen war.

In gebückter Haltung schlurfte Jimmy durch London. Er hielt den Kopf gesenkt, studierte aber mit wachen Augen seine Umgebung. Er trug immer noch die Sachen, in denen er gekommen war – Jeans und einen alten Pullover. Doch darüber hatte er einen Mantel gestreift, den er im Treppenhaus des konspirativen Treffpunkts gefunden hatte.

Die Straßen waren schmutziger, als Jimmy sie in Erinnerung hatte. Die Stadt schien immer mehr zu verwahrlosen. Viele Geschäfte waren verrammelt und die Menschen hasteten jetzt bei Einbruch der Dunkelheit eilig nach Hause. Das kam Jimmy gelegen. Es verringerte die Wahrscheinlichkeit, erkannt zu werden.

An der Ecke gegenüber dem palastähnlichen Gebäude der französischen Botschaft blieb er stehen. Vor dem Eingang hatten sich zwei Wachposten mit Maschinenpistolen aufgebaut. Über ihnen ragte ein nackter Fahnenmast, an dem eigentlich die französische Flagge hätte hängen sollen. An den Türrahmen war ein unauffälliger grüner Streifen genagelt.

Jimmy setzte sich mit pochendem Herzen in Bewegung, wobei er sich fortwährend ermahnte, wie ein alter Mann zu gehen. Wenn die Wachposten seine Maskerade durchschauten, würden sie nicht lange fackeln. Er trat aus dem Schatten und überquerte mit gesenktem Blick die Straße. Er rechnete damit, dass die Wachposten ihn früher oder später anhalten würden. Aus der Nähe war seine Verkleidung nicht sonderlich überzeugend.

»Entschuldigen Sie, Sir«, bellte einer der Wachposten und trat Jimmy in den Weg. »Die Botschaft ist geschlossen.«

Jimmy hielt inne und tat so, als würde er zittern. Er machte einen weiteren Schritt auf die Eingangstür zu, doch die Wache hielt ihn auf. »Ich sagte, die Botschaft ist geschlossen«, wiederholte der Mann lauter und langsamer. Jimmys steigerte sein Zittern noch und fuhr sich mit der rechten Hand an seine linke Brustseite.

»Alles in Ordnung bei Ihnen, Sir?«, fragte der andere Wachmann. Jimmy antwortete nicht. Er neigte sich zu einer Seite, als würde er die Balance verlieren, und schnappte keuchend nach Luft. Der Wachmann fing ihn auf und stellte ihn wieder auf die Beine.

»Fehlt Ihnen etwas? Wollen Sie einen Schluck Wasser?« Jimmy nickte schwach. Die Wachen griffen ihm unter die Arme und führten ihn durch die Tür in das Botschaftsgebäude – genau wie Jimmy es sich erhofft hatte. Am Treppenaufgang hielten sie inne und einer der Männer setzte Jimmy vorsichtig ab. Der andere schlenderte zum Empfangstresen.

»Wir holen besser den Notarzt. Sicher ist sicher«,

rief er. Jimmy saß auf der untersten Treppenstufe und starrte zu Boden. Dann winkte er dem Wachmann, während er weiter die Hand an seine Brust presste.

»Wasser«, keuchte er und deutete dabei auf den Krug am Empfangstresen. Hoffentlich würde ihm der Wachmann die dünne brüchige Greisenstimme abkaufen. Es funktionierte. Der Mann nickte und wandte sich zum Tresen. Etwa dreißig Sekunden lang war Jimmy nun völlig unbeobachtet. Doch die reichten aus. Jimmy sprintete die Treppe hinauf. Als der Wachmann sich mit dem Glas in der Hand umdrehte, war der alte Mann verschwunden.

Jimmy hörte, wie unten Alarm geschlagen wurde. Doch er ließ sich dadurch nicht aufhalten. Der Sicherheitsdienst würde jetzt die Videoaufzeichnung aus der Lobby sichten und erkennen, wohin er verschwunden war. Kameras überwachten jeden Winkel des Gebäudes, drinnen und draußen. Jimmy musste die wenigen verbleibenden Minuten nutzen und herausfinden, was mit Viggo und Saffron geschehen war.

Er sprang die Stufen hinauf, ohne genau zu wissen, wonach er eigentlich suchte. Hinter sich hörte er die schweren Schritte der Wachleute. Als er den dritten Stock erreichte, rammte er seinen Ellbogen gegen den Feueralarmknopf. Sofort heulte eine Sirene los. Menschen traten aus ihren Büros und bevölkerten den Flur.

Kurz musste Jimmy lächeln – das Gewimmel würde seine Verfolger aufhalten. Aber noch bevor er den Gedanken zu Ende gedacht hatte, überfiel ihn nackte Panik. Die Leute auf den Fluren waren ohne Ausnahme große, muskulöse Männer mit militärisch kurzen Haaren und schwarzen Anzügen. Jimmy war mitten in ein Nest von grünen Streifen geraten.

Ruckartig schalteten Jimmys Instinkte einen Gang hoch, um den Schreckmoment auszugleichen. Fast hätte es ihn von den Füßen gerissen. Es kam ihm vor, als würde ihn jemand an der Schulter packen und in einen der Büroräume stoßen. Glücklicherweise war der Raum leer. Er fragte sich, ob ihn jemand beobachtet hatte.

Er kniete sich hin und legte die Hand neben der Tür flach auf den Boden. So konnte er fühlen, ob die Schritte im Flur sich entfernten. Dabei spähte er über die Schulter in das Büro. Rasch wurde ihm klar: Hier würde er keine interessanten Informationen finden. Offenbar gab es ein Sicherheitsprozedere für die Evakuierung des Gebäudes. Alle Dokumente und Unterlagen war weggesperrt worden.

Jimmys Blick fiel auf das Fenster. Seine innere Stimme meldete sich zu Wort – *brich die Mission ab*, befahl sie, *flüchte, solange es möglich ist*. Jimmy wusste, es war die richtige Entscheidung. Doch das Fenster war kein guter Fluchtweg. Sobald man ihn außerhalb des Gebäudes entdecken würde, bot er ein allzu leichtes Ziel. *Rauf aufs Dach*, schoss es ihm durch den Kopf. *Flieh von dort.*

Jimmy öffnete die Tür einen Spalt. Der Flur war verlassen. Er schlüpfte hinaus und musste sich sofort wieder in den gegenüberliegenden Türeingang zurückziehen. Ein Stück den Flur hinab hatte jemand sein Büro verlassen. Jimmy konnte es kaum fassen – es war Miss Bennett.

Der Klang ihrer Stimme ließ seinen Atem stocken. Diese Stimme hatte ihn mit seiner ersten Mission beauftragt; und in seinem früheren Leben war es die Stimme seiner Klassenlehrerin gewesen. Er musste sich zusammenreißen. Vorsichtig drückte er die Türklinke herunter, doch der Raum war verschlossen.

Miss Bennett und die Person in ihrer Begleitung versperrten ihm den Weg zum Treppenhaus. Sie kamen direkt auf ihn zu. Jetzt hörte er auch die Stimme der anderen Person – es war Mitchell.

»Aber ich bin bereit, es erneut zu versuchen, Miss Bennett«, sagte er.

Die beiden waren nur noch wenige Meter entfernt. Jimmy stemmte die Füße rechts und links gegen den Türrahmen und kletterte ein Stück nach oben. Dann riss er einen Knopf von seinem Mantel. Aus dem Handgelenk schnippte er ihn in Miss Bennetts und Mitchells Richtung. Der Knopf zischte unbemerkt über ihre Köpfe hinweg, dann prallte er an der Wand hinter ihnen ab.

»Was war das?«, schnappte Miss Bennett. Beide fuhren herum. Jimmy nutzte den Augenblick, um sich aus dem Türrahmen vorzubeugen. Neben ihm hing an einer Art Vorhangstange ein riesiger Wandteppich. Und genau diese Stange packte Jimmy jetzt.

Als Miss Bennett und Mitchell sich wieder umwandten und ihren Weg fortsetzten, war Jimmy bereits hinter den Wandteppich geschlüpft. Der einzige Hinweis auf seine Anwesenheit war ein leichtes Schwingen des alten Wandbehangs.

»Hätten wir nicht besser mit den anderen das Haus verlassen?«, fragte Mitchell. Er stand jetzt genau an der Stelle, wo Jimmy sich verbarg. Nur der dünne Stoff trennte die beiden. Jimmy hielt den Atem an. In seinen Eingeweiden rumorte die Angst. Er versuchte sich mit dem Gedanken zu beruhigen, dass er Mitchell schon einmal im direkten Zweikampf besiegt hatte. Doch mit wenig Erfolg. Denn er wusste genau, damals waren Mitchells Agenteninstinkte noch nicht geweckt gewesen. Diesen Vorteil besaß Jimmy nicht länger.

»Also bitte«, seufzte Miss Bennett. »Brennt es hier etwa?« Mitchell murmelte irgendetwas und Miss Bennett fuhr fort: »Jimmy Coates ist in England eingetroffen – genau wie wir es erwartet hatten. Ich brauche dich hier, damit du ihn ausschalten kannst.«

Sie setzten ihren Weg fort und Jimmy hangelte sich an der Stange weiter den Flur entlang. Er war jetzt hinter Miss Bennett und Mitchell, aber das Treppenhaus war immer noch einige Meter entfernt. Dann erreichte er das Ende des Wandteppichs.

Ihm blieb keine andere Wahl. Er musste seine Deckung verlassen und rennen wie der Teufel.

Er konzentrierte sich, um seine innere Energie zu mobilisieren, sie sollte ihm einen explosionsartigen, aber möglichst lautlosen Sprint ermöglichen. Mit etwas Glück wäre er halb die Treppen hinauf, bevor Mitchell oder Miss Bennett sich umdrehten. Der Feueralarm jaulte immer noch ohrenbetäubend. Jimmy machte sich bereit.

Er löste die Finger von der Vorhangstange und ließ sich fallen. Sobald seine Füße den Boden berührten, preschte er auch schon los. Aus dem unteren Stockwerk kamen bereits Wachleute mit Maschinenpistolen im Anschlag die Treppe hoch.

Plötzlich bremste Jimmy abrupt ab. Er war so auf Miss Bennett und Mitchell fixiert gewesen, dass er die Person einige Schritte hinter ihnen völlig übersehen hatte. Nun stand Jimmy ihr direkt gegenüber. Es war Eva.

Alles schien sich plötzlich in Zeitlupe zu bewegen. Jeden Augenblick würden die Wachleute in Jimmys Rücken das Feuer eröffnen. Eva und Jimmy starrten einander an. Jimmy nahm etwas in ihrem Blick wahr. Es war ein listiger Ausdruck, der ihm nie zuvor aufgefallen war. War sie eine Verbündete oder eine Feindin?

Dann löste sie sich aus ihrer Erstarrung, rannte aber nicht davon. Stattdessen warf sie sich dem verdutzten Jimmy in die Arme. Dabei drehte sie sich um, sodass sie in dieselbe Richtung blickte wie er. Sie packte Jimmys Arm und legte ihn sich um den Hals. Jetzt kapierte Jimmy, was sie vorhatte. Er legte die Hand um ihren Nacken und presste Eva fest an sich. Dann riss er sie herum, sodass ihr Körper einen Schutzschild zwischen ihm und den Wachleuten bildete.

Eva schrie. Jimmys Stimme klang ruhig, aber zum Äußersten entschlossen: »Noch einen Schritt näher, und ich breche ihr das Genick.«

# KAPITEL 13

Jimmy bewegte sich auf die Treppe zu und zog Eva mit sich. Die Wachleute verharrten an Ort und Stelle, zielten jedoch weiter auf Jimmys Kopf. Schließlich erreichte Jimmy die unterste Stufe. Rückwärts stieg er die Treppe hinauf, Eva immer zwischen sich und den Wachen. Es waren nur noch vier Stufen bis zum nächsten Stockwerk. Von dort konnte ihm die Flucht gelingen. Doch Miss Bennett hatte nicht vor, das zuzulassen.

»Erschießt sie beide«, kommandierte sie trocken. Die Schützen fixierten ihr Ziel. Doch ein markerschütternder Schrei ließ sie innehalten.

»Nein!« Das war Mitchell. Er kam aus dem Korridor geschossen, sprang ab und trat im Sprung nach beiden Seiten aus. Er erwischte zwei der Wachleute und stieß sie so zu Boden. Jimmy nutzte die Gelegenheit und preschte los. Immerhin ein winziger Vorsprung.

»Überlasst ihn mir«, brüllte Mitchell.

Jimmy hetzte die Stufen hinauf, Eva dicht hinter ihm.

»Der *NJ7* hat das Gebäude besetzt«, keuchte sie.

»Danke, ist mir auch schon aufgefallen«, erwiderte Jimmy.

»Und Felix' Eltern sind nie hier gewesen.«

»Was?«

»Es war eine Falle«. Jimmy versuchte den Schock zu verdauen, ohne langsamer zu werden. »Die haben sich Chris und Saffron vor ein paar Tagen geschnappt, als sie das Gebäude auskundschaften wollten«, fuhr die immer stärker keuchende Eva fort. »Sie sind unten im Keller und werden verhört.«

Sie ließen einen weiteren Treppenabsatz hinter sich. Jimmy wagte nicht, nach unten zu blicken. Selbst auf dem dicken Teppich waren Mitchells schwere, eilige Schritte zu hören.

»Aber wo *sind* Felix' Eltern?«, stieß Jimmy hervor.

»An einem Ort namens *Fort Einsmoor*. Aber ich hab keine Ahnung, wo das ist.« Der Name sagte Jimmy nichts, aber es war immerhin eine Spur. Er rannte in vollem Tempo die Treppe hinauf. Mit jedem Schritt blieb Eva weiter zurück.

»Hast du was von Stovorsky gehört?«, wollte Jimmy wissen.

»Ja. Er ist gestern verhaftet worden. Und Jimmy ...« Eva blieb völlig außer Atem stehen. »Sie haben auch deine Mutter.«

Als diese Worte Jimmy erreichten, war Eva bereits aus seinem Blickfeld verschwunden. Sie trafen ihn tief im Innersten, trotzdem durfte er um keinen Preis langsamer werden. Erneut hörte er Evas Stimme. Diesmal war sie schon viel weiter entfernt und hatte einen ganz anderen Tonfall.

»Oh, Mitchell, ich hatte ja solche Angst«, schluchzte sie. »Danke, dass du mich gerettet hast.«

In der obersten Etage brach Jimmy durch eine schwere Feuerschutztür. In einiger Entfernung dröhnten schon die Helikopter, die Jagd auf ihn machten. Er flitzte quer über das Flachdach, hechtete sich auf das angrenzende Gebäude und landete mit einer eleganten Rolle. Nur wenige Sekunden darauf wiederholte jemand hinter ihm exakt denselben Bewegungsablauf. Jimmy musste sich nicht umblicken, um zu wissen, wer es war.

Jimmys Muskeln brannten vor Energie und verliehen ihm eine bisher unerreichte Geschwindigkeit. Die Helikopter schwebten jetzt direkt über ihm. Instinktiv packte Jimmy eine Hand voll Kies. In seinen Händen war es eine tödliche Waffe. *Bitte töte niemanden*, bat Jimmy sich selbst. *Niemand soll sterben.*

Jimmy sprang fünf Meter weit auf das nächste Hausdach, über den unter ihm gähnenden fünfzig Meter tiefen Abgrund hinweg. Kurz bevor er landete, schleuderte er einen der Kiesel. Dank seiner besonderen Kraft erhielt der Stein die Geschwindigkeit einer Pistolenkugel. Eine gewaltige Fontäne von heißem Dampf schoss in die Luft. Jimmy hatte nicht auf Mitchell gezielt oder einen der Helikopter, sondern auf eine der sich über die Hausdächer windenden Versorgungsröhren. Im Rennen schleuderte er die übrigen Steine. Aus den getroffenen Röhren schossen zahllose Wasser- und Dampffontänen in die Luft und verbargen ihn vor den Helikoptern. Ohne ein klares Ziel konnten sie nicht feuern. Und selbst der Einsatz von Wärmebildkameras war durch den heißen Dampf unmöglich.

Während sich das Dröhnen der Hubschrauber wieder entfernte, kletterte Jimmy über den Rand des Gebäudes. Er wagte nicht, sich nach Mitchell umzusehen. Mit den Fingern klammerte er sich am Rand des Daches fest. Sein Körper schwankte im Wind. Die Straße lag zehn Stockwerke tief unter ihm.

Jimmy spürte die Erschütterung von Mitchells sich nähernden Schritten. Ihm blieb keine Zeit nachzudenken.

Er ließ einfach los und stürzte nach unten.

Sein Magen zog sich zusammen. Und bevor er auch nur nach Luft schnappen konnte, bremste er seinen Fall, indem er sich an den vorstehenden First eines Fensters im obersten Stockwerk krallte. Und mit einem gewaltigen athletischen Schwung katapultierte er sich durch das Fenster. In einem Regen von Glassplittern landete er in einem leeren Büro.

Sofort schlüpfte er aus dem Mantel und wickelte ihn um einen Bürostuhl. Dann stieß er ihn aus dem Fenster und kippte den dazugehörigen Schreibtisch so vor die Fensteröffnung, dass sie wie verrammelt wirkte.

Als Mitchell den Rand des Daches erreichte, sah er dieses Mantelgebilde unten aufs Pflaster knallen. Nachdem er einen Moment lang in die Tiefe gestarrt hatte, kletterte er über den Rand des Gebäudes. Schon einmal hatte er Jimmy fälschlicherweise für tot gehalten – dieses Mal würde er gründlicher vorgehen.

In Nullkommanichts war Mitchell die Fassade hinuntergekrabbelt. In der Zwischenzeit hatte Jimmy die Treppe genommen. Und während Mitchell unten wütend gegen den verbogenen Stuhl trat, schlüpfte Jimmy bereits auf der anderen Gebäudeseite auf die Straße.

Jimmy hastete durch dunkle Gassen und Nebenstraßen zurück zum geheimen Unterschlupf. Je schneller er von der Straße runter war, desto besser. Rasch tippte er den Code ein und schlüpfte mit einem erleichterten Seufzen in das Gebäude.

Vor dem Apartment bückte er sich und entfernte ein einzelnes Haar über dem Türspalt. Er hatte es dort mit Spucke befestigt. Die unveränderte Anwesenheit des Haars garantierte ihm, dass niemand während seiner Abwesenheit sein Versteck betreten hatte.

Drinnen schnappte sich Jimmy als Erstes seinen Laptop. Auf dem Weg hierher hatte ihn unablässig ein Name beschäftigt: *Fort Einsmoor*. Natürlich war es immer noch riskant, ins Internet zu gehen, aber es war das Risiko definitiv wert. Er kniete sich auf den Boden und stellte den Computer auf sein Bett. Doch trotz aller Bemühungen ließ sich im Netz nichts finden.

Natürlich bestand kein Grund zur Enttäuschung. Schließlich war kaum damit zu rechnen, so ohne Weiteres Informationen über ein geheimes Hochsicherheitsgefängnis zu finden. Trotzdem war Jimmy enttäuscht. Er klappte seinen Laptop zu und hieb mit der flachen Hand auf die Matratze. Seine Hände zitterten. Ein

Klumpen bildete sich in seiner Kehle. Verzweiflung überfiel ihn. Er weigerte sich, das Naheliegende zu akzeptieren – nämlich, dass er irgendwie ins *NJ7*-Hauptquartier gelangen musste. Nur dort konnte er Informationen über Fort Einsmoor erhalten.

Jimmy vergrub den Kopf unter der Bettdecke. Ihm war ganz übel vor Sorge um seine Freunde; nicht nur um Felix' Eltern, sondern jetzt auch Viggo und Saffron. Und dann war da noch seine Mutter. Was sie wohl alles durchmachen musste? Er versuchte in aller Ruhe zu überlegen, ob es ihr wohl gut ging. Aber je mehr er sich bemühte, desto klarer wurde ihm, dass alles nur wilde Spekulation war. Seine Mutter hatte ihm lange Jahre etwas vorgespielt. Ihr Auftrag hatte darin bestanden, die Coates' als eine ganz normale Familie erscheinen zu lassen. Und als dann die wahre Person dahinter zum Vorschein kam, waren sie und Jimmy gleich wieder voneinander getrennt worden.

*Konzentriere dich*, ermahnte er sich selbst. *Löse eine Aufgabe nach der anderen*. Felix' Eltern hatten ihm helfen wollen und waren dafür eingesperrt worden. Diese guten Leute hatten keine Agentenausbildung, die sie auf etwas Derartiges vorbereitet hätte. Daher war es seine vordringliche Aufgabe, *sie* zu finden und zu befreien. Er spürte den Druck der Verantwortung auf seinen Schultern lasten. Seine Muskeln fühlten sich an wie Drahtseile, so angespannt waren sie. Der Anblick von Felix und Georgie wäre jetzt ein Riesentrost gewesen. Waren sie unterwegs zu ihm?

Unwillkürlich tauchte das Gesicht seines Vaters vor Jimmys innerem Auge auf. Wenn er ins *NJ7*-Hauptquartier zurückkehrte, würde er dort mit ziemlicher Sicherheit auch auf Ian Coates treffen. Jimmys Herz begann schneller zu klopfen, denn er mochte seinen Vater immer noch ziemlich gern. Andererseits hatte dieser Mann seine Loyalität gegenüber der Regierung über seine eigene Familie gestellt. *Wie kann er nur ein Anhänger Hollingdales sein?* Jimmy kapierte es immer noch nicht. *Vielleicht wird er seine Meinung ändern, wenn wir uns wiedersehen*? Jimmy sehnte den Moment herbei, gleichzeitig fürchtete er sich davor, wie vor nichts anderem.

Keine halbe Stunde später trug Jimmy eine neue Verkleidung und war wieder auf den Straßen unterwegs. Auch diesmal hatte er sich im Flur des geheimen Unterschlupfs einen Mantel ausgeliehen. Sorgsam darauf bedacht, seinen Gang mit seinem Erscheinungsbild übereinstimmen zu lassen, huschte er durch die Dunkelheit. Streifenwagen rollten an ihm vorbei, jedoch, ohne den harmlos wirkenden, kleinen chinesischen Herren anzuhalten. Helikopter schossen kreuz und quer über den Himmel und tasteten London mit ihren langen Lichtfingern ab. Und obwohl sie die ganze Nacht über nach Jimmy Coates suchten, schien er wie vom Erdboden verschluckt.

An den Straßenkreuzungen ließ Jimmy sich von seinem Instinkt leiten. Seine Konditionierung führte ihn offenbar direkt nach Westminster, als suche sie selbst den Weg nach Hause. Jetzt musste Jimmy nur noch einen Weg ins Innere des Hauptquartiers finden.

Als sie vor einiger Zeit unter Christopher Viggos Führung Jimmys Mutter aus dem *NJ7*-Hauptquartier gerettet hatten, waren sie durch die U-Bahnstation Holborn eingedrungen. Dieser Weg war nun versperrt. Der stillgelegte Tunnel, der das U-Bahnsystem mit den *NJ7*-Anlagen verbunden hatte, war jetzt geflutet. Aber Jimmy erinnerte sich, dass Viggo zunächst einen Einstieg durch einen Kanaldeckel gesucht hatte.

Jimmy eilte zu dem ersten, den er finden konnte. Er hievte ihn hoch. Der ätzende Gestank von Kloake schlug ihm entgegen. Rasch ließ er den schweren gusseisernen Deckel zurückfallen. Jetzt wusste er, wonach er suchen musste: ein Zugang zur Kanalisation, aus dem es nicht wie die Hölle stank.

Er marschierte weiter mitten hinein ins Zentrum von Westminster und entdeckte einen weiteren eisernen Kanalverschluss. Der leichte Regen hatte darauf eine Pfütze gebildet, in der sich Jimmys Gesicht spiegelte. Mit dem Fuß wischte er das Wasser beiseite und nahm dann alle Kraft zusammen, um den Deckel anzuheben. Das Geräusch von Eisen, das auf Beton kratzte, hallte von den umliegenden Gebäuden wieder. Jimmy steckte den Kopf in die Öffnung. Kein Gestank. Also kletterte er in die Röhre, wobei er die in die Seitenwand eingelassenen Metallbügel als Leiter nutzte. Sobald er weit genug drinnen war, zog er den Deckel über sich zu. Das Ding war unvorstellbar schwer. Jimmy war schon völlig außer Puste, bevor er seine Reise in den Untergrund überhaupt richtig angetreten hatte.

Die Röhre führte mehrere Meter in die Tiefe und am unteren Ende schimmerte ein Licht. *In der echten Kanalisation würde es niemals so aussehen*, dachte Jimmy. Er tastete an der Innenwand nach Drähten – falls er einen Alarm ausgelöst hatte, wollte er das wenigstens wissen. Doch er spürte nur nackten, kalten Beton.

Langsam kletterte er die Sprossen hinab. Je tiefer er kam, desto mehr vibrierte es in seinem Inneren. Er war in höchster Alarmbereitschaft. Dort unten würde ihn keine Verkleidung der Welt mehr schützen. Am Boden dcr Röhre angelangt hielt Jimmy inne und lauschte. Nirgendwo Schritte, aber die interessierten ihn auch gar nicht. Dann konnte er es hören – das leise Surren einer Videokamera. Er wartete einen Augenblick und machte sich mit dem Rhythmus vertraut, mit dem sie herumschwcnktc.

Jimmy wählte den perfekten Moment. Blitzschnell huschte er aus der Röhre und sprang nach oben, wobei er mit den Knien einen an der Decke verlaufenden Stahlträger umklammerte. Als die Kamera sich drehte, war Jimmy bereits außerhalb ihres Blickwinkels. Jetzt war er drinnen. Und solange er oben an der Decke entlangkrabbelte, würde er den Überwachungskameras entgehen.

Obwohl ihm das Blut in den Kopf schoss und sich seine Bauchmuskeln verkrampften, hielt Jimmy den

Stahlträger fest umklammert. Er zog sich daran entlang, so schnell er konnte. Im Tunnel herrschte tödliche Stille. Nur gelegentlich ertönte das entfernte Echo von Stimmen.

Sein Ziel war Dr. Higgins' Büro. Jimmy erinnerte sich, dass bei seinem ersten Besuch dort einige Spezialisten an Computern gearbeitet hatten. Wenn er irgendwie Zugang zu einem dieser PCs bekam, fand er dort höchstwahrscheinlich auch Wissenswertes über Fort Einsmoor.

Doch als er sich dem Büro näherte, hörte er genau das, was er befürchtet hatte – Tippen auf einer Computertastatur. Irgendjemand arbeitete dort. Aber Jimmy konnte nicht abwarten, bis der Raum leer war.

Unter Anspannung aller Muskeln zog er sich um die Ecke. Der Flur öffnete sich hier in einen Büroraum mit höherer Decke. Unter ihm stand eine Reihe von Computern, doch zuerst musste er feststellen, ob sie im Blickwinkel der Überwachungskameras lagen.

Schweiß rann ihm übers Gesicht, während er sich zu einer der Kameras hangelte. Er bemühte sich, leise zu atmen. Die Anstrengung der Kletterei machte sich inzwischen deutlich bemerkbar. Er hatte sein Ziel beinahe erreicht, da hörte er Schritte und das Gemurmel eines Gesprächs. Zwei Personen kamen in seine Richtung. *Geht vorbei*, flehte Jimmy. Doch den Gefallen taten sie ihm nicht. Zwei Männer betraten das Büro. Einer von ihnen war Dr. Higgins. Er blieb direkt unter Jimmy stehen. Jimmy konnte von oben direkt auf sein schütteres Haar und seine hervorstehende Nase sehen. Wenn er nur ein bisschen zu laut Luft holte, war er verloren.

Neben Dr. Higgins stand ein Mann im Anzug mit einem Aktenkoffer. Doch es war nicht der übliche schwarze Anzug der *NJ7*-Agenten; es war ein ganz normaler, schon leicht verblichener blauer Straßenanzug. Und als Jimmy den Mann erkannte, hätte er beinahe vor Schreck den Stahlträger losgelassen. Es war Ian Coates, sein Vater.

# KAPITEL 14

Jimmy klammerte sich mit aller Kraft an den Stahlträger. Seine Arme zitterten vor Anstrengung. Schweiß rann ihm in die Augen. Am liebsten hätte er einfach losgelassen. Er hatte endgültig die Nase voll von dieser ganzen Geschichte. Irgendetwas in ihm hoffte, sein Vater würde aufblicken, ihn anlächeln und verkünden, alles sei nur ein Spiel. Doch wenn er wirklich aufblickte? Würde sein Vater ihn erneut verraten? Würde er ihn vielleicht sogar töten lassen? Jimmy weigerte sich, das zu glauben. Trotzdem war er sich unsicher, wozu sein Vater imstande war.

»Hat Ares seine Tabletten genommen?«, ertönte Dr. Higgins' Stimme. Es war die Stimme eines alten Mannes, dennoch besaß sie Autorität und Durchsetzungskraft.

»Ja. Aber er weigert sich immer noch, seinen Bunker zu verlassen.«

»Das lässt Sie in eine machtvolle Position aufsteigen, oder, Ian?« Dr. Higgins machte sich an seinem Schreibtisch zu schaffen.

Erst jetzt bemerkte Jimmy, dass dieser mit einer schwarzen Plane bedeckt war. Als Dr. Higgins sie ruckartig wegriss, kam der Körper eines jungen Mannes zum Vorschein.

Seine aufgerissenen Augen starrten zu Jimmy hinauf. Geschockt wandte Jimmy den Blick ab. Doch als er irgendwann wieder hinsah, wurde ihm klar, dass dieser Mann gar nicht tot war. Seine Haut war leichenblass, aber seine Brust hob und senkte sich. Sein Blick war starr. Es war ein lebender Leichnam.

»Wer ist der arme Teufel?«, fragte Jimmys Vater, während Dr. Higgins eine große silberne Apparatur herbeirollte und über dem Kopf des jungen Mannes positionierte.

»Darf ich vorstellen, Leonard Glenthorne. Mitchells Bruder«, verkündete der Doktor mit einem hämischen Grinsen.

»Sie halten ihn am Leben?«

»Natürlich. Er wurde nicht wirklich lebensgefährlich verletzt. Aber Mitchell soll glauben, er hätte seinen Bruder getötet. Solange er uns keine Schwierigkeiten macht, belassen wir es dabei.« Dr. Higgins richtete eine metallene Röhre auf Lennys linkes Auge aus. »In der Zwischenzeit kann ich unsere neuste Technologie an ihm testen.«

Er drückte auf einen Schalter und ein blauer Laserstrahl schoss aus der Röhre direkt in Lennys Pupille. Sein Körper zuckte, aber das konnte auch von den Vibrationen der Apparatur kommen. Jimmy wollte es gar nicht so genau wissen.

»Nun, da Sie gewissermaßen die rechte Hand des

Premierministers sind«, fuhr Dr. Higgins in sein Experiment vertieft fort, »mit welchen Fragen hat er Sie zu mir geschickt?«

Ian Coates marschierte im Raum auf und ab und zögerte mit der Antwort. »Das wird Ihnen nicht gefallen, Kasimit«, begann er.

»Mir gefällt selten etwas. Doch das hält mich auf Trab.« Dr. Higgins schmunzelte über seine eigene Antwort.

»Der Premierminister ist beunruhigt.«

»*Beunruhigt?* Er ist völlig paranoid! Er verlässt seinen Bunker nicht mehr. Er schickt Sie los, um die elementarsten Aufgaben für ihn zu erledigen.« Jimmy war verwirrt – seit wann war sein Vater der engste Vertraute des Premierministers? In einer anderen, besseren Welt wäre er vielleicht stolz darauf gewesen, doch jetzt versetzte es ihm einen schmerzhaften Stich.

Ian Coates ignorierte Dr. Higgins' Bemerkungen und fuhr sichtlich erregt fort. »Als Memnon Sauvage beim *NJ7* ausgestiegen ist, hat er Informationen über streng geheime britische Technologien an einen französischen Geheimdienst namens *ZAF-1* weitergegeben.«

»Unsinn«, bellte Dr. Higgins. »Memnon war mein engster Freund. Er war nicht daran interessiert, Geheimnisse an die Franzosen zu verkaufen. Er wollte nur nicht, dass Hollingdale den ganzen Ruhm für seine Erfindungen allein einstrich.«

»Hat er deshalb die genetische Programmierung des zweiten Probanden sabotiert?«

Jimmy stutzte. Seine Mutter hatte ihm erklärt, wie zuerst Mitchells und dann seine genetische Programmierung abgelaufen war. Somit war der zweite *Proband* offenbar *er* selbst, Jimmy Coates. Er wusste nicht, was ihn mehr aufregte, die implizite Behauptung, dass er mangelhaft sei, oder die Tatsache, dass sein Vater ihn nicht mal beim Namen nannte.

Dr. Higgins blickte von seinem Laserexperiment auf und fixierte Jimmys Vater. »Sabotage? Er war der eigentliche geniale Erfinder der Agententechnologie. Er liebte das Projekt viel zu sehr, um es zu beschädigen. Er fügte lediglich ein paar persönliche Ausschmückungen hinzu. Typisch französische Details übrigens – so wie das Fechten.« Dr. Higgins schwelgte voller Stolz in Erinnerungen. »Wer wäre sonst auf die Idee gekommen, einem Agenten im 21. Jahrhundert profundes Wissen in Fechtkunst mitzugeben? Das war typisch Memnon. Ich frage mich, was er wohl im Augenblick plant?«

Jimmy schauderte unwillkürlich. Sie redeten über ihn. Und seine Konditionierung *war* sabotiert worden. Langsam setzten sich die Puzzleteilchen in seinem Kopf zusammen. Vor zwölf Jahren hatte sich ein französischer Wissenschaftler in den Diensten des *NJ7* darüber geärgert, dass Hollingdale den ganzen Ruhm alleine einstrich. Daher hatte er Manipulationen an dem Projekt vorgenommen, an dem sie zu jener Zeit gearbeitet hatten – dem Agenten Jimmy Coates. Jimmy erinnerte sich, wie er mit Viggo gefochten hatte und wie überrascht Dr. Higgins darüber gewesen war. War es derselbe französische *Touch*, wegen dem er diese Sprache fließend sprach? Und was war mit seinen Kochkünsten? Waren diese besonderen Fähigkeiten alles Ergänzungen eines Wissenschaftlers, der damit auch ein wenig angeben wollte?

»Ich bin nicht hier, um mit Ihnen darüber zu diskutieren, ob Dr. Sauvage ein genialer Exzentriker oder ein Verräter war«, schnappte Ian Coates. »Vielmehr sollen Sie Ihre Arbeit sofort unterbrechen und das hier entziffern.« Er öffnete den Aktenkoffer und kippte den Inhalt auf Lennys reglosen Körper: eine orangefarbene Aktenmappe mit der Aufschrift *ZAF-1* und einen durchsichtigen Plastikbeutel mit einem blutverschmierten orangefarbenen USB-Stick.

»Was ist das?«, stutze Dr. Higgins.

»Memnon Sauvages Geheimdokumente. Sie waren sein engster Freund. Daher sind Sie der Einzige, der seinen Code möglicherweise knacken kann.«

Dr. Higgins schien sich plötzlich in Zeitlupe zu bewegen. »Wo haben Sie das her?« Seine Stimme bebte. »Wessen Blut ist das?«

»Tut mir leid, Kasimit.« Ian Coates räusperte sich. »Diese Unterlagen sind schon seit zwölf Jahren in unserem Besitz.«

»Memnon ist … tot?«, japste der Doktor. »Er ist seit zwölf Jahren tot und *niemand* hat es für nötig befunden, mich darüber zu informieren?« Seine Augen quollen hervor und er wirkte schlagartig gealtert. Seine Schläfen färbten sich lila. »Wollen Sie etwa behaupten, die Franzosen hätten ihn getötet, weil er keine britischen Geheimnisse preisgeben wollte?«

»Nein, Kasimit«, erwiderte Ian Coates mit ruhiger Stimme. »*Ich* habe ihn getötet, weil er unsere Geheimnisse verraten hat.« Dann drehte sich Jimmys Vater wortlos um, marschierte davon und nur das Brummen des Lasers begleitete seine Schritte. Dr. Higgins stand da wie vom Schlag gerührt. Er starrte auf den Ordner und den USB-Stick.

Zu viel mehr war auch Jimmy nicht imstande. Er kannte diesen Dr. Sauvage nicht, hatte nie von ihm gehört. Trotzdem wünschte er mehr als alles andere, dieser Mann wäre noch am Leben. Denn sein Tod machte Jimmys Vater zu einem Mörder. Ian Coates hatte gerade dieses furchtbare Verbrechen gestanden, und für Jimmys Geschmack waren ihm die Worte viel zu locker über die Lippen gekommen.

Wut quoll in ihm hoch. Sein Vater hatte nicht nur für den britischen Geheimdienst gearbeitet, er hatte auch in dessen Auftrag gemordet. Und jetzt redete er darüber, als wäre es das Natürlichste von der Welt. Wie oft hatte er etwas Derartiges getan? Wie viele Menschen hatte sein Vater beseitigt, nur weil sie Hollingdales Machtgier im Wege standen?

Eine Träne rann über Jimmys Wange. Er war so durcheinander, dass er es gar nicht bemerkte. *Zwölf Jahre*, dachte er. *Ist mein Vater schon meine ganze Kindheit über ein Killer gewesen?*

Die Träne löste sich.

Wie der erste Regentropfen eines Gewittersturms klatschte sie auf den Betonboden. Jimmy erstarrte. Dr. Higgins blickte zu der Stelle, wo der Tropfen aufgetroffen war. Es war ein einzelner runder Fleck auf dem Fußboden. Wenn der Doktor jetzt aufblickte …

In Jimmys Brust rumorte es und irgendetwas kitzelte in seinem Hals. Dann spürte er, wie sich sein Mund von selbst öffnete. Ein Geräusch drang aus seiner Brust. »Doktor«, rief er, aber nicht mit seiner eigenen Stimme – es war die Stimme seines Vaters. Irgendwie war es Jimmy gelungen, Ian Coates exakt zu imitieren und seine Worte so durch den Raum zu schicken, dass sie von woanders zu kommen schienen. Ihr Klang zog Dr. Higgins' Aufmerksamkeit auf sich.

»Die Unterlagen, Doktor«, rief Jimmy mit verstellter Stimme. »Was ist *ZAF-1*?«

Jimmy war ebenso verdutzt wie Dr. Higgins. Es kam ihm vor, als würde sein eigener Vater aus ihm sprechen. Der Doktor drehte sich in die Richtung, in der er die Stimme vermutete – und wandte sich damit von Jimmy ab. Dann packte er den USB-Stick und warf ihn zu Boden. Er zertrat ihn mit seinem Absatz und trampelte dann hasserfüllt auf den Bruchstücken herum.

Jimmy empfand jetzt fast so etwas wie Mitleid für Dr. Higgins. Er wirkte plötzlich wie ein gebrechlicher alter Mann, der seinem Land immer loyal gedient hatte und trotzdem bitter verraten worden war.

Dr. Higgins wandte sich nun dem Hefter mit der Aufschrift *ZAF-1* zu. Einen Moment lang hielt er ihn in seinen zitternden Händen. Aber statt ihn zu öffnen, richtete er den Laserstrahl darauf und drehte an einem Einstellrad. Die Aktenmappe ging sofort in Flammen auf. Dr. Higgins hielt ihn in den Laser, bis auch das letzte Fitzelchen zu Asche verbrannt war. Dann zuckten seine Hände zurück und er schrie auf. Tränen schossen ihm in die Augen. Schmerzerfüllt hielt er seine runzlige Hand umklammert und lief aus dem Raum.

Jimmy war für einen Moment zu verblüfft, um zu reagieren. Er konnte das Bild nicht abschütteln, wie Dr. Higgins sich die Hand im Laser verbrannt hatte. Asche bedeckte das Gesicht von Lenny Glenthorne, der natürlich nicht das Geringste davon mitbekommen hatte. Asche war alles, was von *ZAF-1* übrig geblieben war – zumindest von dem, was der *NJ7* darüber gewusst hatte.

Jimmy versuchte seine Gedanken zu fokussieren. Er war aus einem bestimmten Grund hier: Er wollte Fort Einsmoor finden. Aber er konnte sich nicht einfach fallen lassen und an einen der Computer setzen. Zunächst löste er vorsichtig eine der Schrauben, mit denen die Überwachungskamera am Stahlträger befestigt war. Die Kamera funktionierte nun zwar noch, war aber nicht mehr an dem Schwenkmechanismus befestigt, sondern starr auf eine Ecke des Raums gerichtet.

Als er sich sicher sein konnte, dass ihn niemand beobachtete, glitt Jimmy zu Boden und setzte sich an einen der Schreibtische. In diesem Moment strich etwas an seinem Bein entlang. Erschrocken fuhr er hoch.

Dann schlich eine schwarze Katze unter dem Schreibtisch hervor. Jimmy bekam wieder Luft.

Er hatte keine Zeit zu verlieren. Er legte die Finger auf die Tastatur und ließ seiner Konditionierung freien Lauf, damit sie ihm Zugang zum System verschaffte. Seine Hände waren ganz wund vom Umklammern der Stahlträger, doch das durfte ihn nicht bremsen. Dr. Higgins konnte jeden Augenblick zurückkehren.

Der Computer hatte Zugang zum *Milnet* – eine spezielle Version des Internets nur für das Militär. Daher hatte Jimmy keine Probleme, Fort Einsmoor zu finden. Es gab dort einen Grundriss der gesamten Anlage sowie detaillierte Informationen zu den Sicherheitsmaßnahmen. Perfekt! Jimmy entdeckte sogar Informationen über Neil und Olivia Muzbeke, einschließlich der falschen Namen, unter denen sie dort festgehalten wurden. Jimmy studierte die Unterlagen und versuchte so viel wie möglich davon in seinem Kopf abzuspeichern.

Plötzlich ertönten Schritte im Flur. Er warf einen letzten Blick auf die Webseite, schloss sie und kletterte rasch wieder auf den Stahlträger.

Keine fünf Minuten später hatte Jimmy Coates die unterirdische Anlage verlassen. Er hatte sich wieder in einen unauffälligen chinesischen Herren verwandelt und schlurfte durch die nächtlichen Straßen Londons.

# KAPITEL 15

Georgie stürmte in das Bauernhaus und schlug die Tür hinter sich zu. Ihre Wangen waren knallrot.

»Felix!«, schrie sie völlig außer Atem. »Wir müssen nach London!«

Felix kam aus der Küche geschossen. »Was?«

Georgie wusste nicht, wo sie anfangen sollte. »Das hier habe ich im Internetcafé im Ort ausgedruckt.« Sie drückte Felix ein Stück Papier in die Hand, während sie nach Luft schnappte. »Ich habe es es an der Pinnwand im Blog von Louise Rennison entdeckt.«

»Wer ist das denn?«

»Spielt jetzt keine Rolle«, schnaufte Georgie. »Und bei meiner Suche habe ich noch jede Menge identischer Nachrichten gefunden, alle auf unterschiedlichen Seiten.«

Felix studierte den Ausdruck und ein Lächeln kroch auf sein Gesicht: *Auf nach London. Fehl x auch? Den Koch zu Hause lassen.* »Das ist von Jimmy!«, rief er. »Es muss von ihm sein.«

»Ich weiß. Und schau dir mal den Usernamen an – TschorTschie. Die Nachricht ist an mich gerichtet.«

»Er weiß, dass E-Mails zu riskant sind. Daher hat er

einen anderen Weg gesucht, um mit uns in Kontakt aufzunehmen.« Felix las die Nachricht erneut: *Fehl x* – das bin ich, oder?«

»Dafür, dass er so ein Blödmann ist, kann er manchmal ziemlich clever sein. Es gibt nichts an dieser Nachricht, dass die Aufmerksamkeit des *NJ7* wecken könnte.« Georgie überlegte einen Augenblick, dann fügte sie hinzu: »Glaubst du, Mum ist in Schwierigkeiten? Und was ist mit den anderen?«

Einen Moment lang schien sie mehr mit sich selbst zu reden. Dann wandte sie sich wieder Felix zu. »Also, wie ist der Plan?«

»Ist das nicht offensichtlich?«, fragte er überschäumend vor Energie. »Wir reisen mit leichtem Gepäck. Trage nichts, das Aufmerksamkeit erregen könnte. Hast du einen Hut? Du brauchst notfalls etwas, mit dem du deine Augen verdecken kannst. Der *NJ7* fahndet höchstwahrscheinlich nicht nach uns, sonst hätte uns Jimmy nicht zu sich bestellt. Und deshalb schreibt er auch, wir sollen den Koch zurücklassen. Er meint Yannick. Hast du den Teil kapiert?«

Georgie verdrehte die Augen. »Also, echt jetzt.«

»Was ist mit mir?« Yannick war am Fuß der Treppe aufgetaucht, angelockt von der lauten Unterhaltung.

»Wir müssen nach London.« Georgie war jetzt wild entschlossen. »Aber du nicht. Fahr uns zum Bahnhof und unterwegs erklären wir dir alles. Ach, und wir brauchen etwas Bargeld.« Ihre Stimme klang fest, aber Yannick wirkte wenig überzeugt.

»Seid ihr verrückt?«, flüsterte er und spähte die Treppe hinauf, um sicherzustellen, dass seine Mutter nicht lauschte. »Hört zu«, begann er, »während die anderen weg sind, bin ich verantwortlich für euch. Ich kann nicht zulassen …«

Aber Felix und Georgie waren bereits in ihre Jacken geschlüpft. Georgie hielt den Lieferwagenschlüssel hoch. »Du musst uns zum Bahnhof bringen«, befahl sie und hielt Jimmys Nachricht direkt vor Yannicks Nase.

Der Koch las sie durch, seufzte und rieb sich das Gesicht. »In Ordnung«, stöhnte er schließlich.

Felix' Gesicht erhellte sich. Er grinste Georgie an und flüsterte: »Zeit, dass wir unser Training in die Tat umsetzen.«

Ähnlich wie bei Fort Monckton in Hampshire und Fort Monomouth in Yorkshire bestritt auf Nachfragen der Presse die britische Regierung auch die Existenz von Fort Einsmoor. Allerdings waren Monckton und Monomouth relativ harmlose Einrichtungen. Ersteres war das Ausbildungszentrum des Geheimdiensts *MI6* und Letzteres beherbergte in elf unterirdischen Stockwerken gigantische Computeranlagen, die jede elektronische Kommunikation der gesamten Welt belauschten. Fort Einsmoor dagegen war das Sibirien Englands. Dort ließ die Regierung unliebsame Gegner verschwinden.

Jimmy lag im hohen Gras verborgen. Fort Einsmoor ragte hell erleuchtet vor der dunklen Kulisse des Meeres empor. Jimmy hielt sich außerhalb des grellen Flutlichts und war daher noch mehr als zweihundert Meter entfernt. Das Fort bestand aus einer Ansammlung schlichter, kompakter Gebäude, geschützt von einem hohen Metallzaun, Stacheldraht und mehr Wachposten, als Jimmy je an einem Ort gesehen hatte. Außerdem gab es Wachhunde, die Jimmy jedoch keine Sorgen bereiteten, da sie ihn nicht wittern konnten. Jimmy wusste aus dem *NJ7*-Computer, dass Neil und Olivia Muzbeke in unterschiedlichen Gebäuden eingesperrt waren.

Der Regen trommelte auf seinen Rücken, doch das machte ihm nichts aus. Das schlechte Wetter erleichterte sogar seine Aufgabe, weil es die Sicht der Wachposten behinderte. Außerdem war er zuvor schon zwei Stunden lang durch den strömenden Regen vom Bahnhof hierher gewandert.

Das einzige andere Gebäude weit und breit war ein kleines Betonhäuschen, in dem der Transformator für die Stromversorgung des Forts untergebracht war. Jimmy wusste, sobald die Stromversorgung unterbrochen wurde, würde sich kurz darauf der Notgenerator des Forts einschalten. Doch die wenigen Sekunden bis zu dessen Aktivierung würden ihm reichen. Für einen kurzen Moment wäre es stockdunkel und Jimmy der Einzige, der noch sehen konnte. In dieser Zeit musste Jimmy zum Haupteingang gelangen.

Er grub die Ellbogen in den Schlamm und robbte flach über den Boden. Das Transformatorenhäuschen war bewacht, aber bei Weitem nicht so schwer wie der Hauptkomplex des Forts. Jimmy war jetzt nur noch wenige Meter entfernt. Vor dem Eingang standen zwei schwer bewaffnete Posten in kugelsicheren Westen.

Jimmy holte zweimal tief Luft. Er schöpfte Kraft für den Angriff. Wenn er sich erst gezeigt hatte, gab es kein Zurück mehr. Aber er war zum Äußersten entschlossen – noch vor der Morgendämmerung würde er Felix' Eltern aus Fort Einsmoor befreit haben.

Er sprang auf und rannte zu dem ersten Wachposten. Noch bevor der Mann sein Gewehr in Anschlag bringen konnte, stand Jimmy vor ihm. Er wirbelte einmal um die eigene Achse, riss das Bein hoch und verpasste dem Mann in blitzschnellem Wechsel erst einen Tritt mit dem linken und dann mit dem rechten Fuß. Als der zweite Wachposten herumfuhr, klappte sein Kollege bereits in sich zusammen. Doch ihm blieb nicht die Zeit, Alarm zu schlagen. Jimmy rollte sich ab, sprang auf und fegte ihn mit einem Tritt von den Beinen. Dann verpasste er dem Mann einen Handkantenschlag in den Nacken.

Beide Wachen waren ausgeschaltet. Jimmy packte das Vorhängeschloss des Transformatorhäuschens. *Konzentriere dich*, ermahnte er sich selbst. Seine Agentenkräfte waren in vollem Aktionsmodus. Die Energie strömte durch seine Finger. – Das Schloss zerbrach mit Leichtigkeit.

Drinnen stand Jimmy einer beeindruckenden Apparatur gegenüber: ein großer grauer Würfel, mit Kontrolltafeln und Schaltern gespickt, aus dem oben unzählige dicke Kabel wucherten. Er bemerkte eine Warntafel mit der Gestalt eines Mannes, der von einem

Blitz getroffen wurde. Jimmy beschloss, die Warnung zu ignorieren.

Stattdessen krabbelte er zurück zu einem der beiden Wachleute draußen im Matsch. Vorsichtig löste Jimmy die Maschinenpistole aus den Händen des Mannes. Dann bemerkte er an dessen Gürtel eine noch geeignetere Waffe – ein Messer. Jimmy zog es heraus und kroch zurück zum Transformator.

Er machte sich an die Arbeit. Mit der Klinge schraubte er die Seitenverkleidungen der Maschine ab. Zum Vorschein kamen noch mehr Drähte. Glücklicherweise musste Jimmy nicht wissen, wie dieses Ding funktionierte. Er musste einfach nur dafür sorgen, dass es *nicht mehr* funktionierte. Er schob das Messer an verschiedenen Stellen zwischen die Drähte und kappte sie. Funken sprühten und es gab eine Reihe kleinerer Explosionen. Der Krach alarmierte sämtliche Sicherheitskräfte im Fort. Jimmy spähte aus dem Bunker. Hunde sprangen auf ihn zu, Sabber troff aus ihren aufgerissenen Mäulern. Dann verloschen schlagartig sämtliche Lichter und Jimmy preschte los.

Das Bellen der Hunde schlug in wütendes Heulen um. Sie hatten ihre Beute verloren. Jimmy schoss über das freie Feld, seine Beine pumpten schneller, als er es je für möglich gehalten hätte. Lichtkegel von Taschenlampen zuckten in alle Richtungen, doch nur Jimmy verfügte über die Fähigkeit im Dunklen zu sehen.

Kurz darauf schleuderte ihn die Druckwelle einer gewaltigen Explosion nach vorne. Der Transformator.

Grell emporlodernde Flammen erleuchteten die ganze Gegend. In dem ganzen Durcheinander nahm niemand Notiz von Jimmy.

Jimmy durchquerte das Haupttor genau in dem Moment, als der Notgenerator ansprang und das Flutlicht wieder aufleuchtete. Er sprintete auf das Hauptgebäude zu. Jetzt waren die Waffen sämtlicher Wachposten auf ihn gerichtet. Und aus den fünfzig Meter hohen Wachtürmen wurde hektisch auf ihn gefeuert.

Jimmy stürmte mit unvermindertem Tempo in die Eingangshalle. Mit ein paar gezielten Karateschlägen setzte er vier weitere Wachposten außer Gefecht. Vom Gürtel eines der Männer riss er eine Magnetstreifenkarte. Er zog sie durch einen Schlitz an der Tür zum Empfangsschalter und schlüpfte hinein. Mit einem raschen Tritt erledigte er den den dort sitzenden Wachmann. Am Kontrollpult öffnete er mit einem Knopfdruck die Türen aller Zellen.

In Fort Einsmoor brach das Chaos aus. Eine Sirene heulte auf. Jimmy hörte die lauten Schritte von Stiefeln, die in seine Richtung stürmten. Die Sohlen quietschten auf dem Linoleum. Die Sirene wurde noch übertönt von den aufgeregten Schreien der Inhaftierten. Das plötzliche Verlöschen der Lichter hatte sie vorgewarnt, dass etwas Ungewöhnliches passieren würde. Jetzt versuchten sie, auf eigene Faust zu fliehen.

Es bedurfte nur eines raschen Blicks auf den Computer im Empfangsbereich, um festzustellen, wo sie Neil Muzbeke festhielten. Dann bahnte sich Jimmy einen

Weg durch das Tohuwabohu. Er hätte die richtige Zelle sogar mit geschlossenen Augen gefunden – seit er das *NJ7*-Hauptquartier verlassen hatte, war der Plan des Forts ständig vor seinem inneren Auge präsent gewesen. Er rannte an dem langen Zellengang entlang und zählte die Türen. Er wich sowohl Wärtern und als auch Inhaftierten aus, die in wilde Auseinandersetzungen verwickelt waren. Schließlich bremste er abrupt und bog in eine Zelle ab.

»Jimmy!«, rief Neil Muzbeke, der ruhig auf dem Rand seiner Pritsche saß. Das Gefängnis hatte ihm sichtlich zugesetzt. Sein Gesicht war ausgemergelt und sein Stoppelbart schimmerte silbrig. Die graue Gefängniskluft ließ seine Haut noch blasser erscheinen. Doch er lächelte. Es schien, als probiere sein Gesicht das erste Lächeln seit sehr, sehr langer Zeit. Jimmy ließ das Messer fallen und umarmte den Vater seines besten Freundes. »Wie geht's Felix?«, fragte der Mann.

»Ihm geht's gut«, brüllte Jimmy über den ganzen Krawall hinweg. »Lassen Sie uns jetzt von hier verschwinden.« Doch Neil Muzbeke war nicht allein in seiner Zelle. An der Wand lehnte reglos ein Mann mit durchtrainiertem Körper. Seine hellblauen Augen schossen einen durchbohrenden Blick ab. Und mit einer blitzschnellen Bewegung zog er unter dem Waschbecken eine Pistole hervor.

»Keine Bewegung«, fauchte er. Neil sprang entgeistert auf.

Jimmy blieb völlig ruhig. Er hatte nicht damit gerechnet, in Neils Zelle auf einen Undercoveragenten des *NJ7* zu stoßen. Doch Jimmy stand nicht zum ersten Mal vor der Mündung einer Pistole. Gelassen hob er die Hände. Und dann wirbelte er blitzartig herum und duckte sich. Der Agent feuerte, aber Jimmy war schneller. Er riss das Laken von der Pritsche und schlug wie mit einer Peitsche nach dem Arm des Agenten. Der Mann versuchte erneut auf Jimmy zu zielen, doch das Laken hatte sich um sein Handgelenk gewickelt. Jimmy riss es nach unten. Und bevor der Agent seine Waffe in die andere Hand nehmen konnte, schleuderte ihn Jimmy mit einem harten Drehkick zu Boden.

Vor der Zelle wurden die Kämpfe immer wilder. Jimmy spähte aus der Tür. Die Gefängniswärter bemühten sich, den Aufruhr unter Kontrolle zu bringen. Dann entdeckte Jimmy am Ende des Flurs Soldaten: Ein Spezialkommando des *SAS* war eingetroffen. Mit höchster Effizienz durchsuchten sie jede Zelle und sicherten sie. Offensichtlich fahndeten sie nach Jimmy.

»Uns bleibt nicht genug Zeit«, murmelte Jimmy vor sich hin.

»Wie kommen wir hier raus?«, flüsterte Neil. Jimmy hatte keine Ahnung. Durch den Kampf mit dem Undercoveragenten hatte er wertvolle Sekunden verloren. Die Sicherheitskräfte des Forts waren eine Sache, aber jetzt hatte er es mit dem *SAS* zu tun …

Neil war klar, was Jimmys Schweigen bedeutete. Er flüsterte: »Jimmy, lass mich hier zurück. Alleine schaffst du es, hier rauszukommen.«

Jimmy spürte eine dunkle Wut in sich aufsteigen. Er durfte nicht scheitern. Gleichzeitig wusste er, dass Neil recht hatte. Alleine konnte er es womöglich schaffen, aber Neil würde da draußen keine zehn Sekunden überleben. Sein Überfall auf Fort Einsmoor war totale Zeitverschwendung gewesen. Tränen der Wut schossen Jimmy in die Augen. Er drehte sich zu dem *NJ7*-Agenten um, der langsam wieder zu sich kam.

*Du bist schuld*, dachte Jimmy. *Du und deine ganze verdammte Organisation*. Jimmy verpasste ihm einen Tritt in die Seite. Der Agent krümmte sich und hielt sich die Rippen. Jimmy konnte sich nicht mehr beherrschen. »Du bist schuld!«, schrie er, überwältigt von seinem Zorn. »Du und mein Vater! Warum habt ihr das getan?«

»Jimmy, was sollen wir tun?«, flüsterte Neil verzweifelt. »Diese Männer kommen näher.«

Jimmy fegte Neils tröstende Hand von seiner Schulter und schrie den Agenten an: »Wie konntet ihr zulassen, dass eure Freunde eingesperrt werden?« Immer wieder trat er auf den Agenten ein. »Wie konntet ihr euren eigenen Freunden das antun? Wie konntet ihr das euren Söhnen antun?« Tränen strömten über Jimmys Wangen. Endlich zog Neil ihn von dem Mann weg und hielt ihn in seinen Armen. Jimmy schluchzte verzweifelt.

Er schloss die Augen und wünschte, die Dunkelheit hätte ihn verschlungen. Der Lärm des Gefängnisses dröhnte immer noch in seinem Kopf. Er löste sich aus

Neils Umarmung und wandte sich erneut dem *NJ7*-Agenten zu. Der Mann auf dem Boden bewegte sich nicht mehr. Irgendwo tief in seinem Inneren, unter dem ganzen rasenden Zorn, konnte Jimmy eine leise Stimme hören. *Was habe ich getan?*

# KAPITEL 16

»Ist schon gut«, beruhigte Neil Jimmy sanft und zog ihn von der am Boden liegenden Gestalt fort. »Wir müssen hier raus – sofort!«

Jimmy fuhr herum. Wenn der Mann zu seinen Füßen vielleicht tot war, wollte er das im Augenblick gar nicht wissen. »In Ordnung, ich gehe«, krächzte er. »Sie bleiben.« Seine Konditionierung blies den Nebel aus seinem Kopf und plötzlich hatte er eine Idee. »Sie müssen er sein.« Jimmy deutete auf den Agenten.

»Was?«

»Sechs Kilometer östlich von hier ist ein Fluss ...« Jimmy brachte den Satz nicht zu Ende. Neil packte ihn an den Schultern und Jimmy ordnete seine Gedanken. »Wir treffen uns dort. Sie tun jetzt Folgendes ...«

Jimmy erklärte alles im Eiltempo. Es blieb keine Zeit mehr für Neils Fragen. Der *SAS* durchsuchte bereits die Nachbarzelle.

»Verstanden?«, wollte Jimmy wissen. Neil Muzbeke nickte.

Jimmy verdrängte den reglosen Körper am Boden aus seinem Bewusstsein und sammelte seine Energie für die bevorstehenden Kämpfe.

»Los«, flüsterte Neil. Gerade als Jimmy aus der Zelle stürmte, trat ein *SAS*-Soldat aus der Tür nebenan. »Hier rein, schnell!«, rief Jimmy. Der *SAS*-Mann spähte durch das Chaos, aber was auch immer er da gesehen hatte, es war bereits verschwunden. Sekunden später bevölkerte der *SAS* Neils Zelle.

»Geheimdienst!«, rief Neil, noch bevor der Anführer der Truppe etwas sagen konnte. »Ich bin undercover. Jimmy Coates war hier, daher musste ich den Gefangenen töten, den er befreien wollte.« Er deutete auf den *NJ7*-Agenten.

»Können Sie sich ausweisen?«, bellte der Soldat.

»Ausweisen?«, höhnte Neil. »Das hier ist ein verdammtes Gefängnis und kein Postamt. Folgen Sie jetzt meinen Anweisungen.« Das *SAS*-Team schien unsicher, ob sie ihn festnehmen oder seinen Befehlen gehorchen sollten. Ihr Anführer beugte den Kopf zu dem Walkie-Talkie an seiner Schulter.

»Wache«, brummte er, »bitte um Bestätigung – befindet sich in Zelle 217/4 ein Undercover-Agent der Regierung? Over.« Kurz darauf knisterte die Antwort aus dem Sprechfunkgerät: »Positiv. Ich wiederhole: In 217/4 befindet sich ein Agent des Geheimdienstes. Over.«

Augenblicklich veränderte sich die Körpersprache des Soldaten. Er nahm Haltung an und salutierte. »Einheit G des mobilen Einsatzkommandos steht zu Ihrer Verfügung, Sir.«

Nur die Angst hinderte Neil daran zu grinsen. Das

Adrenalin in seinem Blut verlieh seiner Stimme Autorität. »Jimmy Coates ist auf dem Weg zu Zellenblock D. Er führt einen Trupp von mindestens einem Dutzend Männer an. Informieren Sie die Wachen. Begeben Sie sich mit Ihrer Einheit sofort zu diesem Block und bringen Sie die Gefangene Olivia Muzbeke vor dem Feind in Sicherheit. Fort Einsmoor ist nicht mehr sicher. Ich brauche die Gefangene lebend in einem Transporter am Haupttor. Von dort aus werde ich – und ich alleine – sie an einen sicheren Ort bringen.«

Der *SAS*-Offizier salutierte erneut, bevor er an der Spitze seiner Truppe losrannte. Neil wollte ihnen gerade folgen, da wand sich der *NJ7*-Agent stöhnend am Boden. Erleichtert, dass der Mann noch am Leben war, fesselte und knebelte Neil ihn rasch mit Betttüchern. Er durfte ihren Plan nicht ruinieren. Dann lief Felix' Vater los.

Sobald er das Gebäude verlassen hatte, konnte er sich nicht mehr beherrschen. Ein Lächeln macht sich auf seinem Gesicht breit und er sog die regennasse Luft tief in seine Lungen. Er schritt zügig in Richtung Haupttor. Niemand hielt ihn auf – einige Soldaten salutierten sogar.

Jimmy verschwendete keine Zeit damit, sich noch einmal umzublicken. Er bahnte sich einen Weg durch die Menge der Häftlinge, rannte geduckt und in Zickzacklinien, um möglichen Schützen hinter ihm kein Ziel zu bieten. Das alles geschah wie von selbst – seine Agenteninstinkte brachten ihn in Sicherheit.

Aber waren es auch seine Agenteninstinkte, die ihn in der Zelle übermannt hatten? Sobald der *NJ7*-Agent außer Gefecht gewesen war, hatte kein Grund für weitere Attacken bestanden. Jimmy befürchtete, dass er auch ohne seine Konditionierung die Beherrschung verloren und weiter auf den Agenten eingetreten hätte. War der Mann noch am Leben? Jimmy versuchte sich zu erinnern, was er dem *NJ7*-Agenten genau angetan hatte, aber es war unmöglich. Hatte er ihm gegen den Kopf getreten? Die Bilder verschwammen in einem dichten Nebel. Gerade als ihn erneut die Wut zu überschwemmen drohte, zischte eine Kugel an seinem Ohr vorbei. Jimmy riss sich zusammen.

Mit der Magnetstreifenkarte öffnete er erneut die Sicherheitstür des Empfangsbereichs. Der Wachmann, der sich in der Zwischenzeit wieder aufgerappelt hatte, fuhr überrascht herum und trat ihm entgegen, doch Jimmy stoppte ihn mit einem Kick in den Solarplexus. Und nachdem er ihn mit einem Handkantenschlag wieder zurück ins Reich der Träume geschickt hatte, setzte sich Jimmy an das Kontrollpult. Von hier aus konnte er das Geschehen im gesamten Komplex überwachen und steuern. Ein Dutzend Monitore zeigte ihm die Bilder sämtlicher Sicherheitskameras. So wusste er genau, wo die Sicherheitskräfte sich konzentrierten und – was noch wichtiger war –, wo sich keine befanden.

Den grobkörnigen Videobildern nach zu schließen ging sein Plan auf. Die Armee hatte Unterstützung erhalten und einen Belagerungsring um Zellenblock D gebildet – der Block, in dem Olivia Muzbeke festgehalten wurde. Und nun begann der *SAS* das Gebäude taktisch routiniert zu stürmen. Jimmy hätte es niemals geschafft, Felix' Mutter dort herauszuholen. Doch das musste er nun auch gar nicht mehr. Das erledigte der *SAS* für ihn – *wenn du einen Profi brauchst, dann hol ihn dir!* Jimmy beobachtete, wie sie in Wellen das Gebäude erstürmten, die Zugänge zum Zellentrakt sicherten und schließlich Olivia Muzbeke rücksichtsvoll aus ihrer Zelle eskortieren.

Jimmys Block war inzwischen fast unbewacht. Anhand der Videobilder prägte er sich einen sicheren Weg nach draußen ein. Dann machte er das Licht aus. Diesmal würde es wesentlich länger dauern, bis es wieder anging – denn Jimmy legte nicht einfach nur den Schalter um, sondern machte gleich kurzen Prozess mit dem gesamten Kontrollpult. Er riss die Metallverkleidung herunter und zerrte bündelweise die Drähte heraus. Zuerst verloschen die Überwachungsmonitore, dann versank ganz Fort Einsmoor in Dunkelheit.

Ohne auf den geringsten Widerstand zu stoßen, rannte Jimmy durch den Regen. Kurz darauf hatte er das Gelände verlassen und stapfte durch die Felder. Vor sich in der Dunkelheit erspähte er die Silhouette eines Gefangenentransporters, der sich rasch vom Fort entfernte. Jimmy lächelte.

Wie verabredet traf Jimmy die Muzbekes am Ufer des Flusses.

»Danke, Jimmy«, schnaufte Neil Muzbeke. »Tausend Dank.« Er umarmte Jimmy, dann nahm er die Hand seiner Frau. Jimmy blinzelte gegen den Regen an. Sie standen jetzt auf freiem Feld, nur durch den Transporter vor dem Wind geschützt. Jimmy betrachtete die lächelnden Gesichter von Neil und Olivia. Er konnte ihre Freude nicht wirklich teilen.

»Es ist alles in Ordnung«, beruhigte ihn Neil, der Jimmys Gesichtsausdruck bemerkte. »Der Agent in der Zelle war noch am Leben. Ich musste ihn erneut k.o. schlagen. Du hast niemandem bleibenden Schaden zugefügt.«

Jimmy wandte sich ab. Ihm fiel ein Stein vom Herzen – er war noch nicht zu dem Killer geworden, den sein Körper aus ihm machen wollte. Doch es war kein echter Trost. Denn diesmal waren es nicht seine Agenteninstinkte gewesen, die ihn zum Zutreten getrieben hatten. Es war er selbst gewesen – der menschliche Jimmy Coates. Noch nie zuvor hatte er die Beherrschung über diesen Teil von sich so derartig verloren. Dass der Mann dabei nicht umgekommen war, änderte wenig. Es war einfach nur ein glücklicher Umstand.

»Wie geht es Felix?«, erkundigte sich Olivia und lenkte ihn einen Moment von seinen Grübeleien ab.

Jimmy wischte sich die Augen. »Keine Sorge. Es geht ihm gut. Er ist in Sicherheit.« Lächelnd fügte er hinzu: »Ich soll Sie schön grüßen.«

»Danke, Jimmy«, seufzte Olivia erleichtert. »Das ist wunderbar.«

Jimmy suchte den Horizont ab und fragte sich, wie lange sie hier noch sicher waren. »Ich habe keine Ahnung, wo Sie jetzt untertauchen können«, erklärte er. »London ist zu gefährlich. Der geheime Unterschlupf ist also keine Option. Eine Zeit lang können wir den Transporter noch benutzen, aber der *NJ7* wird schon bald den Agenten in der Zelle identifizieren und uns verfolgen.«

»Er wird sich selbst zu erkennen geben, Jimmy«, verbesserte ihn Neil. »Er ist nicht tot – schon vergessen?« Jimmy nickte vage, während er sich zerrissen fühlte zwischen den kühlen strategischen Planungen eines geborenen Agenten und den Ängsten eines ganz normalen Jungen. Für einen kurzen Augenblick waren sich die widerstreitenden Anteile seiner Persönlichkeit einig. Beiden war klar: Sobald der Agent Alarm schlug, würden alle verfügbaren militärischen Einheiten das Land nach einem Gefangenentransporter durchkämmen.

»Neil«, bemerkte Olivia leise, »was ist mit der Frühstückspension in diesem Städtchen, wo wir vor ein paar Jahren Urlaub gemacht haben? Erinnerst du dich an die Besitzer dort? Ich vertraue ihnen. Und niemand würde uns dort vermuten.« Neil nickte langsam.

»Wo liegt dieser Ort?«, wollte Jimmy wissen.

»Ich zeige ihn dir auf der Karte«, erwiderte Neil.

Es schien kaum andere Möglichkeiten zu geben – und die Armee konnte wohl kaum jedes Hotel und jede Pension im Land durchsuchen. Der *NJ7* würde sich vor allem auf persönliche Kontakte konzentrieren.

»Sobald Sie dort angekommen sind«, instruierte Jimmy die Muzbekes, »entfernen Sie die Nummernschilder von dem Transporter und versuchen ihn möglichst schnell loszuwerden.« Felix' Eltern nickten ernst.

Dann bestiegen die drei den Wagen, rumpelten über Feldwege und bretterten über kleinere Landstraßen. Als sie den Bahnhof von Ulverston erreichten, sprang Jimmy aus dem Wagen. Er war immer noch von Kopf bis Fuß mit Schlamm bedeckt. Nachdem Neil und Olivia ihm erneut überschwänglich gedankt hatten, fuhren sie davon. Jimmy hoffte, dass sie in der kleinen Pension ein gutes Versteck finden würden. Wenn nicht, wären alle seine Bemühungen vergebens gewesen.

Kurze Zeit später saß er im Zug nach London – eine vierstündige Reise – und versuchte zu schlafen. Vergeblich. Die Sorgen marterten sein Gehirn, bis es schmerzte. An seinen Trainingshosen klebte Blut. Als es getrocknet war, kratzte Jimmy sorgfältig jeden einzelnen Spritzer ab.

»Wie konnte das passieren?«, tobte Hollingdale in seinem Bunker unter den Straßen Londons. »Ihr Aufenthaltsort war streng geheim!«

Paduk senkte den Blick und knackte mit dem Kiefer. »Ich weiß, Sir«, erwiderte er. »Aber die Meldung wurde gerade bestätigt: Die Muzbekes sind auf freiem Fuß. Die Fahndung nach ihnen läuft auf Hochtouren.«

»Wer hat das getan?« Hollingdales Gesicht leuchtete krebsrot und seine Lippen waren aufgebissen. Paduk blickte dem Premierminister ins Gesicht. Diese Frage bedurfte keiner Antwort. Und Hollingdale erwartet auch keine.

»Dieser Junge!«, schäumte er. »Aber wie?«

Ein unheimliches Schweigen machte sich breit. Hollingdales Augen zuckten durch den Raum, als würden sich die Betonwände um ihn herum zusammenziehen. »Jemand wird dafür bezahlen«, fauchte er. »Teuer bezahlen. Und dieser Jimmy Coates *muss* endlich ausgeschaltet werden.«

Viggo, Saffron, Helen und Stovorsky hockten auf den Pritschen in ihren Zellen. Ein paar Stunden lang würden sie nicht stehen können. Sie hatten eine kleine, aber schmerzhafte Operation über sich ergehen lassen müssen, bei der man ihnen Ortungssender in die Fersen implantiert hatte. Ihre Gesichter waren angespannt. Sie versuchten ihre Schmerzen zu vergessen und sich auf mögliche Wege aus ihrer misslichen Situation zu konzentrieren.

Es herrschte Schweigen, bis Helen ein weiteres Mal keuchend hustete.

»Die müssen einen Arzt für dich kommen lassen«, sagte Viggo, dem Helens ungesunde Gesichtsfarbe nicht entgangen war.

»Mir geht's gut«, erwiderte sie mit einem leichten Lächeln. »Niemand übersteht ein Bad im Ärmelkanal bei bester Gesundheit.«

»Aber du siehst schrecklich aus.«

»Danke«, kicherte Helen.

»Nein, ich meinte …« Viggo wurde rot.

»Einer von euch weiß, wo Jimmy Coates steckt«, verkündete Paduk, der wie ein Phantom in der Zelle aufgetaucht war. »Und es ist an der Zeit, es mir zu verraten. Ich meine *dich*, Viggo.«

Paduk zeigte auf ihn und ein weiterer Agent packte Viggo und schleifte ihn in den Verhörraum am Ende des Flurs. Viggo atmete tief durch, während sie ihn an den ledernen Verhörstuhl fesselten. Der glich einem Zahnarztstuhl, nur mit Schnallen, um Arme, Beine und den Hals zu fixieren.

»Wo ist Jimmy Coates?«, begann Paduk. Diese Frage hatte er bei jeder Verhörsitzung beständig wiederholt. Dieses Mal jedoch glitzerte wütende Entschlossenheit in seinen Augen.

»Sie verschwenden Ihre Zeit«, erwiderte Viggo. Seine Stimme klang ruhig, aber jeder seiner Muskeln war angespannt. Dann spürte er, wie sich eine Spritze in seinen unteren Rücken bohrte. Er verzog keine Miene.

»Wo ist Jimmy Coates?«, wiederholte Paduk.

»Wie kann ich Ihnen das sagen«, stammelte Viggo mit schwerer Zunge, »wenn ich es nicht weiß?«

Paduk beugte sich zu Viggo hinab und flüsterte ihm ins Ohr: »Dann seien Sie eben ein bisschen kreativ.«

»Bist du sicher, dass wir hier richtig sind?« Georgie überlegte krampfhaft, wie sie Felix' Angaben auf ihre Richtigkeit hin überprüfen könnte.

»Das ist eindeutig die Adresse«, erwiderte Felix. »Vertrau mir.« Er schaute sich um. Die Straßen waren verlassen. »Das dort ist es«, verkündete er.

»Es sieht wie ein ganz normales Haus aus.«

»Und du schaust wie ein ganz normaler Mensch aus. So kann man sich täuschen, was?«

Georgie hatte keine große Wahl. Sie war Felix, der Jimmys Einsatzinformationen gesehen hatte, vollständig ausgeliefert. Sie erreichte als Erste den Hauseingang. »Da ist keine Klingel«, flüsterte sie. »Nur ein Tastenfeld.«

»Ach ja, der Code«. Felix runzelte die Stirn und murmelte ein paar Zahlen.

»Bitte sag mir, dass du den Code kennst«, flehte Georgie mit zum Himmel gerichteten Blick.

»Hab ihn!« Felix schubste Georgie beiseite und tippte auf dem Tastenfeld herum. Georgies sämtliche Muskeln verspannten sich aus Sorge, dass jeden Moment ein Alarm ertönen könnte. Stattdessen hörte sie das liebliche Geräusch des Summers, der es Felix ermöglichte die Türe aufzustoßen. Er komplimentierte Georgie mit breitem Grinsen hinein.

»Es ist im obersten Stockwerk«, flüsterte er, bevor er sich anschickte, die Treppen hinaufzuspringen. Doch Georgie rührte sich nicht.

»Keine Sorge«, beruhigte sie Felix. »Dieser Vostorsky hat alles ganz genau aufgeschrieben.«

»Er heißt Stovorsky«, erwiderte Georg mit hochgezogener Augenbraue. »Aber wie willst du dich an jedes Detail erinnern können, wo du nur eine Sekunde draufgeschaut hast?«

»Das ist eine überlebenswichtige Fähigkeit. Wie sonst könnte ich bei Klassenarbeiten von Jimmy abschreiben?«

Jimmy riss die Augen auf. Er erwachte aus einem Albtraum. Seine Konditionierung hatte seinen ganzen Körper in Hochspannung versetzt. Jede einzelne Sehne vibrierte. Draußen hatte eine Treppenstufe geknarrt. Ganz eindeutig. Er hatte es wahrgenommen, sogar im Tiefschlaf. Ein rascher Blick auf die Uhr zeigte ihm, dass er nicht sonderlich lange geschlafen hatte.

Da war erneut dieses Geräusch. Und dann hörte Jimmy Stimmen. Wer auch immer diese Leute waren, sie verhielten sich sehr unvorsichtig, urteilte sein Agenten-Ich blitzschnell. Er rollte aus dem Bett und schlich zur Tür.

Draußen auf dem Flur ertönte Gemurmel. Die Stimme kam ihm bekannt vor. Aber er durfte dem nicht vertrauen. Es könnte ein Trick sein.

Mit einer blitzschnellen Bewegung entriegelte er die Tür und riss sie auf. Da standen zwei dunkle Gestalten. Blitzschnell schoss er vor, packte die kleinere Person am Hals und presste sie gegen den Türstock. Die andere schrie und versuchte wegzulaufen.

Jimmy stellte ihr ein Bein. Sie stürzte zu Boden. Und Jimmy stemmte seinen Absatz in ihren Nacken.

# KAPITEL 17

»Jimmy, wir sind's!«, schrie eine Mädchenstimme.

Der Junge, den er an der Kehle gepackt hielt, gurgelte und röchelte. Jimmy hob ihn vom Boden hoch.

»Ich bin's, Georgie!«

Jimmy zuckte zusammen. Seine Schwester? *Nein*, tönte es in seinem Kopf, *sie könnten Agenten sein, genau wie du.*

»Du wolltest doch, dass wir zu dir kommen«, bettelte das Mädchen flehentlich. Aus ihren Augen quollen Tränen. »Jimmy!«

Jimmys verschlafenes menschliches Selbst bemühte sich, die Kontrolle zu übernehmen. In seinem Inneren regte sich ein warmes Gefühl. Er konzentrierte sich darauf, bis es ihn schließlich ganz erfüllte. Er löste den Griff um Felix' Hals, der schwer keuchend ein paar Schritte zurücktaumelte.

»Es … es tut mir … so leid«, stotterte Jimmy. »Ich wollte nicht …« Seine Stimme versagte. Stattdessen ließ er es zu, dass seine Schwester ihn mit ihrer Umarmung fast erdrückte.

Nachdem die drei den Flur verlassen hatten, verriegelte Jimmy die Wohnungstür sorgfältig hinter ihnen.

»Ihr hab mich aufgeweckt«, erklärte Jimmy immer noch heftig keuchend.

»Das«, verkündete Felix, als er wieder sprechen konnte, »war *so* cool.«

Nun lächelte auch Jimmy und boxte Felix leicht gegen den Arm. »Gut dich zu sehen«, sagte er. »Schön, dass ihr da seid.«

»Du siehst schrecklich aus«, erwiderte Felix.

»Wo ist Mum?«, wollte Georgie wissen, die Jimmy immer noch besorgt musterte.

Jimmy zögerte und suchte nach den richtigen Worten. »Mum geht es gut –«, begann er.

Georgie unterbrach ihn: »Ich hab nicht gefragt, wie's ihr geht – ich hab gefragt, wo sie ist.« Jimmys Schweigen verriet es ihr. »Der *NJ7* hat sie?«, fragte sie leise.

Jimmy nickte. »Sie werden alle im Keller der französischen Botschaft festgehalten. Ich bin ganz alleine hier. Deshalb habe ich euch diese Nachrichten geschickt.« Plötzlich durchzuckte ihn ein Gedanke. Endlich schaltete sich sein Verstand wieder ein und brachte ihn auf das Naheliegende.

Er lächelte Felix an und die Worte purzelten förmlich aus seinem Mund. »Deine Eltern«, brabbelte er. »Es geht ihnen gut. Sie waren nicht in der französischen Botschaft. Das war eine Falle. Aber ich hab sie in einem Hochsicherheitsgefängnis namens Fort Einsmoor gefunden. Ich bin dorthin und, na ja, hab sie rausgeholt. Also, eigentlich hat der *SAS* das für mich erledigt, wenn ich ehrlich bin.«

Felix jubelte. »Meine Eltern sind frei?« Jimmy nickte heftig. »Wo sind sie?«

»Keine Sorge, sie sind an einem sicheren Ort. Irgendeine Frühstückspension, in der sie mal Urlaub gemacht haben.«

»Das ist fantastisch!« Felix hüpfte aufs Bett, benutzte es als Trampolin und boxte wild in die Luft.

»Das ist toll, Jimmy«, sagte Georgie, die nun schon etwas ruhiger wirkte. »Jetzt müssen wir nur noch die anderen befreien.«

»Ich weiß«, erwiderte Jimmy.

Felix unterbrach seine Hopserei, als er den Kühlschrank entdeckte. Er schien nicht allzu beunruhigt über die Aussicht, nun auch alle anderen befreien zu müssen. Viel eher schien ihn die Frage zu beschäftigen, mit was er seinen Toast belegen sollte.

»Ich hatte keine Ahnung, dass der stellvertretende Premierminister bis tief in die Nacht arbeiten muss.« Dr. Higgins' Stimme klang heiser und sein Gang war ungewöhnlich schwankend.

»Ach, Sie sind's, Kasimit.« Ian Coates blickte überrascht von seinem Schreibtisch auf. »Ich habe Sie gar nicht hereinkommen hören.« Er deutete auf den Sessel gegenüber von seinem Schreibtisch, doch Dr. Higgins verharrte bei der Tür. »Ich bleibe immer so lange im Büro wie der Premierminister«, fügte Coates mit einem trockenen Lachen hinzu. »Haben Sie den Code schon entschlüsselt?«

Als der Doktor sich näherte, beleuchtete Coates' Schreibtischlampe sein Gesicht. »Ich möchte mich nicht setzen, danke«, sagte Dr. Higgins langsam. Er betonte jede einzelne Silbe und verlieh seinen Worten einen bedrohlichen Klang. »Ich bin gekommen, um über Memnon Sauvage zu reden.«

Coates erhob sich zu seiner vollen Größe. Nun, da er von seiner Familie getrennt und kein Vollzeitagent mehr war, hatte er wieder Zeit für Krafttraining und Kampfkunst gefunden; was zu sichtlichen Resultaten geführt hatte. »Dr. Sauvage war eine Bedrohung für die nationale Sicherheit«, erklärte er. »Als solcher musste er neutralisiert werden. Das wissen Sie sehr genau.«

Ian Coates' sämtliche Muskeln spannten sich, als der Doktor noch näher kam. Dr. Higgins' rechte Hand war vollständig bandagiert. Doch in der Linken hielt er eine Pistole.

»Es ist sinnlos, Ihren Schmerz an mir auszulassen«, sagte Ian Coates ruhig. Während er sprach, schoss das Blut in seine Finger. Für den Fall, dass seine Worte nicht genügend Überzeugungskraft besaßen, lag in der obersten Schublade seines Schreibtischs eine Pistole. Würde er schnell genug zielen und feuern können? Doch im selben Augenblick dämmerte ihm, welche Gelegenheit sich ihm hier bot.

»Es gibt keinen Grund, wütend auf mich zu sein«, fuhr er fort. »Ich war ein Soldat. Ich habe lediglich einen Befehl ausgeführt.« Dr. Higgins kam weiter auf ihn zugeschlichen. »Verantwortlich für diese schreckliche Tat ist der Mann, der den Befehl dazu gab.« Ian Coates stand wie erstarrt, gebannt vom Blick eines alten Mannes, dessen Welt in Trümmern lag.

»Ich bin Ihretwegen gekommen, Ian«, verkündete der Doktor. Die eingefallenen Wangen verliehen seinem Kopf etwas Totenschädelhaftes. »Ich bin gekommen, um *Sie* zu töten.« Seine Finger zitterten am Griff der Waffe.

In Ian Coates rang das Gefühl der Loyalität mit seinen Überlebensinstinkten. »Kasimit, Sie haben nicht richtig nachgedacht«, beharrte er. »Sie töten den Falschen. Was für eine Art Rache soll das sein?«

Einen Augenblick lang hielt Dr. Higgins die Waffe noch auf Coates gerichtet, dann wurde sein Blick unstet und er ließ sie sinken. »Wie meinen Sie das?«, stammelte er. »H ... H ... Hollingdale? Ich kann nicht an ihn herankommen.«

»Natürlich können Sie das, Kasimit«, entgegnete ihm Coates. Die Spannung ließ seine Stimme für einen Moment laut hervorbrechen, bevor er sie wieder in den Griff bekam. »Schließlich sind Sie sein Arzt. Und wenn seine Leibwächter die Anweisung erhalten, dass Sie ihn unter vier Augen behandeln dürfen ...«

Zu der Verzweiflung in Higgins' Augen trat nun ein Glitzern hinzu, das von einem auf Hochtouren arbeitenden Verstand zeugte. »Sie sind äußerst clever«, sagte er. Seine Stimme bebte. »Wenn ich Hollingdale töte, wer wird dann wohl sein Nachfolger?«

Ian Coates beantwortet die Frage mit einem Lächeln.

Dr. Higgins erwiderte das Lächeln und gab dann zu bedenken: »Wird die britische Öffentlichkeit keine Einwände gegen diesen Machtwechsel haben?«

»Sie werden es akzeptieren, wenn man es ihnen richtig verkauft. Die meisten Menschen verharren aus Bequemlichkeit gerne in einem Zustand der Apathie.« Die beiden Männer starrten einander an, sie verstanden die Motive des jeweils anderen genau.

Dann machte Dr. Higgins auf dem Absatz kehrt und eilte davon. Ian Coates sah ihm hinterher, bis er den Raum verlassen hatte. Er fühlte sich merkwürdig ruhig. Dann griff er nach seinem Bürotelefon und tippte ein paar Zahlen ein. »Dr. Higgins ist unterwegs«, bellte er im Befehlston. »Er muss den Premierminister alleine sehen. Irgendeine … vertrauliche Behandlung.«

Dann legte er den Hörer behutsam auf. *War das klug?* Einen Augenblick schwebte seine Hand über dem Telefon. Noch könnte er ohne Weiteres erneut anrufen und die Leibwache des Premierministers warnen, Dr. Higgins nicht einzulassen. Doch schließlich ließ er die Hand sinken. Er setzte sich und starrte die Dokumente auf seinem Schreibtisch an, unfähig zu arbeiten.

Als kurz darauf Ian Coates' Telefon klingelte, starrte er immer noch auf die gleichen bedeutungslosen Unterlagen. Er hob ab und lauschte auf die erwartete Nachricht.

»Oh nein«, antwortete er. »Das ist ja entsetzlich … Ja, schicken Sie einen Agenten rüber.« Er legte auf.

Seine Hand lag immer noch auf dem Telefon, als ein junger *NJ7*-Agent in sein Büro stürmte.

»Es scheint in seinen Pillen gewesen zu sein – Gift, Sir«, verkündete der Agent mit unsicher umherzuckendem Blick. »Der Premierminister muss sofort tot gewesen sein. Es gab nichts, was wir tun konnten.«

Ian Coates nickte langsam und erhob sich hinter seinem Schreibtisch. Der junge Agent suchte in seinem Gesicht nach Hinweisen. »Was sollen wir tun, Sir?«, wollte er wissen. »Dr. Higgins ist geflohen. Sollen wir ihm alle verfügbaren Einheiten hinterherschicken? Wollen Sie Luftunterstützung anfordern?«

Jimmys Vater strich mit den Fingern nachdenklich über die Tischkante. »Lassen Sie ihn laufen«, befahl er plötzlich.

»Was?«, japste der Agent.

Ian Coates funkelte den jüngeren Mann an. »Ich habe Ihnen eine Order erteilt!«, rief er. »Ich wiederhole meine Befehle nur ungern.« Er zog sein Jackett von der Rückenlehne des Stuhls und strich sich übers Haar. »Informieren Sie alle Medien«, erklärte er. »Geben Sie eine Pressemeldung raus. Ich gehe zur französischen Botschaft. Heute Nachmittag werde ich mich von dort aus an die Nation wenden.«

Der junge Agent stand in Habachtstellung. Als Ian Coates an ihm vorbeimarschierte, salutierte er und stammelte: »Ja … jawohl, Herr Premierminister.«

# KAPITEL 18

Am nächsten Morgen erwachte Jimmy mit Felix' Füßen im Gesicht. Sie hatten sich ein schmales Bett teilen müssen und Jimmy hatte mit dem Kopf am Fußende gelegen. Er schreckte hoch und wäre beinahe aus dem Bett gefallen.

»Was ist?«, brabbelte Felix schlaftrunken. »Was ist passiert?«

»Nichts«, gähnte Jimmy und stand auf. Der Fußboden war überraschend kalt. »Das war nur ich.« Georgie hatte bereits ihr Bett gemacht und strich gerade Butter auf eine Scheibe Toast.

»Mm, so was will ich auch.« Felix war schlagartig munter. Er schoss zum Frühstückstisch. »Lecker, Georgie – danke. Da steh ich drauf – um Längen besser als dieses Baguette.«

Jimmy kratzte sich am Kopf. Er atmete ein paarmal tief durch, um die düsteren Schatten seiner Albträume abzuschütteln.

»Also, wie ist der Plan heute?«, wollte Felix wissen, der bereits mit vollen Wangen mampfte. »Operation Daumenschraube – erste Phase.«

»Was?«, fragte Jimmy.

»*Operation Daumenschraube*«, erklärte Felix. »Das ist ein cooler Name. Alle erfolgreichen Operationen brauchen coole Namen.«

»Ja, aber – *Daumenschraube*?«

»Gefällt dir nicht? Wie wär's mit *Operation Donnermarmelade*?« Er blickte zu Georgie.

»Ich glaube, ihr seid beide bescheuert.« Sie zuckte mit den Achseln.

»Wie auch immer«, sagte Jimmy kopfschüttelnd. »Ich brauche Informationen, daher treffe ich mich mit Eva.«

»Mit Eva?« Felix vergaß weiterzukauen.

»Aber Eva ist …« Georgie brachte ihren Satz nicht zu Ende.

Jimmy holte tief Luft. »Hört zu«, begann er. »Sie ist mit Mitchell weggerannt, okay. Und sie gehört bestimmt nicht zu meinen besten Freunden. Aber als ich in Schwierigkeiten war, hat sie mir geholfen. Die Sache ist kompliziert. Ich glaube, sie ist immer noch auf unserer Seite.«

Einen Augenblick herrschte Schweigen, während alle darüber nachdachten.

»War sie denn jemals auf unserer Seite?«, brummte Felix schließlich.

»Sie ist nicht wie ihre Eltern«, erwiderte Jimmy. »Sie hat mir geholfen.«

Georgie murmelte: »Sei vorsichtig.«

»Ich dachte, Eva ist deine Freundin.« Jimmy sah zu seiner Schwester, doch sie vermied seinen Blick. »Georgie, vergiss Mitchell. Er hat den Auftrag, mich zu töten. Du darfst nicht für ihn schwärmen.«

»Ach halt doch die Klappe!«, schnappte Georgie. »Das hat überhaupt nichts mit Mitchell zu tun. Natürlich ist Eva immer noch meine Freundin. Ich vertraue ihr nur nicht mehr, das ist alles.«

Jimmy verzog sich ins Bad, um sich eine neue Tarnung zuzulegen – mit Seife, Toilettenpapier unter der Lippe und etwas Asche im Haar. Als er ein paar Minuten später aufblickte, starrte ihn Felix mit offenem Mund an.

»Das ist …« Er war so von den Socken, dass er den Satz nicht zu Ende brachte. »Zeigst du mir, wie man das macht?«

»Ein andermal«, erwiderte Jimmy und verkniff sich ein Lächeln. »Ich muss jetzt los. Operation … wie auch immer.« Er boxte seinem Freund locker gegen den Arm, lächelte seiner Schwester zu und marschierte zur Wohnungstür. Bevor er ging, wies er sie an: »Was auch immer geschieht, verlasst auf keinen Fall diesen Raum. Wartet hier auf mich. Ich gebe Bescheid, wenn ich euch brauche.« Er blickte beiden fest in die Augen, nickte entschlossen und trat hinaus.

Nachdem die Tür hinter ihm zugefallen war, standen Georgie und Felix einen Moment lang schweigend da. Beide waren völlig verblüfft über Jimmys Verwandlung. Irgendwann dämmerte es Felix und er platzte heraus: »Er sah genau aus wie euer Dad!«

Ian Coates schritt durch die Lobby der französischen Botschaft. Er platzte förmlich vor Stolz, doch seine Miene blieb ernst. Das Land zu regieren war eine schwere Aufgabe, und es gab jede Menge, worum er sich jetzt kümmern musste. In diesem Moment wartete eine lange Reihe Botschaftspersonal darauf, ihn willkommen zu heißen und ihm zu gratulieren. Ganz am Ende standen Eva und Mitchell.

Eva gewöhnte sich langsam an die Rolle des dankbaren Mädchens. Auch wenn sie diese ständige Unterwürfigkeit ziemlich albern fand. Vor allem bei Miss Bennett ging ihr das so. Für Mitchell empfand sie hauptsächlich Mitleid. Im Grunde saß er ebenso in der Falle des *NJ7* wie sie selbst, wenn auch aus anderen Gründen. Außerdem hatte er ihr in gewisser Weise tatsächlich das Leben gerettet – auch wenn sie nicht ernsthaft in Gefahr gewesen war.

Ein Teil von ihr sehnte sich danach, nach Hause zurückzukehren. Doch ihr war klar, dass sie sich in einer zu wertvollen Position befand, um diese einfach aufgeben zu dürfen. Miss Bennett hatte sie unter ihre Fittiche genommen. Dadurch hatte Eva jetzt Zugang zu geheimen Informationen des *NJ7*. Und wenn die Zeit gekommen war, könnte sie möglicherweise bei der Befreiung der Gefangenen helfen.

Während der neue Premierminister weiter die Reihe abschritt, musste Eva an all das denken, was sie vermisste: Georgie, ihre übrigen Schulfreundinnen, ihre Brüder und mittlerweile vielleicht sogar ihre Eltern.

Okay, sie waren loyale Anhänger der Regierung, aber ihre Tochter hatten sie immer gut behandelt. Tief im Inneren liebte Eva ihre Eltern, trotz ihrer politischen Überzeugungen.

Eva hatte die Hände hinter den Rücken gelegt. Sie beugte sich leicht vor, um den Premierminister sehen zu können. Sie war Ian Coates schon häufig begegnet – aber da war er lediglich der Vater ihrer besten Freundin gewesen.

»Wie ist er so?«, wisperte Mitchell.

»Sei still. Und hör auf rumzuzappeln«, erwiderte Eva. Sie versuchte sich auf das zu konzentrieren, was am anderen Ende des menschlichen Spaliers vor sich ging.

»Das ist der neue französische Botschafter«, erklärte Miss Bennett leise, die als Ian Coates' Führer fungierte. Eva konnte zwar nicht jedes Wort verstehen, aber das Wesentliche bekam sie mit.

»Danke, dass wir uns in Ihrem wunderbaren Gebäude einquartieren durften«, erklärte Coates mit tiefer Stimme.

»Das ist doch selbstverständlich, Herr Premierminister«, flötete der Botschafter. Er war ein kleiner Mann mit grauem Haar, das zu einer raffinierten Tolle frisiert war. »Als ich von der Schwachstelle in unseren Sicherheitsmaßnahmen erfuhr, war es das Mindeste, was ich tun konnte.« Er deutete eine Verbeugung an und blickte kurz in Evas Richtung. Rasch zog sie sich in die Reihe zurück.

Der Premierminister setzte seinen Weg fort. Er begrüßte jeden Mitarbeiter per Handschlag und mit der knappen Versicherung, die Regierung werde das Gebäude schon bald wieder räumen und dem französischen Botschafter übergeben.

Eva fragte sich, ob das wirklich stimmte. Denn warum wurde im Untergeschoss weiter an einem Tunnel gegraben? Vermutlich waren diese Arbeiten erst abgeschlossen, wenn der Keller mit dem labyrinthischen System des *NJ7*-Hauptquartiers verbunden war.

Als Ian Coates das Botschaftspersonal, die *NJ7*-Agenten und auch das Reinigungspersonal hinter sich gelassen hatte, entdeckte er Eva. Er verzog keine Miene. Vielleicht hatte ihn Miss Bennett auf Evas Anwesenheit vorbereitet. Er nickte langsam und streckte ihr die Hand entgegen. Eva zögerte einen Augenblick, bevor sie diese ergriff.

»Ich bin froh, dass du auf unserer Seite stehst«, sagte Jimmys Vater. Eva glaubte, eine Spur von Enttäuschung in seinem Gesicht zu bemerken. Wünschte er sich vielleicht, dass seine eigene Tochter jetzt hier vor ihm stünde?

»Ah, der Mann der Stunde«, sagte der Premierminister und gab Mitchell mit ausdrucksloser Miene die Hand. Mitchell versuchte sich zu seiner vollen Größe aufzurichten. Für einen kurzen Augenblick war Eva mit ganzem Herzen bei ihm. Sie wusste, Mitchell sah sich selbst als Agenten für eine gerechte Sache. Aber was war er in Wahrheit? Ein Junge? *Nein*, dachte Eva.

*Aber er ist auch keine Maschine. Ich bin noch nie jemandem begegnet, der innerlich so zerrissen ist.*

»Ich freue mich sehr, Sie kennenzulernen, Herr Premierminister«, murmelte Mitchell.

Tiefe Schatten lagen unter Ian Coates' Augen, als hätte ihn der Druck der Verantwortung über Nacht altern lassen. Vielleicht fehlte ihm aber auch einfach nur Schlaf. »Ich kenne einen Jungen, ein wenig jünger als du«, sagte er leise, fast als würde er zu sich selbst sprechen. »Er hätte auch ein Agent sein können.« Dann drehte er sich abrupt um und marschierte in Richtung Treppenhaus.

»War das okay eben?«, flüsterte Mitchell und begann erneut nervös zu zappeln. Eva wolltc antworten, bekam aber keinen Ton heraus. Ihr Mund war ausgetrocknet und ihre Kehle wie zugeschnürt. Mitchells Gezappel ließ nach. Er stand jetzt völlig still und starrte vor sich hin.

»Ich kann kaum glauben, dass ich gerade dem Premierminister die Hand geschüttelt habe«, sagte er, doch es klang nicht sonderlich glücklich. »Weißt du, wenn man den Premierminister persönlich kennenlernt ...« Er unterbrach sich. Als er fortfuhr, bebte seine Stimme. »Dann sollten doch alle stolz auf einen sein, oder? Ich meine, die eigene Familie und so. Ich glaube, mein Bruder wäre stolz auf mich gewesen.«

Eva hörte kaum, was Mitchell sagte. Am liebsten hätte sie den Arm um ihn gelegt. Aber sie konnte nicht; er hing wie erstarrt an ihrer Seite herab. Plötzlich bemerkte sie, dass Miss Bennett von der Treppe aus hektisch winkte.

»Eva!«, zischte sie. »Wir warten auf dich.« Eva zuckte zusammen. Ihr war völlig entgangen, dass alle anderen schon wieder an die Arbeit zurückgekehrt waren. »Wo ist dein Notizblock?«, fragte Miss Bennett.

Eva zog Block und Bleistift aus ihrer Tasche und eilte dann die Treppe hinauf. Mitchell blieb allein in der Lobby zurück. Er ließ den Kopf sinken und trottete davon.

Als Eva den Treppenabsatz erreichte, wäre sie beinahe gestolpert. Miss Bennett wartete dort gemeinsam mit dem neuen Premierminister. Es war Evas neue Hauptaufgabe, Miss Bennett auf Schritt und Tritt zu folgen und sich über alles Notizen zu machen.

»Entschuldigen Sie bitte, Herr Premierminister«, flötete Miss Bennett. »Bitte fahren Sie fort.«

Die beiden marschierten den Korridor hinunter, während Eva hinterherlief und das Wichtigste auf ihren Block kritzelte.

»Das Fernsehteam wird bald hier eintreffen«, erklärte Ian Coates. »Ich werde mich mit einer Ansprache an die Nation wenden. Auch meine persönliche Sicherheitscrew wird in Kürze kommen. Da Downing Street immer noch eine Baustelle ist, mache ich dies hier zum sichersten Ort in der Stadt. Paduk benötigt detaillierte Pläne des gesamten Gebäudes.«

Eva hatte Mühe, Schritt zu halten – sowohl wegen des rasanten Tempos, mit dem die beiden durch die

Flure rauschten, als auch wegen Ian Coates' rasantem Redefluss. Als er dann zum nächsten Punkt kam, begann sich plötzlich alles um sie herum zu drehen.

»Und was die Gefangenen betrifft«, seufzte Ian Coates, »so haben sie noch zwei Stunden, uns den geheimen Unterschlupf zu verraten. Jimmy hält sich mit ziemlicher Sicherheit dort versteckt. Wenn sie nicht damit herausrücken, werden wir jede Stunde einen von ihnen exekutieren. Teilen Sie ihnen das mit.«

Miss Bennett nickte. »Sollen wir in einer bestimmten Reihenfolge vorgehen?«, erkundigte sie sich. Der Premierminister schien zu zögern. Die Antwort fiel ihm offenbar nicht leicht.

Miss Bennett sah über die Schulter zu Eva, ob diese immer noch fleißig mitschrieb. Eva hielt ihren Bleistift umklammert. Sie schrieb in großen fetten Buchstaben: »ZWEI STUNDEN.« Dann umkreiste sie die Worte so fest, dass die Spitze der Bleistiftmine brach.

Eva bahnte sich ihren Weg durch die Angestellten, die in die Mittagspause strömten. Sie hielt den Kopf gesenkt, um nicht noch mehr Aufmerksamkeit zu erregen. Sie war ohnehin die einzige Jugendliche unter lauter erwachsenen Sekretärinnen. Nur zur Lunchzeit durfte sie sich alleine vom *NJ7* entfernen – und somit von Miss Bennett und Mitchell. Doch heute gab es keine Pause für sie.

Während sie wie gelähmt vor dem Lokal stehen blieb, in das ihre Kollegen immer gingen, arbeitete ihr

Gehirn auf Hochtouren. *Zwei Stunden.* Was konnte sie in zwei Stunden ausrichten? Und wo steckte Jimmy?

Als sie sich zum Gehen wandte, rempelte sie ein kleiner Mann an. »Verzeihung«, schnaubte sie. Der Kerl eilte jedoch ohne die geringste Entschuldigung weiter.

Eva fasste instinktiv in ihre Tasche nach dem Portemonnaie, man wusste ja nie, ob es nicht ein Trickdieb war. Ihr Geld war noch da – und noch etwas anderes. Verwundert förderte Eva ein Stück Papier zutage. Sie wollte es gerade wegwerfen, da bemerkte sie eine Kritzelei darauf. »Bootsvermietung im Hyde Park. In 5 Minuten.«

Es war eine krakelige Jungenhandschrift. Rasch stopfte sie das Papier in den Mund und würgte es hinunter. Eva blickte sich um. Niemand der vielen ihr Mittagessen vertilgenden Angestellten hinter den Caféfenstern beachtete sie.

Eva eilte die Straße hinunter, wobei sie sich beständig nach Verfolgern umschaute.

Der Park war menschenleer. Es war zu kalt und windig, als dass irgendjemand seinen Lunch draußen eingenommen hätte. Nicht einmal die wenigen Touristen, denen die Einreise nach England noch gestattet wurde, hätten an so einem Tag den Park besucht. Es gab nur geschlossene Eiscremestände und einen Mann, der die Wege fegte.

Eva marschierte auf die Bootsvermietung zu, da trat ihr der Mann in den Weg. Eva zuckte erschrocken zusammen, als er dicht an ihr vorbeilief und ihr etwas in die Hand drückte. »Fahr zur Mitte des Sees«, flüsterte er. Dann schlurfte er weiter.

Eva öffnete die Hand und fand ein Ticket für ein Tretboot. Sie lief zum Rand des *Serpentines* – des Sees, der sich mitten durch den Hyde Park windet. Vor dem Eingang des Bootsverleihs blieb sie stehen. Dort saß ein etwas verlottert wirkender junger Mann und las Zeitung. Gleichgültig nahm er ihr Ticket im Empfang und führte sie zu einer Reihe am Seeufer festgemachter Boote. Verdrießlich kettete er eines davon los und stellte es für Eva bereit.

Währenddessen schaute Eva sich die ganze Zeit um. Der Mann mit dem Besen war verschwunden. Konnte es sein, dass Jimmy sich wieder verkleidet hatte, wie vor Tagen, als er in der Botschaft war?

Ihre Jacke eng um sich geschlungen, strampelte sie hinaus zur Mitte des Sees. Ihr Boot war das einzige auf dem Wasser. Selbst die Enten fühlten sich an so einem scheußlichen Tag am Uferrand besser aufgehoben.

Eva schauderte. Plötzlich überkamen sie Zweifel. Was, wenn die Nachricht gar nicht von Jimmy kam? Sie hatte das Gesicht des Mannes nicht sehen können. Diese ganze Maskerade konnte eine Falle sein. Plötzlich spürte sie, wie etwas Kaltes ihre Hand packte. Ein dünner weißer Arm reckte sich aus dem Wasser und umklammerte ihr Handgelenk. Eva wollte schreien, aber ihre Kehle war wie zugeschnürt. Dem Arm folgte ein Kopf: *Jimmy*.

Er legte einen Finger auf die Lippen, ohne seinen Griff zu lockern. Er war völlig lautlos aufgetaucht, die Wasseroberfläche hatte sich kaum gekräuselt. »Schau nicht zu mir«, zischte er. »Halte den Blick geradeaus gerichtet.« Eva gehorchte. »Ich könnte dich ohne Probleme unter Wasser ziehen. Das weißt du, oder?« Evas Augen wurden feucht. Jimmys Faust tat ihr weh. Sie nickte.

»Und jetzt sag mir die Wahrheit«, forderte Jimmy. »Was tust du wirklich beim *NJ7*? Warum bist du mit Mitchell davongelaufen?«

Eva weinte jetzt fast. Die Worte purzelten nur so aus ihr heraus: »Ich dachte, Mitchell hätte dich getötet. Ich habe gesehen, wie er dich in diese Maschine gestoßen hat. Er hat so getan, als wollte er dir helfen. Aber ich hab genau gesehen, dass es nicht so war. Ich konnte ihn doch damit nicht einfach so davonkommen lassen. Also habe ich getan, als würde ich ihm glauben und bin mit ihm geflohen.«

»Und was ist mit dem *NJ7*?«

»Die denken, ich arbeite für sie«, jammerte Eva. »Ich habe Ihnen von Viggo und Saffron erzählt.«

»*Du* hast sie verraten?«, knurrte Jimmy durch die Zähne, und verstärkte den Druck seiner Umklammerung.

»Sie wussten sowieso schon von ihnen«, fügte Eva rasch hinzu. »So sollten sie glauben, dass ich bereit bin, euch zu verraten. *Bitte!* Lass meinen Arm los.«

Jimmy ließ sie los und hielt sich stattdessen am Bootsrand fest. Eva zog ihren Arm eng an sich und rieb die roten Druckstellen, die Jimmys harter Griff hinterlassen hatte.

»Tut mir leid«, murmelte Jimmy. »Ich musste sichergehen. Danke, dass du dich mit mir triffst.«

»Schon gut«, erwiderte Eva nach kurzem Zögern.

»Schau nicht zu mir. Möglicherweise beobachtet man uns.«

Eva nickte und ließ den Kopf auf die Brust sinken.

Jimmy fuhr fort: »Informiere Viggo und die anderen, dass Felix' Eltern in Sicherheit sind.«

Eva platzte heraus: »Das ist ja genial! Wie hast du denn das geschafft? Hast du etwa Fort Einsmoor gefunden?«

»Dreh dich weg«, schnappte Jimmy. Eva gehorchte. »Ich kann dir jetzt nicht alles erzählen, aber vielen Dank – ohne die Information über ihren Aufenthaltsort hätte ich es niemals geschafft.« Eva versuchte, ihre Gefühle im Zaum zu halten. Sie zwang sich, Jimmy nicht anzublicken.

»Ich muss alles über die Gefangenen wissen«, fuhr er fort. »Sind sie noch am Leben?«

»Ja«, erwiderte Eva rasch. Jimmy seufzte erleichtert. »Es geht Ihnen gut. Aber, Jimmy …«

»Und meine Mum?«, unterbrach sie Jimmy und verbannte dabei jedes Gefühl aus seiner Stimme.

»Ihr geht's auch gut. Es geht ihnen allen gut, Jimmy – aber wir müssen sie dringend dort rausholen.«

»Schon klar«, erwiderte Jimmy knapp. »Deshalb bin ich ja hier.«

»Du verstehst nicht. Sie werden in weniger als anderthalb Stunden erschossen.«

»Was?« Jimmy schnappte nach Luft.

»Wenn sie deinen Aufenthaltsort nicht verraten, werden sie exekutiert, einer nach dem anderen.«

»Wann?« Jimmy schrie jetzt fast. »Wie viel Zeit habe ich noch – genau?«

»Keine Ahnung«. Eva weinte jetzt. »Nicht viel.«

»In Ordnung«, schnaufte Jimmy. Er durfte jetzt nicht die Nerven verlieren. »Ich brauche Informationen. Alles, von dem du glaubst, dass es helfen kann. Ich werde sie da rausholen.«

Jetzt hatte Jimmy doch ein schlechtes Gewissen, weil er so hart mit Eva umgesprungen war. Er sah nun, wie mutig und selbstlos sie gehandelt hatte. Doch die Tage des Alleinseins hatten ihm zugesetzt. Mit jeder Minute fühlte er sich weniger menschlich. Und nur Menschen hatten Zeit für den Austausch von Höflichkeiten.

»Tut mir leid«, murmelte er. »Ich bin einfach total unter Hochspannung.« Eva blickte beiseite, legte dann aber ihr Hand sanft auf seine. Bei ihrer Berührung strömte Wärme durch seinen ganzen Körper.

»Sie sind unten im Kellergeschoss«, murmelte Eva und bedeckte mit der anderen Hand ihren Mund. »Soweit ich weiß, ist der einzige Zugang ein spezieller Fahrstuhl in der Lobby. Er ist gepanzert. Du brauchst einen Schlüssel, um reinzukommen.«

»Nur einen Schlüssel?«, unterbrach sie Jimmy. »Keine Chipkarte oder irgendwelche komplizierte Elektronik?«

»Ich glaube nicht«, stotterte Eva. »Es ist ein altes Gebäude. Die einzige raffinierte Sicherheitsschranke ist unten im Keller eingebaut.«

»Okay. Ich brauche diesen Schlüssel. Kannst du ihn mir besorgen?«

»Ich versuche es.«

»Gut. Auf dem Weg zurück kaufst du Kaugummi. Damit klebst du den Schlüssel auf den Mittelstreifen der Straße vor der Botschaft.«

»In Ordnung.« Eva schnieft und starrte ängstlich in alle Richtungen. »Ich dachte, es würde alles besser«, schluchzte sie. »Aber als dann dein Dad die Macht übernommen hat, da hat er …«

»Moment«, schnitt ihr Jimmy das Wort ab. »*Die Macht übernommen?* Wie meinst du das?«

Eva war für einen Moment völlig perplex. Vor Erstaunen hörte sie sogar auf zu weinen. »Du weißt schon, als er Premierminister wurde.« Ihre Worte jagten einen Stromstoß durch Jimmys Körper. Er brachte keinen Ton heraus.

»Hast du's denn nicht gehört?«, fragte Eva. »Hollingdale ist heute Morgen gestorben. Er wurde ermordet.« Jimmy schaute sich um. Er konnte nicht fassen, was er da hörte.

»Ich dachte, du weißt es«, piepste Eva, die sich immer noch zwang, Jimmy nicht direkt anzuschauen. Und da ihr völlig entging, wie ihre Worte auf ihn wirkten, plapperte sie einfach weiter. »Dein Dad ist jetzt in der Botschaft. Und er wird sich jede Minute über Fernsehen an die Nation wenden. Er war in Begleitung von Miss Bennett. Und er hat befohlen … Ach, es war schrecklich. Zwei Stunden, Jimmy! Und wie soll ich bloß an diesen Schlüssel kommen?«

Erst jetzt schaute sie wieder hinab zu Jimmy. Doch zu spät – das Gesicht im Wasser war bereits untergetaucht.

# KAPITEL 19

An einer abgelegenen Stelle des Sees kletterte Jimmy ans Ufer. Er holte den Mantel aus seinem Versteck und zog ihn über die tropfnassen Kleider. Seine Maskierung hatte sich im Wasser vollständig aufgelöst. Seine Gedanken rasten. Hatte Eva eben tatsächlich gesagt, sein Vater sei der Premierminister von Großbritannien? *Ich muss doch erschöpfter sein, als ich dachte*, vermutete Jimmy. Er trabte los, ohne genau zu wissen, wohin.

Bruchstückhafte Informationen tauchten in seinem Bewusstsein auf und setzten sich zusammen. Ares Hollingdale soll tot sein? Bildete er sich das nur ein?

Er stolperte aus dem Park, blieb stehen und sah sich um. Alles schien seinen normalen Gang zu gehen. Wenn es wirklich zutraf, was Eva gesagt hatte, müsste dann nicht die ganze Welt stillstehen? Müssten die Menschen dann nicht aufgebrachter durch die Straßen laufen? Er musterte die Passanten, als könnte er an ihren Gesichtern ablesen, ob Ian Coates Premierminister war und was das zu bedeuten hatte.

Und trotz des Nebels in seinem Kopf fiel ihm etwas auf. Die Menschen in den Straßen bewegten sich mit ungewöhnlicher Eile. Sie hasteten zu ihren Autos oder in die U-Bahnstationen. Und um ein Elektrowarengeschäft, in dessen Schaufenster Fernsehgeräte in diversen Größen standen, hatte sich eine Menschentraube gebildet.

Jimmy drängte sich mit gebeugtem Kopf durch die Menge. Die Leute wichen vor dem Gestank zurück, den das Seewasser in seinen Kleidern ausströmte. Alle Fernsehgeräte zeigten das gleiche Bild. Doch hier draußen gab es keinen Ton.

Was konnte es so Wichtiges geben? Jede Faser in Jimmys Körper drängte ihn, es herauszufinden. Er drückte gegen die Ladentür, aber drinnen war es so voll, dass sie sich kaum öffnen ließ. Endlich gelang es Jimmy, sich hindurchzuzwängen. Und im selben Augenblick hörte er eine Stimme, die ihm das Blut in den Adern gefrieren ließ.

»Ich grüße die englische Nation«, verkündete sie.

Es war sein Vater. Ian Coates flimmerte über jeden Bildschirm – Jimmy war vollständig von seinem Bild umzingelt. Coates thronte in einem altmodischen Arbeitszimmer hinter einem gewaltigen Schreibtisch. Er wartete einige Sekunden, dann atmete er tief durch und fuhr fort.

»Ich bin mir sicher, dass Sie inzwischen bereits davon erfahren haben.« Seine Stimme klang tiefer, als Jimmy es in Erinnerung hatte. »In den frühen Morgenstunden wurde unser Premierminister Opfer eines heimtückischen terroristischen Anschlags.« Jimmy versuchte sich zu konzentrieren und wischte sich über das

Gesicht. Er hatte Schwierigkeiten, die Informationen zu verarbeiten.

»Trotz aller Bemühungen der Ärzte konnte der Premierminister nicht gerettet werden. Ich, Ian Coates, habe als sein Stellvertreter das Amt des Premierministers von Großbritannien übernommen.«

Es stimmte also tatsächlich.

Leises Gemurmel ertönte im Laden. Jimmy schnappte Fetzen der Unterhaltungen auf. Direkt neben ihm flüsterte eine Frau ihrem Baby zu: »Dieser Mann ist ein echter Patriot.«

Jimmy stieß ein scharfes Lachen aus, bevor er sich rasch die Hand vor den Mund schlug. Sein Vater war jetzt Premierminister – damit waren Jimmys Probleme hoffentlich endgültig gelöst. *Mein Vater wird den NJ7 anweisen, mich in Ruhe zu lassen*, dachte Jimmy. *Und dann wird er meine Freunde freilassen.* Doch so richtig freuen konnte sich Jimmy noch nicht. Sein Vater hatte schon einmal seine Loyalität zu Hollingdale über das Glück seiner eigenen Familie gestellt. Wenn seine politischen Überzeugungen tatsächlich so stark waren …

Und noch während dieser Gedanke durch Jimmys Kopf schoss, bestätigte Ian Coates seine schlimmsten Befürchtungen. »Ich verspreche, die gute Arbeit fortzusetzen, die Ares Hollingdale mit seinem neodemokratischen Projekt begonnen hat. In diesen Zeiten der Krise garantiere ich Ihnen, dass weiterhin niemand aus der Bevölkerung mit politischen Entscheidungen belastet wird. Es bedarf keiner Wahlen, um unsere erfolgreiche Zukunft zu sichern.«

»Das will ich auch hoffen«, nickte die Frau neben Jimmy. Ungläubig starrte er auf das Fernsehbild seines Vaters. Mit jeder Sekunde wich die leichte Anspannung um Ian Coates' Augen. Zu Jimmys Entsetzen wirkte sein Vater mehr und mehr wie der souveräne Führer einer Nation.

»Darüber hinaus versichere ich Ihnen, dass wir alle Anstrengungen unternehmen werden, um den hinterlistigen und grausamen Mörder Ares Hollingdales zur Strecke zu bringen. Zu diesem Zweck arbeite ich eng mit der Polizei und dem Geheimdienst zusammen. Es gibt bereits eine verdächtige Person.«

Ein Foto wurde eingeblendet: ein Junge in Schuluniform. Jimmys Gesicht prangte plötzlich auf sämtlichen Fernsehern im Laden. Und während die Kamera nahe an Jimmys Augen auf dem Porträt heranzoomte, brach in ihm selbst eine Welt zusammen.

»Er sieht vielleicht aus wie ein Jugendlicher«, fuhr Coates fort, »aber er stellt eine massive Bedrohung für die Sicherheit der gesamten Nation dar. Wenn Sie ihn sehen, nähern sie sich ihm nicht. Verständigen Sie augenblicklich die Polizei.«

Die Bildschirme zeigten erneut Jimmys Vater. Er zog die Mundwinkel leicht nach oben und faltete die Hände auf der Schreibtischplatte. »Abgesehen davon geht hier in Westminster alles seinen gewohnten Gang.«

Jimmy bekam kaum noch etwas von seiner Umgebung

mit. Er sah nur noch den stechenden Blick seines Vaters vor sich. *Eine massive Bedrohung für die Sicherheit der gesamten Nation.* Diese Worte hallten in Jimmys Kopf wieder. Sein Vater konnte sich doch wohl kaum seinen *Tod* wünschen. Wenn Jimmy nur mit ihm reden und ihm erklären könnte, dass er der Nation wirklich keinen Schaden zufügen wollte, dann würde sein Dad sicher erkennen, dass dies alles ein Missverständnis war.

Am liebsten hätte Jimmy die Bildschirme angeschrien. Aber das war natürlich völlig sinnlos. Das immer stärker anschwellende Gemurmel der ihn umgebenden Menschenmenge riss ihn aus seinen Gedanken. Die Leute wichen vor ihm zurück. Die Frau mit dem Baby hatte entsetzt den Mund aufgerissen und zeigte auf ihn.

Jimmy drehte sich um. Der Verkäufer hinter der Ladentheke streckte die Hand nach dem Telefon. Jimmy wartete nicht ab, bis er den Anruf tätigte. Stattdessen schoss er aus dem Laden und schubste die dort herumstehenden Menschen beiseite. Sie deuteten mit dem Finger auf ihn und schrien ihm hinterher.

Das ganze Land würde ihn nun für den Mörder Ares Hollingdales halten. Alle würden Jagd auf ihn machen. Doch sein Vater konnte das unmöglich wirklich glauben. Jimmy versuchte einen klaren Gedanken zu fassen, während er mit Höchstgeschwindigkeit durch die Straßen flitzte.

Es war schon schlimm genug, dass sein Vater als frischgebackener Premierminister nicht wieder zur echten Demokratie zurückkehren wollte. Aber warum musste er zu allem Überfluss dem ganzen Land verkünden, sein eigener Sohn wäre ein Mörder? Jimmy dämmerte die Antwort: Sein Vater wollte die Kontrolle. Er hatte die Macht über das Land, nun wollte er auch noch Macht über seinen Sohn. Jimmys Beine stampften mechanisch weiter, während irgendetwas in seinem Kopf seine Aufmerksamkeit einforderte. Es fühlte sich an, als würden sich Dolche von innen in seine Augen bohren. Natürlich! Seine Freunde. Seine Mutter. Die Zeit lief ihm davon.

Ian Coates' Schritte hallten durch die Lobby. Er hielt den Blick gesenkt, sodass man ihm die drückenden Sorgen nicht ansah. Neben ihm lief Miss Bennett, hinter ihnen versuchte die Kaugummi kauende Eva Schritt zu halten. Als die kleine Gruppe den Aufzug erreichte, hob der Wachmann grüßend die Hand und schob seinen Schlüssel in die Schalttafel an der Wand. Genau in diesem Augenblick flitzte ein *NJ7*-Agent auf Miss Bennett zu und reichte ihr eine Notiz.

»Herr Premierminister, einen Moment«, sagte diese und zog Ian Coates von der Aufzugtür zurück. Doch dann hielt sie inne und sah sich um. Alle Augen ruhten auf ihr. »Wir sprechen besser hier drinnen.« Die verchromten Türen glitten auf und die beiden betraten die Aufzugkabine. »Eva, du wartest hier«, kommandierte sie, ohne das Mädchen eines Blickes zu würdigen.

Sobald sie alleine im Lift standen, begann Miss Bennett: »Herr Premierminister ...«

»Bitte, Miss Bennett, Sie können mich weiter Ian nennen«, warf Jimmys Vater ein. Sein Gesichtsausdruck wurde weicher. »Und ich hoffe, ich darf Sie weiterhin …«

»Nennen Sie mich einfach Miss Bennett.«

Die kühle Abfuhr ließ Ian Coates zurückzucken. Miss Bennett fuhr fort: »Wir haben gerade zwei Passagiere identifiziert, die gestern Abend mit dem Eurostar ins Land gekommen sind.«

»Reden Sie nicht lange um den heißen Brei herum, Miss Bennett, wer ist es?« Er starrte ihr direkt in die Augen. Sie hielt seinem Blick stand.

»Einer von ihnen ist Felix Muzbeke. Die andere ist Ihre Tochter.«

Ihr Tonfall war selbstbewusst – fast herausfordernd.

Ian Coates hatte sich sofort wieder im Griff. »Sie sind also in England«, murmelte er. »Wissen die Gefangenen davon?«

»Nein, ich habe die Nachricht selbst gerade erst erhalten.«

»Sie müssen sich in Jimmys unmittelbarer Nähe aufhalten. Informieren Sie Ihre Agenten. Wenn wir die beiden finden, dann haben wir auch Jimmy. Aber ihnen darf kein Haar gekrümmt werden. Und ich will nicht, dass sie hierher gebracht werden.« Seine Stimme klang heiser, als kämen die Worte nur mit Widerwillen heraus. »Schicken Sie jeden verfügbaren Agenten los, um nach den dreien zu suchen.«

»Betrachten Sie es als bereits erledigt«, erwiderte

Miss Bennett. »Und soll ich den Luftschlag gegen das Bauernhaus abblasen?«

»Noch nicht.« Ian Coates war tief in Gedanken versunken.

»Aber dort ist niemand mehr – nur noch Yannick Ertegun und seine Mutter. Und die Satellitenüberwachung zeigt, dass die beiden in die nahe gelegene Stadt gefahren sind. Wieso sollten wir ein verlassenes Haus bombardieren?«

Coates brachte sie mit einer raschen Handbewegung zum Schweigen. »Der Pilot soll vorläufig nichts unternehmen, sich aber für weitere Befehle bereithalten«, erklärte er. »Ich brauche noch ein kleines Druckmittel gegenüber meiner Frau.«

Eva klopfte nervös mit dem Fuß auf den Marmorboden der Lobby. Sie schenkte dem Wachmann am Lift ein verlegenes Lächeln. Es war ein Mann mittleren Alters. Vermutlich hatte er schon in der Botschaft gearbeitet, bevor der *NJ7* das Kommando dort übernommen hatte. Sein kleines Bäuchlein ließ ihn nicht wie einen Agenten, ja nicht einmal wie einen Ex-Agenten erscheinen. Die Lobby wurde mittlerweile von zwei *NJ7*-Agenten hinter dem Empfangstresen gesichert. Und natürlich standen vor der Eingangstür schwer bewaffnete Wachen. Dieser Mann war ein Überbleibsel der alten Botschaftsmannschaft – und gleichzeitig eine Schwachstelle.

Unsicher erwiderte er Evas Lächeln. Seine Lachfältchen in den Augenwinkeln reichten bis zu seinen grauen

Schläfen. Sein Schlüsselbund war mit einer Kette am Gürtel befestigt. *Das ist meine erste und einzige Chance*, dachte Eva. *Miss Bennett kann jeden Moment zurück sein.* Zum Glück war Eva vorbereitet.

Aus den Augenwinkeln peilte sie ihr Ziel an: einen Putzeimer voll Seifenwasser. Er stand an der Wand direkt neben ihr – wo sie ihn nach ihrer Rückkehr aus dem Hyde Park platziert hatte. *Zeit zu handeln*, dachte sie und holte tief Luft. Dann dreht sie sich auf dem Absatz um und trat gegen den Eimer. Das Blech schepperte laut auf dem Marmor. Seifenwasser flutete die Lobby. Eva ließ sich bäuchlings in die sich ausbreitende Lauge fallen.

»Argh!«, japste sie, als sie auf dem Marmor landete. Seifenbrühe spritzte ihr ins Gesicht. Ihre Kleider waren sofort patschnass. »Hilfe!« Sie wedelte mit den Armen in Richtung des Wachmanns. Natürlich tapste er sofort in ihre Richtung, sorgfältig darauf bedacht, nicht selbst auszurutschen. Er streckte ihr seine Hand hin und Eva umklammerte sein Handgelenk.

»Oh, vielen Dank«, quiekte sie. Dann riss sie den Wachmann zu sich nach unten. Damit hatte er nicht gerechnet. Er rutschte aus und verlor das Gleichgewicht. Als er mit einem lauten Klatschen landete, spritzte das Wasser fast einen Meter in die Höhe. »Oh nein!«, schrie Eva. »Das tut mir so leid!« Sie sprang auf. »Haben Sie sich verletzt?«

Der Wachmann stöhnte und wollte sich aufrichten. Eva tat, als würde sie erneut ausrutschen und landete mit einem dumpfen Schlag auf dem Oberkörper des Mannes.

»Oh nein! Habe ich Ihnen wehgetan?«, flüsterte sie und kniete sich hin. »Tut es weh, wenn ich so mache?« Sie rammte ihren Ellbogen in den Rücken des Mannes. Er stieß einen Schmerzensschrei aus. Eva tastet nach der Schlüsselkette. Einer der Agenten am Empfangsschalter erhob sich und kam auf sie zu.

Eva bekam den richtigen Schlüssel zu fassen. Sie warf sich auf die Seite, sodass ihre Hände verborgen waren. Dann riss sie an der Schlüsselkette. Doch der Schlüssel ging nicht ab.

»Alles in Ordnung?«, erkundigte sich der Agent hinter dem Empfangsschalter. Der Mann auf dem Boden stöhnte erneut. Eva rammte ihm das Knie in den Oberschenkel.

»Besser, Sie holen einen Notarzt«, brabbelte sie. »Und kommen Sie nicht zu nah, sonst rutschen Sie auch aus!« Ihre Nägel gruben sich in die Metallkette, aber die Seife aus dem Putzwasser hatte sie furchtbar schlüpfrig gemacht. Außerdem zitterten ihre Hände vor Aufregung.

Schließlich rollte sich der Wachmann auf dem Boden herum. Eva konnte ihn nicht länger dort halten. Der Mann stemmte sich hoch.

»Es tut mir so leid«, jammerte Eva und sprang auf. Hinter ihrem Rücken umklammerte sie einen kleinen goldenen Schlüssel.

# KAPITEL 20

Je näher Jimmy der französischen Botschaft kam, desto betriebsamer wurde es auf den Straßen. Er hielt den Kopf gesenkt. Jeder Passant könnte ihn erkennen. Die Leute vom *NJ7* hatten ihre Augen überall. Dann erhöhte sich schlagartig Jimmys Pulsschlag. Am Ende der Straße standen zwei muskelbepackte Männer in schwarzen Anzügen und starrten in seine Richtung.

Und im gleichen Moment stürmten die beiden Agenten auch schon auf ihn zu. Jimmy zwang sich stehen zu bleiben und dann wieder in die Richtung zurückzulaufen, aus der er gekommen war. In wildem Zickzackkurs preschte er durch Nebenstraßen, wich um Haaresbreite Fußgängern aus. Er hoffte, dass die Agenten ihm in dem Gedränge nicht folgen konnten.

Doch das brauchten sie gar nicht. Als Jimmy um die nächste Ecke bog, überfiel ihn erneut Panik. Keinen Meter vor ihm standen zwei weitere Agenten. Jimmy zögerte nicht. Er sprang vom Gehweg mitten auf die Fahrbahn. Eine Stoßstange streifte sein Bein. Ein wildes Hupkonzert brach los. Die Autofahrer brüllten ihn aus offenen Fenstern an.

Jimmy schaffte es auf die andere Seite der Straße, in

den Ohren laute Flüche und Abgasgestank in der Nase. Die Agenten folgten ihm mit wenigen Sekunden Abstand.

Während er weiterrannte, sah er quälende Bilder vor sich. Er stellte sich seine Mutter, Viggo und Saffron im Keller der Botschaft vor, wie sie auf ihn warteten. Jimmy war jetzt ganz in ihrer Nähe, doch der *NJ7* versperrte ihm den direkten Zugang.

Wie viel Zeit hatte er schon verschwendet? Wie lange war er durch den Schock wie gelähmt gewesen? Er ballte die Kiefermuskeln und verdammte seine eigene Schwäche. Wenn nur die Agentengene in ihm schon stark genug gewesen wären, seine menschliche Schwäche auszugleichen.

Er würde Miss Bennett zur Rede stellen. Denn die Aussichten, die Gefangenen mit roher Gewalt befreien zu können, waren denkbar gering. Daher klammerte er sich an die vage Hoffnung, Miss Bennett könnte jetzt, wo Jimmys Vater Premierminister war, ihre Einstellung geändert haben.

Ian Coates und Miss Bennett waren im Kellergeschoss angekommen und verließen den Lift. Zwei Agenten eskortierten sie zu dem Zellentrakt, in dem Viggo, Stovorsky, Saffron und Helen Coates saßen. Die Männer an der Tunnelbohrmaschine unterbrachen ihre Arbeit und salutierten. Selbst die über ihren Schrubber gebeugte Reinigungskraft wischte sich die runzelige Stirn und drehte sich in Richtung des Premierministers. Ian

Coates schaute unbehaglich, angesichts all dieser unerwünschten Zeugen.

»Bringen Sie mir einen Laptop«, befahl er Miss Bennett leise. »Und stellen Sie eine Liveschaltung zu den Satellitenbildern vom Bauernhaus her.«

»Jawohl«, erwiderte sie und winkte einen Agenten herbei.

»Und holen Sie mir den französischen Botschafter hier runter«, fügte Ian Coates hinzu. Miss Bennett nickte knapp, und Ian Coates wandte sich der Zelle zu. Noch bevor er durch die Sicherheitsschranke war, überraschte ihn eine Stimme.

»Ich gratuliere zur Beförderung, Ian«, rief Helen. Doch ihr Gesichtsausdruck wirkte unversöhnlich.

Ian Coates blieb vor dem Gitter stehen und musterte das Gesicht seiner Frau, als hätte er sie seit Jahrzehnten nicht mehr gesehen.

Viggo kam in den vorderen Teil der Zelle. »Herr Premierminister«, begann er. »Im Namen des britischen Volkes bitte ich Sie: Rufen Sie freie Wahlen aus. Lassen Sie das Volk selbst entscheiden, wen es an der Spitze dieses Landes wünscht.«

Ian Coates hob eine Augenbraue, ohne den Blick von seiner Frau zu wenden. Viggo fuhr fort. »Und öffnen Sie die Grenzen. Gestatten Sie der britischen Bevölkerung, Waren aus anderen Ländern zu importieren und geben Sie internationalen Geschäftsleuten wieder die Möglichkeit, in unserem Land Handel zu treiben.« Es wirkte fast so, als hätte Viggo seine Ansprache unzählige Male geprobt. Trotz der Haft und der quälenden Verhöre sprach er klarer und bestimmter als je zuvor.

Endlich spuckte Ian Coates seine Antwort aus. »Haben Sie sonst noch Wünsche, Viggo?«

Bevor Viggo antworten konnte, platzte Helen wütend heraus. »Lass uns frei, Ian!«, rief sie. »Was willst du von uns?«

»Ich will Jimmy«, bellte Coates. »Er ist eine Gefahr für ganz Großbritannien. Entweder er arbeitet mit mir zusammen oder er wird neutralisiert.«

»Du willst deinen eigenen Sohn …«, flüsterte Helen mit versagender Stimme und Tränen traten in ihre Augen.

»Ich werde alles tun, um dieses Land zu schützen.«

»Ich dachte, Hollingdale wäre übel, aber du bist *ein Monster*.« Helen wich von den Gitterstäben zurück und legte die Hand über den Mund.

Ian Coates' Augen zuckten unmerklich, bevor er fortfuhr. »Trotz Paduks Überzeugungsarbeit habt ihr den geheimen Unterschlupf noch nicht preisgegeben.«

»Es gibt keinen geheimen Unterschlupf«, zischte Viggo, wobei er in Erinnerung an das, was er während Paduks Verhör erlitten hatte, erschauderte.

Ian Coates lachte schnaubend. »Versuchen Sie nicht, mich zum Besten zu halten. Wo ist dieser Ort?« Er musterte die Gesichter der Gefangenen. Wütend starrten sie zurück. Keiner von ihnen rührte sich.

»Na schön«, sagte Ian Coates mit eisiger Stimme.

»Viggo, Sie können entscheiden, wer von den drei anderen als Nächstes von Paduk bearbeitet wird.« Einen Augenblick schien Viggo kurz davor zu explodieren. Coates fuhr fort: »Außerdem können Sie auch bestimmen, wer von Ihnen als Erster hingerichtet wird.«

Viggo verzog keine Miene. Er blickte zu seinen Mitgefangenen, die alle ebenso entschlossen und standhaft wirkten. Dann antwortete Viggo dem Premierminister voller Verachtung: »Tun Sie, was Sie wollen. Keiner von uns wird Ihnen auch nur das Geringste verraten.«

Ian Coates nickte. »Genau diese Reaktion hatte ich erwartet.« Er streckte eine Hand in Miss Bennetts Richtung aus, die sofort auf ihn zugeschossen kam und ihm den Laptop reichte. Er hielt ihn gegen die Gitterstäbe, sodass die Gefangenen den Bildschirm betrachten konnten.

»Sehen Sie sich das an«, befahl er.

Das Bild war etwas verschwommen, aber man erkannte eindeutig eine Farm aus der Vogelperspektive. Es war eine Liveübertragung von einem der *NJ7*-Satelliten, die Westeuropa ausspähten. Dementsprechend war sie völlig geräuschlos – die Bilder wurden von einer unheimlichen Stille begleitet.

»Was hast du vor?«, fragte Helen mit belegter Stimme. »Dort hält sich unsere Tochter auf. Du weißt das, oder?« Ian warf einen kurzen Blick zu Miss Bennett. Beide schwiegen. »Was immer du vorhast, tu es nicht«, flehte Helen.

Stovorsky und Saffron hatten sich erhoben. Von dem

flimmernden Bild angezogen, näherten sie sich. »Sir«, erklärte Stovorsky, »falls Sie vorhaben, französisches Territorium anzugreifen, begehen Sie einen schweren Fehler.«

»Diesbezügliche Sorgen sind unnötig, wenn Sie mir Jimmys Versteck verraten.«

Viggo war fassungslos. »Sie wussten die ganze Zeit, wo wir uns in Frankreich aufgehalten haben?«

»Natürlich«, erwiderte Ian. »Wir hätten Sie alle ohne Probleme auslöschen können.«

»Warum haben Sie es dann nicht getan?«

»Der einzige Grund war ein paranoider alter Mann. Hollingdale wollte Ihr kleines Bauernhaus nicht bombardieren, weil er zu viel Angst vor den Franzosen hatte.« Ian Coates' Mund verzog sich zu einem halben Lächeln. »Aber jetzt ist Hollingdale tot«, flüsterte er. »Und ich bin kein solcher Feigling.«

Die Gefangenen standen wie erstarrt da, bis Helen Coates ihrem Entsetzen Ausdruck verlieh. »Da sind vier Menschen in diesem Bauernhaus, Ian. Zwei davon sind noch halbe Kinder. Und eines davon ist unsere Tochter.«

Die Augen des Premierministers waren ausdruckslos. »Ihr habt die Wahl«, erklärte er.

»Wilson Street«, platzte Viggo heraus.

»Chris, nicht!«, schrie Jimmys Mutter. »Lass uns erst überlegen.«

»Da gibt es nichts zu überlegen«, erwiderte Viggo. »Wilson Street Nummer 54. Oberstes Stockwerk.« Ian

Coates nickte in Miss Bennetts Richtung. Diese schaute zu einem Agenten, der offenbar nur auf ihr Zeichen gewartet hatte. Augenblicklich murmelte er etwas in sein Handy.

»Was habt ihr vor?«, schnaufte Jimmys Mutter. Sie erhielt keine Antwort.

»Sie haben mich erneut hintergangen, Viggo«, schnaubte Stovorsky.

»Nein, das hat er nicht, Uno«, unterbrach ihn Saffron. »Er hat Leben gerettet – und Frankreich vor einem kriegerischen Angriff bewahrt.«

Stovorsky konterte: »Und was ist mit unseren französischen Agenten, für die dieser geheime Unterschlupf lebensnotwendig ist? Sie denken nie über die langfristige Perspektive nach, Saffron. Vielleicht haben Sie sich ja deshalb für den falschen Mann entschieden.« Saffron schwieg, ging zur anderen Seite der Zelle und ergriff Viggos Hand.

Inzwischen hatte sich Jimmys Vater zu Miss Bennett gedreht. Die armselige Gestalt des Botschafters trat hinter ihr nervös von einem Fuß auf den anderen.

»Herr Botschafter«, rief Ian. »Ich fürchte, ich muss mich entschuldigen. Was ich nun tue, stellt keinen Angriff auf Ihr Land da. Es dient lediglich der Selbstverteidigung meines eigenen.«

Der Botschafter blickte ängstlich in die Runde. Er war umstellt von *NJ7*-Agenten, die ihn alle einen Kopf überragten. Man konnte sehen, wie er zitterte. »N-nein«, stotterte er, »machen Sie sich keine Gedanken,

Sie haben meinen Segen, was auch immer Sie vorhaben.« Ian Coates hielt erneut den Laptop hoch.

»Was hast du vor?«, rief Jimmys Mutter. »Bist du wahnsinnig? Du hast doch die Informationen, die du wolltest! Mach dem sofort ein Ende!«

Noch bevor sie ausgesprochen hatte, fiel ein dunkler Schatten über das Bauernhaus und Bruchteile einer Sekunde später zuckte ein greller Blitz über den Bildschirm. *»NEIN!«*

Dann wurde das Bild wieder scharf. Wo einmal das Bauernhaus gestanden hatte, loderten jetzt Flammen und dichter schwarzer Qualm stieg aus den Trümmern in den Himmel.

»Was hast du getan?«, schrie Helen und sank tränenüberströmt auf die Knie. Alle anderen waren fassungslos. Ian Coates blickte nicht zu seiner Frau, die am Boden zusammengesunken war. Mit einer Stimme, die so brüchig war, dass man ihn kaum verstehen konnte, meldete sich Viggo zu Wort. »Aber ich habe Ihnen doch die Wahrheit gesagt.«

Ian Coates trat so dicht an die Gitterstäbe, dass sie beide sich unmittelbar gegenüberstanden. »Das werden wir ja sehen«, fauchte er. »Erst wenn ein Team von Agenten Jimmy lokalisiert hat, haben wir Gewissheit. Sollten Sie ihn nicht finden, wird Miss Bennett in fünfzehn Minuten zurückkehren, um einen von Ihnen zu exekutieren. Und dann jede Viertelstunde einen weiteren.« Mit diesen Worten marschierte er quer durch den Vorraum zurück zum Lift.

»Schafft ihn hier weg«, bellte er und stieß den Zeigefinger in Richtung des französischen Botschafters.

Miss Bennett führte die Gruppe von *NJ7*-Agenten an. Sie folgten dem Premierminister zurück in die Lobby. Die Gefangenen blieben alleine mit ihren Wachen zurück.

Stovorsky umklammerte wütend die Gitterstäbe. »Diesmal ist Coates zu weit gegangen«, murmelte er.

»Es gibt nichts, was wir jetzt tun könnten«, erklärte Viggo, der zur Helen getreten war. Saffron war bereits bei ihr, um sie zu trösten. Beide weinten.

Stovorsky starrte aus der Zelle in den Kellerraum. Viggo spähte neugierig über die Schulter zu ihm. Am anderen Ende des Kellers bemerkte er die gebückte alte Reinigungskraft, die jetzt zu ihnen herüberschlurfte.

»Was hast du vor?«, fragte Viggo.

»Coates hat Frankreich angegriffen«, erwiderte Stovorsky. »Es ist mir egal, was der Botschafter sagt. Dieser Anschlag auf Frankreich ist eindeutig ein kriegerischer Akt.«

Die Reinigungsfrau erreichte jetzt die Sicherheitsschleuse, wobei sie die ganze Zeit den Boden wischte. Die Wachleute inspizierten ihren Ausweis und winkten sie dann durch die Plexiglastüren. Sie näherte sich den Zellen. Stovorsky ging in die Knie, streckte den Arm durch die Gitterstäbe und schrieb mit den Fingern etwas in den Staub. Viggo reckte den Hals, um es lesen zu können. Die Buchstaben waren deutlich zu erkennen, doch er hatte keinen Schimmer, was sie bedeuten sollten: *ZAF – 1.*

Noch bevor Stovorsky den letzten Buchstaben zu Ende geschrieben hatte, hatte die Reinigungskraft sie schon wieder ausgewischt. Sie nickte fast unmerklich.

»Was soll das …«, begann Viggo, aber Stovorsky fuhr herum und brachte ihn mit einem auf die Lippen gelegten Finger zum Schweigen. Noch immer war Helens lautes Schluchzen zu hören. Viggo bemerkte, wie über Stovorskys Gesicht ein listiges Grinsen huschte.

# KAPITEL 21

»Ich kapier das nicht«, rief Felix Georgie zu, die auf ihrem Bett hockte. »Ich mache alles genauso wie Jimmy, aber ich schau überhaupt nicht maskiert aus. Mein Gesicht ist einfach nur verschmiert.«

Georgie unterdrückte ein Lachen. Sie wollte ihn nicht noch weiter entmutigen. Aber dann steckte Felix den Kopf durch die Badezimmertür und sie sah, was er angerichtet hatte.

Sie prustete lauthals los. Überall an seinem Kopf klebten Seifenstückchen, einige pappten sogar an den Ohren. Sein Haar war mit irgendeiner Masse verklebt, die er offensichtlich selbst zusammengemixt hatte. Und von seinem Kinn tropften kleine Rinnsale schwarzen Wassers.

»Tolle Maskerade, Felix«, grinste sie. Auch Felix musste lachen und wischte sich mit dem Ärmel über das Gesicht.

»Glaubst du, es funktioniert?«, fragte Felix. »Ich meine Jimmys Verkleidung. Meinst du, bei ihm ist alles in Ordnung?«

»Klar.« Georgie zuckte mit den Achseln. »Natürlich ist alles in Ordnung. Schließlich ist es ja Jimmy.« Sie wünschte, sie hätte es mit mehr innerer Überzeugung sagen können. »Er wird jede Minute zurück sein.«

»Dann werden wir erfahren, was los ist.«

»Klar«, pflichtete Georgie ihm bei und fügte dann hinzu: »Wenn wir wenigstens fernsehen könnten, während wir hier warten.« Beide seufzten. Es gab nichts, mit dem sie sich von ihren Sorgen um Jimmy ablenken konnten. Genau in dem Moment klopfte es an der Tür. Überrascht blickten sie einander an.

Felix bewegte lautlos die Lippen: »Jimmy?« Georgie schüttelte den Kopf. Dann ertönte eine Stimme.

»Schnell, lasst mich rein.« Es war eine Männerstimme, tief und in befehlendem Ton. Aber sie gehörte niemandem, den sie kannten. »Ich heiße Roebuck. Ich bin ein Freund von Christopher Viggo. Er hat mich geschickt. Hier ist es nicht mehr sicher.«

Felix und Georgie sahen sich ratlos an.

»Es ist alles in Ordnung«, fuhr die Stimme draußen fort. »Ich weiß, dass ihr da seid. Und ihr habt völlig recht, wenn ihr euch nicht rührt. Aber ihr müsst mir glauben. Der *NJ7* ist bereits unterwegs hierher. Könnt ihr die Helikopter hören?«

Sie lauschten. Georgie richtete sich auf dem Bett auf. Tatsächlich. Das Geräusch war zwar noch weit entfernt, aber es war unverkennbar. Ein tiefes Dröhnen, als würde das Meer herandonnern.

»In Ordnung«, erwiderte Georgie schließlich. »Wenn Sie Chris kennen, wie ist dann mein Name?«

»Georgie, oder?«, kam die Antwort von draußen.

»Ist Felix bei dir?« Felix schnappte nach Luft und machte einen Schritt in Richtung Tür.

»Die Zeit wird knapp«, beharrte der Mann draußen.

Felix und Georg sahen sich fragend an. »Es ist ein Trick«, flüsterte Felix.

»Aber was, wenn nicht?«, erwiderte Georgie. Es folgte ein weiteres längeres Schweigen. Nur das entfernte Dröhnen der Helikopter füllte den Raum. In ihrer Fantasie wurde es tausendfach verstärkt. Schließlich marschierte Georgie zur Tür und sperrte auf.

Draußen stand ein großer Mann mit kurzen blonden Haaren. Seine Jeans waren schmutzig, sahen aber teuer aus, und dasselbe galt für seinen Mantel

»Georgie, Felix, schön euch kennenzulernen«, flüsterte er. »Ich bin Roebuck. Leider haben wir jetzt nicht die Zeit, uns näher bekannt zu machen. Wir müssen hier weg. Wo ist Jimmy?«

»Er ...« Georgie unterbrach sich. Ihr natürliches Misstrauen hatte sich wieder eingeschaltet. »Er ist irgendwo unterwegs.«

Roebuck runzelte kurz die Stirn. »Das ist schon in Ordnung«, sagte er schließlich. »Er wird das Richtige tun, wenn er die Hubschrauber hört.«

Er wartete nicht auf eine Antwort. Stattdessen rannte er im Eiltempo die Treppen hinunter. Felix und Georg folgten ihm, fasziniert von seinen kraftvollen Bewegungen. Unten angekommen hielt er ihnen die Eingangstür auf und winkte sie hindurch.

»Aber was ist mit ...«, begann Felix und sah zu

Georgie. Doch er brachte die Frage nicht zu Ende. Roebuck drängte die beiden in ein Taxi, das direkt vor dem Gebäude parkte.

Felix und Georgie ließen sich auf die schwarzen Ledersitze fallen und Roebuck schlug die Tür hinter ihnen zu. Es war ein altmodisches Londoner Taxi mit einer breiten Rückbank und zwei Klappsitzen gegenüber. Eine Plexiglasscheibe trennte den Fahrgastbereich vom Fahrer. Während Roebuck um den Wagen zur Fahrertür lief, waren die beiden für einen Augenblick alleine.

»Was wolltest du sagen?«, fragte Georgie leise.

»Ich weiß nicht. Was ist mit Jimmy …«

Doch da schwang sich Roebuck bereits hinters Lenkrad. Er startete das Taxi und schoss mit quietschenden Reifen davon. Vielleicht war es die Müdigkeit, aber weder Georgie noch Felix bemerkten den unauffälligen grünen Streifen auf der Taxilizenz.

Jimmy rannte unermüdlich. Sein T-Shirt war schweißgetränkt. Sein Puls pochte ihm laut in den Ohren und mischte sich mit den hämmernden Schritten der Agenten dicht hinter ihm. Die französische Botschaft war nur noch einen Häuserblock entfernt. *Ich bin fast da*, dachte Jimmy. Doch an der nächsten Ecke kamen ihm weitere Agenten entgegen. Jimmy wechselte erneut die Richtung. Er war wie in einem Netz gefangen. Da waren Dutzende von ihnen. Wohin er auch blickte, überall sah Jimmy weitere schwarze Anzüge und dünne Krawatten, die im Wind flatterten.

Plötzlich warf Jimmy sich der Länge nach auf den Gehweg. Seine Hände klatschten schmerzhaft auf den Beton. Dann rollte er blitzschnell vom Bordstein auf die Straße, genau zwischen zwei Autos. Im Rollen sah er abwechselnd den Himmel, den Straßenbelag und dazwischen die roten Gesichter der Männer in den schwarzen Anzügen mit den grünen Streifen.

Jimmy landete in der Mitte der Straße. Er blickte auf. Da war die französische Botschaft. Dann fielen Schatten auf sein Gesicht. Schwarze Anzüge umringten Jimmy von allen Seiten.

»Nicht schießen!«, rief Jimmy. Er war überrascht, wie ruhig seine Stimme klang. Innerlich zitterte er wie Wackelpudding. Dann stürzten sich die Agenten auf ihn. Jimmy fühlte, wie große Hände an ihm zerrten. Schwer zu sagen, wie viele es waren. Er leistete keinen Widerstand.

»Bringen Sie mich zu Miss Bennett!«, befahl Jimmy. »Sie will mich lebend!«, improvisierte er. Mit Leichtigkeit drehten ihn die Agenten auf den Bauch. Jemand packte seine Handgelenke und der kalte Stahl von Handschellen schloss sich klickend darum. Währenddessen hielt Jimmy seine Konditionierung sorgsam in Schach, um sie von irgendwelchen drastischen Aktionen abzuhalten. In diesem Augenblick fühlte sich Jimmy nur allzu menschlich. Ob die Agenten wohl merkten, wie heftig er zitterte?

Seine Wange wurde in den Straßendreck gedrückt. Er schmeckte den Staub auf seiner Zunge und schnappte nach Luft. Seine Lippen berührten den Asphalt. Es war ekelhaft. Und durch den Schmutz und Staub spürte er plötzlich kühles Metall. Der Schlüssel zum Lift. Wie vereinbart hatte Eva ihn genau vor der Botschaft auf den Mittelstreifen geklebt.

Jimmy packte ihn mit den Zähnen. Und gerade noch rechtzeitig schloss er den Mund. Denn einer der Agenten zerrte Jimmys Kopf an den Haaren nach oben und stülpte ihm einen schwarzen Stoffsack über. Da half nicht einmal mehr seine Nachtsichtfähigkeit. Der Stoff war absolut lichtundurchlässig. Unsanft klopften die Agenten Jimmy nach Waffen ab. Dann hörte er das Klicken einer Pistole. Er ließ seinen Körper schlaff werden, gab sich ganz in die Hände des *NJ7*. Auf jeder Seite hielt ihn ein Agent gepackt. Ein weiterer presste die Mündung seiner Pistole gegen Jimmys Hinterkopf. So eskortierten sie ihn zur Botschaft.

»Wo fahren wir hin?«, rief Georgie vom Rücksitz des Taxis aus. Sie erhielt keine Antwort.

»Hat er mich gehört?«, fragte sie Felix. Felix zuckte mit den Achseln. »Wo fahren wir hin?«, wiederholte sie lauter. Wieder keine Antwort.

»Das gefällt mir nicht«, brummte Felix und stieß sie mit dem Ellenbogen an. »Jetzt wo wir den sicheren Unterschlupf verlassen haben, sollten wir uns besser alleine durchschlagen.«

»Mr. Roebuck«, rief Georgie. »Danke, dass Sie uns aus dem Unterschlupf geholt haben, aber wir kommen jetzt gut alleine zurecht. Könnten Sie uns bitte hier aussteigen lassen?«

Die einzige Antwort war das Dröhnen des Motors, während die Straßen Londons draußen mit unverminderten Tempo an ihnen vorbeirauschten. Georgie rutschte nach vorne an den Rand der Sitzbank. »Hey!«, schrie sie. »Halten Sie das Taxi an!« Sie klopfte gegen die Plexiglaswand hinter dem Fahrer. »Anhalten!«

Der Fahrer reagierte nicht. Felix rüttelte an der Tür. Sie war verschlossen. »Lassen Sie uns raus!«, schrie er. Er legte sich auf den Rücken und trat mit voller Wucht gegen das Fenster. Es gab keinen Millimeter nach, als sei es Panzerglas.

Das Taxi beschleunigte, während sie die Londoner Innenstadt verließen und sich immer weiter von Jimmy entfernten. Felix und Georg starrten einander an. Sie saßen in der Falle.

Jimmy kam es vor, als würde er direkt in die Höhle des Löwen geführt. Selbst der Geruch hier wirkte feindselig – eine Mischung aus scharfen Reinigungsmitteln und Waffenöl. Jimmy versuchte seine Panik nicht zu zeigen. Er war unbewaffnet, seine Hände waren hinter dem Rücken gefesselt und er konnte nichts sehen.

Er stolperte unsicher, während die Agenten ihn weiterschleiften. Zum Glück hatten sie ihn erst durchsucht, nachdem sie ihm den Sack übergezogen hatten. Mit der Zunge schob er den Schlüssel zwischen die untere Zahnreihe und seine Wange.

Er achtete sorgfältig auf den Boden unter seinen Füßen und den Klang seiner Schritte: erst der Marmor der Lobby, dann Teppichboden und schließlich hölzernes Parkett. Er zählte die Stufen, während sie eine Treppe hinaufstiegen. Falls irgendetwas schiefging, war es gut, den schnellsten Fluchtweg zu kennen.

Nach ein paar Minuten blieb seine Eskorte abrupt stehen und riss den Sack von seinem Kopf. Jimmy blinzelte in das grelle Tageslicht, das durch hohe Fenster einfiel. Offenbar befanden sie sich in einem Büro im dritten Stock auf der Vorderseite des Gebäudes. Der Raum lag möglicherweise direkt über dem Haupteingang. Ihm gegenüber an einem großen Holzschreibtisch saß Miss Bennett.

»Jimmy«, sagte sie in einem fast spöttisch klingenden Tonfall. »Nenn mir einen guten Grund, warum diese Männer dich nicht längst getötet haben.«

Jimmy lockerte seinen Unterkiefer und bemühte sich möglichst normal zu reden. »Sollten Sie jetzt nicht in irgendeinem Klassenzimmer sein und Ihren Schülern zusätzliche Hausaufgaben aufbrummen?« Die aufgestaute Wut ließ Jimmy einfach damit herausplatzen. Er konnte sich nicht beherrschen. Früher hatte er ihr vertraut. Doch sie hatte die ganze Zeit ein riesiges Lügengebäude um ihn herum errichtet.

»Lass die dummen Späße, Jimmy Coates«, fauchte Miss Bennett. »Du wirst jetzt genau das tun, was ich dir sage.«

Jimmy richtete sich zur vollen Größe auf und blickte

ihr in die Augen. Der Schlüssel schnitt in sein Zahnfleisch. Trotzdem hatte er es bisher geschafft, ganz normal zu reden. »Lassen Sie meine Freunde und meine Mutter frei«, verlangte er.

Miss Bennett lehnte sich in ihrem Stuhl zurück. »Wie süß«, gurrte sie. »Du hältst das wirklich für möglich, oder?« Jimmy blickte verdutzt. »Die Gruppe von Gefangenen hier im Keller stellt eine massive Bedrohung für dieses Land dar.« Ihre scharlachroten Lippen verzogen sich zu einem Lächeln. »Denk doch mal nach, Jimmy. Du hattest den Auftrag, Christopher Viggo zu töten und hast versagt. Jetzt ist er unser Gefangener. Wir können ihn jederzeit töten, ohne dass irgendjemand davon erfährt oder unbequeme Fragen stellt.«

In Jimmys Kopf überschlugen sich panische Gedanken angesichts der ausweglosen Situation, doch Miss Bennetts leise Stimme ließ ihn erneut aufhorchen. »Aber es gab natürlich einen guten Grund, warum wir ihn bisher am Leben gelassen haben …«

»Das war ich«, keuchte er.

Jimmy konnte nicht glauben, wie dumm er gewesen war. Als Viggo und Saffron nach Felix' Eltern gesucht hatten, waren sie direkt in die Falle gelaufen. Schon die Muzbekes waren Köder gewesen. Das hätte ihm eine Warnung sein müssen. Nun hatte man aus demselben Grund Stovorsky, Viggo, Saffron und Jimmys Mutter als Gefangene gehalten.

»Werden Sie im Austausch für mich freigelassen?«,

fragte Jimmy. Miss Bennett stieß ein perlendes Lachen aus.

»Für dich?«, fragt sie sarkastisch. »Soweit ich sehe, haben wir *dich* bereits.«

»Aber ich dachte …«

»Wie du sicher weißt, war Ares Hollingdale geradezu besessen von dir. Doch er war ein paranoider alter Mann. Ein politischer Visionär, das schon, aber mit zunehmend verwirrtem Geist.«

Jimmy fühlte sich plötzlich wie ausgehöhlt. Er hatte nichts mehr, was er ihr im Austausch anbieten konnte. Das Einzige, was der *NJ7* wirklich gewollt hatte, war er. Und nun stand er hier und war ihnen so hilflos ausgeliefert wie ein neugeborenes Baby. Aber warum hatten sie ihn dann noch nicht getötet? Und während das letzte bisschen Energie aus seinem Körper wich, kam ihm eine Antwort in den Sinn. *Hollingdale* hatte Jimmys Tod gewollt. Doch jetzt war ein neuer Mann an der Macht – sein eigener Vater. Bedeutete das, dass er in Sicherheit war?

Dieser Hoffnungsschimmer reichte, um in Jimmy einen letzten Rest von Widerstandsgeist zu mobilisieren. Miss Bennett musterte ihn schweigend. Obwohl sie eine Undercoveragentin gewesen war, war sie immer auch eine gute Lehrerin gewesen. Sie wusste, wann man einen Schüler selbst nach der Lösung suchen lassen musste, und sie erkannte, wenn er sie gefunden hatte. Sie lächelte Jimmy auf eine Art an, dass er am liebsten schreiend aus dem Gebäude gerannt wäre.

Doch genau in diesem Moment öffnete sich eine Seitentür und herein trat der einzige Grund, aus dem Jimmy noch am Leben war. Schlagartig wich jedes Gefühl aus Jimmy und er hustete: »Hi, Dad.«

Als das Taxi die Vororte hinter sich gelassen hatte, bog es von der Hauptstraße auf eine schmale Landstraße ab. Es kroch weiter, bis kein Verkehr mehr zu sehen war und hielt schließlich an.

Georgie blickte zu Felix, der ihr zuzwinkerte. Verstohlen machte er das Daumen-hoch-Zeichen und gleich darauf krümmte er sich und hustete sich die Lungen aus dem Leib.

»Schnell!«, schrie Georgie. »Ich glaube, ihm ist schlecht.« Felix fiel auf den Boden des Taxis, hielt sich den Magen und gab eine Reihe erstaunlich widerwärtiger Geräusche von sich.

»Lass das!«, schrie Roebuck vom Fahrersitz aus. »Reiß dich zusammen.«

»Er kriegt keine Luft!«, schrie Georgie. »Wahrscheinlich hat er einen Panikanfall. Was ist mit dir, Felix?« Sie beugte sich zu ihm hinunter, als würde sie nach dem sich in Krämpfen windenden Jungen schauen. »Das ist ja eklig«, jaulte Georgie. »Da tropft so widerliches gelbes Zeugs aus seinem Mund.«

»Oh nein«, knurrte der Fahrer und sprang aus dem Wagen. »Kotz mir ja nicht ins Taxi.« Er riss die Tür neben Georgie auf, zog dabei aber vorsichtshalber seine Pistole aus dem Mantel.

»Echt, Sie wollen also ein Freund von Chris sein?«, höhnte Georgie. Sie war stocksauer, weil sie so dumm gewesen und auf diesen Mann hereingefallen war. Sie sprang aus dem Taxi. Felix kroch auf ihre Seite und streckte den Kopf aus dem Wagen.

Roebuck stand direkt über ihm und verfolgte, wie er würgte und spuckte. »Du bleibst genau da stehen«, befahl er Georgie. »Wenn du auch nur einen Mucks machst, erschieß ich dich und deinen Freund.« Und genau in dem Bruchteil einer Sekunde, in dem der Mann sich zu Georgie umdrehte, richtete Felix sich abrupt auf. Sein Hinterkopf traf Roebuck – genau zwischen den Beinen.

Der Mann krümmte sich und stieß ein lautes Schmerzgeheul aus. Er versuchte mit der Pistole zu zielen, aber Georgie wirbelte herum und hämmerte seine Hand mit einem präzisen Kick gegen das Taxi. Auch Felix war jetzt auf den Beinen. Er landete eine Kombination von Schlägen gegen die Brust des Agenten und sprang dann auf den Beifahrersitz. Georgie folgte ihm, während sich der *NJ7*-Agent stöhnend am Straßenrand wälzte.

Georgie ließ den Motor an und das Taxi machte einen Satz nach vorn.

»Kannst du fahren?«, rief Felix.

»Das kann ja wohl nicht so schwer sein«, gab Georgie zurück.

Der Agent hatte sich wieder hochgehievt und stolperte auf sie zu. Sie hatten ihn offensichtlich nicht so wirkungsvoll außer Gefecht gesetzt, wie erhofft.

»LOS!«, schrie Felix. Und gleich darauf schossen sie röhrend davon.

Im Rückspiegel verfolgte Georgie, wie die Gestalt des *NJ7*-Agenten immer kleiner wurde. »Sollen wir wenden und ihn erledigen?«, fragte sie.

»Ist nicht nötig«, erwiderte Felix und versuchte sich ein Lächeln zu verkneifen. »Aber das Trinkgeld kann er vergessen.«

»Sie lassen uns jetzt besser für einen Augenblick allein, Miss Bennett«, sagte Jimmys Vater mit unnötig lauter Stimme. Miss Bennett nickte und ging an Jimmy vorbei zur Tür.

»Falls irgendetwas … vorfällt«, erklärte sie, bevor sie endgültig verschwand, »dann wählen Sie die 7, um Alarm auszulösen.«

Die Tür krachte hinter Jimmy ins Schloss und er war jetzt alleine mit seinem Vater. Ein Teil von Jimmy wäre am liebsten auf ihn zugestürzt und hätte ihn umarmt. Trotz allem. Doch zugleich standen sie nun auf entgegengesetzten Seiten. Nicht zu vergessen, dass seine Hände immer noch hinter dem Rücken gefesselt waren. Aber warum kam sein Vater denn nicht zu ihm und umarmte ihn? Hatte er ihn denn gar nicht vermisst? Eine Träne rann Jimmys Wange herab und er hasste sich selbst dafür.

»Hör auf zu heulen, Jimmy«, befahl sein Vater. Er klang schroff, aber Jimmy nahm ein leichtes Beben in seiner Stimme wahr. Offenbar fiel seinem Vater das

Ganze doch nicht so leicht. »Ich habe Befehl gegeben, dass man dich *nicht* tötet.«

Eine Spur von Erleichterung regte sich in Jimmy. Doch dann fuhr sein Vater fort: »Ich habe ihn nur gegeben, weil ich glaube, dass du in Zukunft auf mich hören wirst.« Ian Coates blickte zur gegenüberliegenden Wand und nicht in Jimmys Richtung, während er sprach. »Man hat dir Lügen über die Gefangenen im Keller erzählt. Haarsträubende Lügen.«

»Das ist nicht wahr«, schnaubte Jimmy. Der kurze Augenblick der Hoffnung wich nackter Verzweiflung. »Du lässt mich nur am Leben, damit ich wieder töte!«

»Hör mir zu, Jimmy Coates!«, donnerte sein Vater. »Hollingdale hatte recht. Der einzig effiziente Weg, ein Land zu führen, ist die absolute Macht. Es ist die einzige Garantie für eine gesicherte Zukunft! Und du solltest deinen Teil dazu beitragen!«

Jimmy ignorierte seinen Vortrag. »Du hast mich nur am Leben gelassen, weil ich wieder als Agent für dich arbeiten soll?«, schnappte er. Die Wut drohte ihn zu überschwemmen, aber er behielt die Kontrolle. »Und ich dachte, du tust es, weil du mich liebst.«

»Ich liebe mein Land«, flüsterte Ian Coates.

»Und was ist mit deinem Sohn?«

»Du bist nicht mein Sohn.«

Ian Coates' Worte hallten in Jimmys Kopf wieder. Seine Tränen versiegten schlagartig. Er versuchte zu sprechen, brachte aber nur ein Keuchen hervor. *Du bist nicht mein Sohn.* Betrachtete ihn sein Vater jetzt nicht mehr als menschliches Wesen oder meinte er damit etwas viel Simpleres? Hatte möglicherweise irgendjemand anders als er zu Jimmys DNA beigetragen?

Jimmy hatte so viele Fragen. Am liebsten hätte er sie alle auf einmal gestellt, doch das war unmöglich. Schweigend fixierte er den Mann, den er seinen Vater nannte, und der nun selbst ein wenig erschrocken wirkte. Vielleicht hatte er etwas verraten, das eigentlich ein Geheimnis hätte bleiben sollen?

»Also, bist du dabei?«, fragte Ian Coates mit ausdrucksloser Stimme. Jimmy antwortete nicht. Er hatte die Frage kaum mitbekommen. »Ich habe Miss Bennett versichert, wenn überhaupt irgendjemand dich dazu überreden kann, dann ich.«

Jimmy starrte seinem Vater ins Gesicht, das plötzlich bleich wirkte. Zwölf Jahre lang waren sie eine ziemlich glückliche Familie gewesen. Wie konnte sein Vater da plötzlich behaupten, er ließe Jimmy nur am Leben, weil er ihn als Agenten für den *NJ7* brauchte? Wie konnte er so hartnäckig leugnen, dass er seinen Sohn liebte?

»Komm auf unsere Seite, Jimmy«, beharrte Ian Coates, während er nach dem Telefonhörer griff. »Dafür bist du geschaffen worden.« In diesem Augenblick liebte und hasste Jimmy seinen Vater mehr als je zuvor.

»Entscheide dich«, drängte Ian Coates. »Ja oder Nein.« Sein Finger schwebte über dem Tastenfeld mit der 7.

Jimmys Konditionierung vibrierte. Sie hatte wahrgenommen, dass sein menschlicher Anteil sich schwach fühlte. Jimmy glaubte fast, ein Flüstern in sich zu hören. *Ja*, sagte es und drängte ihn, das Angebot anzunehmen. Es abzulehnen, hieße, sich in Lebensgefahr zu bringen. Und das wollte sein Agenteninstinkt unbedingt vermeiden. Doch da war noch mehr. Das Programm verursachte eine Art Vorfreude, wieder Teil des *NJ7* zu werden und die Aufgaben eines Agenten zu übernehmen.

»Der genetisch veränderte Agent in dir wird immer stärker werden, Jimmy«, verkündete sein Vater. »Du wirst nie irgendetwas anderes sein. Kannst du es fühlen?«

Jimmys Vater musterte ihn. Jimmy rührte sich nicht. Sein Vater sollte nicht mitbekommen, dass alles in ihm danach schrie, zuzusagen. Und dann bekam Jimmy seine Nerven langsam wieder in den Griff. Stück für Stück gewann er die bewusste Kontrolle über seine Konditionierung zurück. Er benötigte diese gewaltige Energie, doch sie sollte für *ihn* arbeiten und nicht für den *NJ7*.

»Ich fühle mich aber nicht ausschließlich wie ein genetisch veränderter Agent«, fauchte Jimmy durch zusammengebissene Zähne. »Ich glaube, es gibt Menschen, die mich lieben. Und die mich dafür lieben, dass ich auch menschlich bin.«

Ian Coates' Miene verdüsterte sich. Er hatte genug gehört. Der Mann, den Jimmy immer für seinen Vater gehalten hatte, richtete den Blick auf das Telefon. Jede Spur von Mitgefühl war aus seinen Augen gewichen. Sein Finger drückte die Taste mit der 7.

# KAPITEL 22

Irgendwo über der Küste Südenglands drang ein militärisches Transportflugzeug in den britischen Luftraum ein. An den vier Triebwerken mit jeweils acht Propellerflügeln war unschwer zu erkennen, dass es sich um einen *Airbus A400M* handelte. Nach nur wenigen Minuten hatte der Transporter London erreicht. Der Pilot überprüfte jeden seiner neun Monitore, dann gab er das Daumen-hoch-Zeichen.

Hinter ihm bewegte sich das vierköpfige Einsatzteam zur Absprungluke. Alle fünf Besatzungsmitglieder des Flugzeuges waren in schwarzes Leder gekleidet. Schwarze Helme mit getönten Visieren verbargen ihre Gesichter.

Auf Knopfdruck öffnete sich das Dach des Cockpits. Und mit einer Geschwindigkeit von über dreißig Metern pro Sekunde wurde der Pilot herauskatapultiert. Sein Team folgte ihm durch die Ladeluke. Das unbemannte Flugzeug drehte ab und kehrte durch sein *FMS400*-Flugmanagementsystem gesteuert auf direktem Weg nach Frankreich zurück.

Der Fallschirm auf dem Rücken des Piloten öffnete sich automatisch. Unter einem Schirm aus schwarzer

Seide schwebte die kleine, schlanke Gestalt zur Erde hinab. Bald waren es weniger als sechshundert Meter bis zum Boden. Aber das Ziel des Fallschirmspringers war nicht der Boden.

Nur durch leichte Verlagerungen des Körpergewichts steuerte er durch die Luft, als würde er fliegen. Und kaum berührten seine Füße das Dach der französischen Botschaft, rannte er los. Bereits während seiner ersten Schritte entledigte er sich seines Fallschirmrucksacks. Sein Team folgte seinem Vorbild.

Plötzlich war das Dach der Botschaft voller Menschen. Ein *NJ7*-Team hatte den Absprung beobachtet und stürmte nun das Dach. Der Pilot rollte sich ab und als er wieder aufsprang, hielt er in jeder Hand ein Messer. Er bewegte sich zu rasch für die Agenten und hatte sie mit seinen beiden Dolchen kampfunfähig gemacht, bevor sie auch nur einen Schrei ausstoßen konnten.

Durch die Feuerschutztür huschte das Team nach unten in das Gebäude. Erneut war die französische Botschaft Ziel einer Attacke geworden.

Kaum hatte Ian Coates die 7 auf seinem Telefon gedrückt, explodierte Jimmy.

Er bündelte die gesamte Energie seiner Konditionierung, die von seiner Wut zusätzlich angefeuert wurde. Mit gefesselten Händen sprang er leichtfüßig auf den Schreibtisch. Für einen kurzen Augenblick wirkte Ian Coates wie gelähmt. Er fürchtete wohl um sein Leben. *Nein*, dachte Jimmy. *Ich bin stark genug, ihn zu verscho-*

*nen.* Ihre Blicke begegneten sich und bevor sein Vater irgendetwas unternehmen konnte, stieß Jimmy sich ab, segelte in einem perfekten Salto direkt über Ian Coates' Kopf hinweg und krachte in das Fenster hinter ihm.

Mit der Schulter durchbrach er die Scheibe.

Jimmy hielt die Augen fest geschlossen, um sie vor den Glassplittern zu schützen. Daher musste er bei seinem Blindflug ins Leere darauf vertrauen, dass er die Örtlichkeit richtig im Kopf hatte.

Jimmy befand sich kopfüber im freien Fall, doch er drehte sich seitwärts, bis er sich in einem günstigeren Winkel zu dem Fahnenmast befand, auf den er nun zurauschte. Der waagerecht über die Straße vor der Botschaft hinausragende Mast gab leicht nach und ächzte, als Jimmy mit voller Wucht auf ihm landete. Schnell schwang er eines seiner Beine darüber, verlagerte sein Gewicht, bis er rittlings daraufsaß.

Nun kam der schwierigste Teil, denn sich mit hinter dem Rücken gefesselten Händen aus dieser Position hochzustemmen, war ein Kunststück sondergleichen. – Doch Jimmy gelang es.

Nun entdeckte er unter sich zwei Wachleute, die Glassplitter von ihren Uniformen wischten und dann ihre Waffen schussbereit machten.

Mit der Präzision eines Zirkusartisten wirbelte Jimmy auf dem Absatz herum. Ian Coates starrte durch das zerbrochene Fenster auf ihn herab. Er hielt den Telefonhörer ans Ohr. Jimmy hörte den Wachmann unter sich in sein Walkie-Talkie sprechen.

»Ich habe freie Schussbahn«, rief er über den Verkehrslärm hinweg. »Erteilen Sie Feuer frei?«

Ein Team von *NJ7*-Agenten flutete jetzt aus der Botschaft auf die Straße. Ian Coates fixierte Jimmy aus der Sicherheit seines Büros. Sein Gesicht war angespannt, zeigte aber keinerlei Gefühlsregung. Jimmy konnte die Worte des Mannes zwar nicht verstehen, las sie aber von seinen Lippen ab: »Schaltet ihn aus.«

Jimmys Herzschlag setzte für einen Augenblick aus, während bereits die ersten Kugeln in seine Richtung pfiffen. Doch er war auf Überleben programmiert. Er wirbelte erneut herum und wich den Kugeln mit ungeheurer Geschicklichkeit aus.

Aus seinen tränenverschleierten Augen fixierte Jimmy nun den Lauf einer einzigen Pistole. Er konzentrierte seine gesamte Energie auf diese eine Kugel, die abgefeuert wurde. Seine Ohren nahmen nur noch diesen einzigen Schuss wahr. Und seine Augen verfolgten die Flugbahn mit solch konzentrierter Klarsicht, dass die Kugel in Zeitlupe zu fliegen schien. Jimmy fuhr herum, spannte den Körper und streckte die Hände hinter dem Rücken aus, so weit es ging.

Er hatte die Flugbahn perfekt berechnet – die Kugel traf die Kette zwischen seinen Handschellen und durchschlug sie sie. Nun waren Jimmys Hände frei. Sofort packte er die Fahnenstange und schwang sich in Richtung des Gebäudes. Die Agenten feuerten weiter auf ihn, doch er bewegte sich so rasch wie ein Wirbelsturm. Er stieß sich mit den Füßen von der Fassade ab, schlug erneut einen Salto und landete direkt auf dem Rücken eines Agenten. Er schlang den Arm um dessen Hals und benutzte ihn als Schutzschild. Der Agent schlug um sich, versuchte Jimmy abzuschütteln und über die Schulter auf ihn zu schießen. Doch Jimmy hatte jetzt die volle Kontrolle. Er packte die rechte Hand des Agenten und zwang ihn, auf Kniehöhe um sich zu feuern.

In kürzester Zeit krümmte sich das gesamte *NJ7*-Team auf dem Boden und stöhnte vor Schmerz. Jimmy drückte die Schulter des Agenten nach unten, drehte seinen Kopf und schickte ihn mit einem Schlag gegen die Schläfe ebenfalls zu Boden.

*Warum gehen nicht noch mehr Agenten auf mich los?*, dachte Jimmy. *Warum sind keine Scharfschützen an den Fenstern postiert?* Fast schien es, als wäre ein Großteil von ihnen zu einem anderen Einsatzort abberufen worden.

Kurz spähte Jimmy die Straße entlang. Er hätte weglaufen können. Doch das war keine echte Option. Im Keller des Gebäudes warteten vier Menschen auf ihre Rettung. Er betete, dass es noch nicht zu spät war. Dann rannte er zurück in die Botschaft.

Vierzig Meter über der Straße flog ein Fenster auf und ein Kopf erschien. Mitchell reichte ein kurzer Blick. Unten lagen Agenten hilflos auf der Straße, während ein Junge in die Botschaft flitzte. Mitchell hatte kein Mitgefühl mit den verletzten *NJ7*-Agenten. Er erlaubte sich sogar ein kleines anerkennendes Lächeln angesichts von Jimmys Fähigkeiten. *Natürlich können die dich nicht töten*, dachte er. *Das ist schließlich mein Job.*

Wo waren sie nur alle? Jimmy hatte damit gerechnet, es in der Lobby mit Dutzenden weiterer Agenten zu tun zu kriegen. Doch selbst der Wachmann neben dem Lift war verschwunden.

Erleichtert spuckte Jimmy den Schlüssel aus. Er versuchte den ekligen Geschmack herunterzuschlucken, während er den Schlüssel an seiner Hose abwischte. Ohne den Aufzug anzufordern schob er den Schlüssel in die Schalttafel an der Wand. Er drehte ihn und die Türen glitten auseinander. *Sind das Schüsse in den oberen Stockwerken?*, fragte er sich. *Auf wen schießt der NJ7, wenn nicht auf mich?* Jimmy hatte keine Zeit es herauszufinden. Er spähte in den Aufzugsschacht. Und da es keine Kabine gab, sprang er.

Der Schacht war tiefer als erwartet. Während Jimmy fiel, wehte ihm Staub ins Gesicht. Er streckte die Hand aus, packte eines der in der Schachtmitte verlaufenden Stahlkabel und schlang seine Beine darum. Seine bloßen Hände rutschten über das dicke Kabel und schmerzten wie die Hölle. Doch ihm blieb keine andere Wahl, als den erstaunlichen Fähigkeiten seines Körpers zu vertrauen.

Mit einem dumpfen Schlag landete er auf dem Dach der Aufzugskabine. Er presste die Hände aneinander und wünschte, die Schmerzen würden verschwinden.

*Komm schon*, befahl er sich selbst. Prompt reagierte seine Konditionierung und linderte das Brennen.

Jimmy stampfte mit dem Fuß hart auf das Dach der Kabine. Das Ding war stabiler als erwartet – man hatte es wohl nachträglich verstärkt. Er legte all seine Kraft in den zweiten Tritt. Die Wucht jagte einen grellen Schmerz durch sein Bein. *Komm schon*, ermahnte er sich erneut. Er fragte sich plötzlich, ob er seine Beine nach der Verletzung wirklich ausreichend trainiert hatte.

Jimmy stampfte erneut auf. Diesmal verspürte er keinen Schmerz, trotzdem verfluchte er seinen Körper. Wäre er doch nur stark genug gewesen, sein Bein vor diesem Schredder zu schützen. Unter Aufbietung seiner gesamten Willenskraft hämmerte er den Fuß immer und immer wieder auf das Dach.

Endlich zog sich ein feiner Haarriss durch die Deckenplatte. Ermutigt verdoppelte Jimmy seine Anstrengungen. Und in kürzester Zeit brach er durch. Er hustete und blinzelte in der selbst erzeugten Splitterwolke, dann sprang er durch das Loch hinab.

Immer noch hustend landete er auf den Füßen und drückte den untersten Knopf neben der Aufzugstür. Die Türen glitten auf. Und als sich der Staubvorhang gelegt hatte, gab er den Blick auf die Szenerie frei. In dem geräumigen Kellergewölbe war eine ganze Armee von *NJ7*-Agenten aufmarschiert. Sie standen in kleinen Gruppen überall im Keller verteilt. Und da waren noch weitere, die an dem Verbindungsgang zum *NJ7*-Komplex gearbeitet hatten. Sie trugen Werkzeuge und Schutzhelme, aber ihre schwarzen Anzüge wiesen sie unverkennbar als Agenten aus. Sogar die schwere Tunnelbohrmaschine war mit dem grünen Streifen gekennzeichnet. Jimmy schluckte.

Hinter den Agenten entdeckte Jimmy allerdings etwas, das ihm noch einen viel größeren Schreck einjagte. Direkt vor einer Zelle stand Miss Bennett, eine Pistole in der Hand. Sie zielte sorgfältig durch die Gitterstäbe – direkt auf Christopher Viggo.

»Nein!«, schrie Jimmy. Alle Köpfe fuhren herum. Unzählige Agenten starrten ihn durch die sich lichtende Staubwolke an. Als sie ihn erkannten, rissen sie wie auf ein Kommando ihre Waffen hoch. Jimmys Körper spannte sich, bereit loszuschlagen. Dann gingen plötzlich alle Lichter aus.

# KAPITEL 23

»Sir, wir werden angegriffen«, wiederholte Paduk. »Soweit wir wissen, sind es die Franzosen.«

Der Premierminister schien sich nur widerwillig aus seiner erstarrten Position am Fenster zu lösen. Endlich nickte er und marschierte quer durch sein Büro zur Tür.

»Es ist entscheidend für die nationale Sicherheit, dass die Gefangenen dieses Gebäude nicht lebend verlassen«, befahl er.

Paduk war darin geschult, den inneren Zustand eines Menschen aus dem minimalen Zittern seiner Stimme oder einem Blinzeln zu deuten. Daher fiel es ihm nicht schwer zu erkennen, dass diese Entscheidung Ian Coates' Herz zerriss.

»Jawohl, Sir«, erwiderte Paduk. »Mein Job besteht jedoch darin, dafür zu sorgen, dass *Sie* das Gebäude lebend verlassen.«

Ian Coates nickte und klopfte seinem Beschützer dankbar auf die Schulter. Paduk war überrascht, als sich plötzlich Mitgefühl in ihm regte. Als Soldat gab er Gefühlen normalerweise nur wenig Raum. Doch er wusste natürlich, dass Ian Coates' Ehefrau unter den

Gefangenen war. Er hatte höchsten Respekt vor einem Mann, der die Sicherheit seines Landes über seine geliebte Frau stellte. Es war eine verdammt schwierige Entscheidung. Das wusste er aus eigener Erfahrung.

Draußen im Flur wartete bereits Paduks Elitetruppe, um den Premierminister aus dem Gebäude zu eskortieren. Die Gruppe eilte zum Ende des Korridors, wo Paduk ein Lüftungsgitter auf Kniehöhe löste und einen Hebel betätigte. Die Wand neben dem Gitter öffnete sich und gab einen Durchgang ins Dunkel dahinter frei. Rasch befestigte Paduk das Gitter wieder und führte sein Team in den Geheimgang.

»Sir«, flüsterte Paduk, während sie im Halbdunkel eine Treppe hinabstiegen. »Wenn ich einen Vorschlag machen darf – wir haben noch eine Karte, die wir ausspielen könnten.«

Der Premierminister reagierte nicht sofort. Ihm war klar, worauf Paduk anspielte »Gut«, murmelte er. »Aber ihnen darf kein Haar gekrümmt werden, verstanden!«

»Ja, Sir«, erwiderte Paduk.

»Also gut«, fuhr der Premierminister leise fort. »Jemand soll den Agenten über Funk verständigen. Ordnen Sie an, dass Georgie und Felix zu mir nach Westminster gebracht werden.« Und für einen Augenblick schien alle Kraft aus seiner Stimme zu schwinden, als er hinzufügte: »Wir werden sie als Geiseln benutzen.«

Eine Minute später bestieg der Premierminister hinter der Botschaft einen unauffälligen Wagen. Vor ihnen rollte eine offiziell wirkende Limousine auf die Straße –

ein uraltes Ablenkungsmanöver, das aber immer wieder erstaunlich gut funktionierte.

»Wie konnte so eine unübersichtliche Lage überhaupt eintreten?«, knurrte Ian Coates, als der Wagen ein paar Straßen weiter in Sicherheit war. Paduk rutschte nervös auf dem Sitz hin und her.

»Ein unglückliches Zusammentreffen, Herr Premierminister«, brummte er mit knackendem Kiefer. »Zwei Einsätze zur selben Zeit.«

»Es war zu erwarten, dass die Franzosen zurückschlagen würden«, flüsterte Ian Coates. »Aber ich hatte nicht so bald damit gerechnet.«

»Unsere Luftwaffe hat vor wenigen Minuten über der Nordsee ein unbemanntes französisches Transportflugzeug abgeschossen.«

»Gut. Wir brauchen es als Beweis, wenn wir internationale Unterstützung anfordern.«

»*Internationale Unterstützung?*«, fragte Paduk verdutzt.

»Natürlich – ohne die USA als Partner können wir nicht in den Krieg ziehen.«

*Krieg* – das Wort ließ Paduk innerlich zusammenzucken. Er versuchte es zu ignorieren, aber da war es, gewaltig und erschreckend.

»Verzeihen Sie, Herr Premierminister«, seufzte Paduk. »Aber als Chef des Sicherheitsdienstes muss ich Sie Folgendes fragen: Gehen Sie davon aus, dass ihr Sohn Teil der französischen Pläne ist oder arbeitet er auf eigene Faust?«

Ian Coates atmete scharf ein und vermied Paduks Blick. »Er ist nicht mein Sohn«, schnaubte er und sein Atem ließ die Scheiben beschlagen. »Das wissen Sie ganz genau. Ich möchte nicht, dass weiterhin von ihm als meinem Sohn gesprochen wird.« Ian Coates wandte sich zu Paduk. Er hatte seine Gefühle jetzt wieder im Griff. Und dann spie der Premierminister ein letztes vernichtendes Urteil aus. »Er ist nichts weiter als ein Verräter.«

Jimmys Nachtsichtfähigkeit hatte sich in Sekundenbruchteilen aktiviert. Niemand in diesem Keller verfügte über etwas Ähnliches. In dem bläulichen Schimmer sah Jimmy ihre verdutzten und teilweise erschrockenen Gesichter. Trotzdem wussten die Agenten natürlich genau, wo der Lift lag und wo Jimmy gerade noch gestanden hatte. Sie zögerten nur kurz, bevor sie das Feuer eröffneten.

Doch dieser kleine Moment reichte aus. Jimmy hechtete vorwärts und rollte aus dem Lift. So leise wie möglich huschte er zwischen den Agenten hindurch. Überall im Raum blitzte Mündungsfeuer auf. Einige Agenten zogen Taschenlampen heraus, deren Lichtkegel in der Dunkelheit ein sich beständig veränderndes Netz bildeten. Jimmy lief geduckt und schlug immer wieder Haken, um den Lichtstrahlen zu entgehen.

*Warum ist das Licht ausgegangen?*, überlegte er. Er hatte nicht dafür gesorgt, und der *NJ7* wohl auch kaum, denn seine Agenten waren eindeutig nicht darauf vorbereitet gewesen. Jimmy fixierte wieder Miss Bennett. Da nahm er plötzlich aus den Augenwinkeln eine schattenhafte Gestalt wahr, die neben ihm durch den Keller flitzte. Zuerst hielte er es für seinen eigenen Schatten. Doch als er hinüberschaute, war der Schatten verschwunden. Da war noch irgendjemand – und er huschte ebenso wie Jimmy unbemerkt durch das Licht der Taschenlampen. Doch dieser jemand tat noch mehr. In seiner unmittelbaren Umgebung schrien *NJ7*-Agenten auf und fielen zu Boden wie Getreidehalme bei der Ernte.

Jimmy hätte zu gern gewusst, wie das möglich war. Doch zunächst musste er sich auf die unmittelbare Bedrohung konzentrieren. Miss Bennett tastete im Dunkeln nach einem der Wachleute und riss ihm die Taschenlampe aus der Hand. Dann hielt sie die Taschenlampe über den Lauf ihrer Pistole, um ihr Ziel anzuvisieren. Der Lichtkegel traf die vier Gefangenen an der Rückwand der Zelle. Miss Bennett machte sich bereit zu feuern …

Jimmy flog durch die Tür in der Plexiglaswand, die Miss Bennett offen gelassen hatte. Er prallte gegen ihren Rücken und riss sie zu Boden. Ein Schuss löste sich und traf die Decke. Jimmy hielt Miss Bennett kurz am Boden fest, doch dann sprang er sofort wieder auf – die anderen *NJ7*-Agenten hatten den Schuss gehört und richteten ihre Taschenlampen nun auf sie.

Während Miss Bennett sich aufrappelte und den Staub von ihrem Rock klopfte, wurde sie plötzlich in grelles Licht getaucht. Jemand hatte die Scheinwerfer der Bohrmaschine eingeschaltet. Jimmy warf sich zur Seite, um dem Licht zu entgehen. Miss Bennett beschirmte ihre Augen und suchte auf dem Boden nach ihrer Waffe. Die Bohrmaschine rumpelte nun direkt auf sie zu. Trotz seiner großen Zahl und seines Waffenarsenals konnte der *NJ7* die Maschine nicht stoppen. *Wer steuert sie bloß?*, fragte sich Jimmy.

Miss Bennett hob ihre Taschenlampe vom Boden auf. Ihr Strahl tanzte suchend durch die Schatten. Er traf Jimmy. Obwohl der Lichtstrahl natürlich kaum Wärme verbreitete, brannte er auf Jimmys Gesicht wie ein Laser.

»Da drüben!«, schrie Miss Bennett. Niemand konnte sie in dem Lärm der Maschine hören, aber einige Agenten sahen ihren ausgestreckten Arm. Sofort stürzten sie sich auf Jimmy. Er tauchte in der Dunkelheit ab. Doch sie blieben ihm auf den Fersen, die Taschenlampen und Waffen auf ihn gerichtet.

»Kannst du überhaupt fahren?«, schrie Felix, der sich mit weißen Fingerknöcheln an seinem Sitz festklammerte.

»Natürlich nicht!«, kreischte Georgie, während das Taxi über die Straße schlingerte. »Du etwa?«

»Nein«, rief Felix. »Ich weiß nur, dass man möglichst gerade fahren sollte.«

Georgie kämpfte mit der Gangschaltung und gleichzeitig mit dem Lenkrad.

»In Ordnung«, verkündete Felix. »Du schaltest, aber

lass mich lenken.« Er packte das Lenkrad fest mit einer Hand. Augenblicklich fuhr der Wagen ruhiger. Widerwillig ließ Georgie los und blickte auf ihre Füße.

»Ich glaube, langsam komme ich auf den Geschmack«, sagte sie.

Plötzlich drang eine knisternde Stimme aus dem Funkgerät. »Standort Trikolore wird angegriffen«, bellte sie. Georgie und Felix blickten einander an.

»Schau auf die Straße!«, schrie Georgie.

Die Stimme fuhr fort: »Bringen Sie die beiden Kinder als Geiseln nach Westminster. Verstanden?«

Für einen kurzen Moment herrschte Schweigen. Felix und Georgie starrten einander an. Das einzig andere Geräusch war das Dröhnen des Motors und das Rauschen des Funkgeräts. Dann schnappte sich Felix das Mikro. »Verstanden«, brummte er mit seiner tiefsten Stimme. »Wir sind unterwegs.« Und damit schaltete er das Funkgerät aus.

»*Standort Trikolore*«, schnaufte Georgie. »Das muss die französische Botschaft sein.«

»Genau«, schrie Felix und hüpfte vor Aufregung auf und ab. »Und sie wird angegriffen – das muss Jimmy sein!«

»Also, lass uns dorthin fahren. Er kann sicher einen Fluchtwagen brauchen.« Georgie trat das Gaspedal durch, doch anstatt loszuschießen, ruckelte und stotterte das Taxi nur.

»Hey!«, protestierte Felix. »Nächstes Mal gibst du bitte eine Warnung raus, bevor du so was machst!«

»Tut mir leid.«

»Und wie kommen wir dahin?«

»Das liegt doch in der Londoner Innenstadt, richtig?«, brummte Georgie. »Ich fahr einfach immer weiter in diese Richtung und dann kommen sicher irgendwann Straßenschilder!«

»Schalt doch einfach das Navi ein«, flötete Felix und langte mit der freien Hand nach dem Display.

»Ach so? Und welche Adresse willst du eingeben?«

»Hm. Dann halten wir eben an und fragen jemanden.« Felix sah sich nach Passanten um.

»Auf keinen Fall. Schau auf eine Karte.«

»Ähm, ich bin nicht so gut im Kartenlesen. Was ist verkehrt daran, nach dem Weg zu fragen?«

»Klar, und wir schauen ja auch kein bisschen verdächtig aus, oder?«, konterte Georgie ironisch.

»Guter Punkt«, grummelte Felix. »Aber so kommen wir auch nicht weiter. Nehmen wir uns doch einfach ein Taxi.«

»Wir sitzen *in* einem Taxi.«

»Ich meine so eines, wo der Fahrer fahren kann und den Weg kennt.«

Georgie überlegte einen Augenblick, während sie ratlos das Armaturenbrett studierte. »Du hast recht«, verkündete sie schließlich. »Ich habe wirklich gedacht, das mit dem Fahren wäre einfacher.«

Es gelang ihr den Wagen zum Halten zu bringen, während Felix ihn sanft an den Straßenrand lenkte. Beide sprangen heraus und rannten los.

»Hast du überhaupt Geld dabei?«, fragte Georgie.

»Klar doch. Ich bin immer auf alle Notfälle vorbereitet.« Felix pflückte ein Stück Seife aus seinem Haar.

Georgie wirbelte herum, riss einen Arm hoch und schrie aus Leibeskräften: »Taxi!«

Jimmy rannte auf eine Gruppe Agenten zu, in Zickzacklinien, um ihre Lichtkegel zu vermeiden. Er war zu schnell, als dass sie ihn ins Visier hätten nehmen können. Sobald er dicht genug heran war, warf sich Jimmy zu Boden und fegte einen der Agenten mit einem Tritt von den Beinen. Ein zweiter Agent stürzte auf ihn zu. Doch Jimmy stieß sich vom Boden ab und wirbelte in einem perfekten Kung-Fu-Sprung herum, sodass er einen Tritt direkt ins Gesicht des Mannes landen konnte. Dann rollte er sich ab und war sofort wieder auf den Beinen.

Inzwischen hatte die Tunnelbohrmaschine die Plexiglaswand durchbrochen, die Schiebetüren und den Metalldetektor platt gewalzt. Dabei hatte die Maschine kein bisschen an Tempo verloren. Sie donnerte unaufhörlich weiter. Miss Bennett sprang in letzter Sekunde beiseite. Dann gruben sich die Zähne des Bohrers kreischend in Metall und zerfetzten die Gitterstangen der Zelle. Erneut fragte sich Jimmy: *Wer steuert bloß diese Maschine?*

Die vier Gefangenen stürmten aus den Trümmern – Stovorsky, Viggo, Saffron und schließlich auch Helen Coates. Jimmy hätte sie am liebsten in die Arme geschlossen, aber dafür war jetzt keine Zeit. Sie mussten sich beeilen. Jimmy scheuchte sie direkt zum Lift. Dabei fegte er jeden Agenten beiseite, der sich ihnen in den Weg stellte. Die ganze Zeit über nahm er die Anwesenheit von etwas Ungewöhnlichem wahr – irgendjemand half ihm. Und es war keiner der befreiten Gefangenen. Es war irgendjemand anderes, möglicherweise sogar mehr als eine Person – ein Team dunkler Gestalten, die er trotz Nachtsicht nur schemenhaft erahnen konnte.

Helen und Stovorsky erreichten zusammen mit Jimmy als Erste den Lift. Sie schwangen sich durch das Loch in der Decke, während Jimmy unten in der Aufzugskabine wartete. Besorgt verfolgte er, wie Viggo und Saffron sich im Licht der Taschenlampen duckten und den Kugeln auszuweichen versuchten. Schließlich war Saffron nah genug. Jimmy zog sie in den Lift.

»Du bist jetzt in der Aufzugkabine«, flüsterte Jimmy ihr zu. »Klettere an den Kabeln hoch in die Lobby.« Er wollte ihr durch das Loch helfen, aber sie blieb wie angewurzelt stehen.

»Wo ist Chris?«, fragte sie. Jimmy spähte hinaus in den Keller. Viggo war nur noch ein paar Meter entfernt. Ein *NJ7*-Team stürmte auf den Aufzug zu, um ihm die Fluchtroute abzuschneiden. Jimmy schloss die Augen und konzentrierte sich auf seine Konditionierung. Er wusste genau, wie er ihre Aufmerksamkeit vom Lift ablenken konnte. Und seine Agentenkräfte reagierten prompt. Jimmy spürte ein dumpfes Gefühl in der Brust und ein Kratzen in seiner Kehle. Dann bellte er mit lauter Stimme: »Alle Einsatzkräfte zu den Zellen!«

Es war nicht seine Stimme, sondern die seines Vaters. Und sie schien aus einem entfernten Winkel des Raumes zu kommen. Beim ihrem Klang wurde ihm ganz übel, aber es erfüllte seinen Zweck. Wie ein Fischschwarm wechselten die Agenten die Richtung.

Viggo stürzte in den Lift. Er sprang hoch, um sich durch das Loch in der Decke zu ziehen. Doch dicht hinter ihm folgte eine Frau, die Jimmy immer schon so glamourös wie beängstigend fand: Miss Bennett. Der Strahl ihrer Taschenlampe leuchtete direkt in die Aufzugskabine. Sie riss ihre Pistole hoch.

Jimmy hämmerte gegen die Knöpfe. Die Lifttüren begannen sich zu schließen.

»Du als Erster!«, rief Saffron Jimmy zu. »Ich bin direkt hinter dir.«

Jimmy sprang in die Luft. Ohne Probleme packte er den bröckeligen Rand des Lochs in der Decke.

Die Aufzugstüren waren jetzt nur noch einen Spalt geöffnet. Miss Bennett blieb stehen. Sie zielte. Auch wenn sie keine brillante Schützin war, ihre wütende Entschlossenheit machte das wieder wett. Sie drückte den Abzug und feuerte eine einzige Kugel ab. Das Projektil zischte durch die Luft, während die Aufzugstüren sich weiter schlossen. Sie ließen jetzt nur noch einen ganz schmalen Lichtstreifen hindurch. Die Kugel rasierte den Rand der Gummidichtungen der Lifttüren ab. Doch das beeinflusste ihre Flugbahn nicht. Sie zischte direkt auf Jimmys untere Wirbelsäule zu.

In diesen Sekundenbruchteilen nahmen Jimmys Ohren dieses allerleiseste aller Geräusche wahr. Inmitten des gewaltigen Lärms war es für ihn wie ein hohes Pfeifen – das Sirren des Miniaturtorpedos aus dem Lauf von Miss Bennetts Pistole. Ihm blieb keine Zeit, groß darüber nachzudenken. Er handelte rein instinktiv. Das Geräusch schickte einen direkten Impuls in die Muskeln seiner Arme. Sie kontrahierten sich blitzartig und katapultierten ihn durch das Loch im Dach der Aufzugskabine. Doch direkt hinter ihm folgte wie versprochen Saffron.

Jimmy stand jetzt auf dem Dach der Kabine, Auge in Auge mit Viggo. Unter ihnen stieß Saffron ein schmerzerfülltes Keuchen aus. Jimmy sah die plötzliche Panik in Viggos Gesicht. Viggo ließ sich auf die Knie fallen. Sein Arm griff durch das Loch und packte Saffrons Handgelenk.

Ihr Griff war schwach. Er zog sie nach oben, wo sie in seinen Armen kollabierte.

# KAPITEL 24

Direkt neben Jimmy tropfte unaufhörlich Blut herab. Er blickte nach oben. Viggo zog sich mit einer Hand am Aufzugskabel empor, Saffron über seiner Schulter.

Auch Jimmy kletterte in Richtung Lobby. Unter ihm hallte das Hämmern der *NJ7*-Leute gegen die Aufzugstür. In kürzester Zeit würden sie durchbrechen.

Viggo hob Saffron vorsichtig in die Lobby, wo Jimmys Mutter und Stovorsky sie in Empfang nahmen. Aber dort warteten noch andere Gestalten. Und es handelte sich ganz offensichtlich nicht um *NJ7*-Agenten.

»Schneller!«, rief es von oben. Unter Jimmy schepperten die Lifttüren. Die Agenten hatten sie aufgebrochen. Er blickte weder nach oben noch nach unten, sondern konzentrierte sich einfach darauf, so schnell wie möglich am Kabel emporzuklettern.

Dann knisterte etwas. Funken erleuchteten die Dunkelheit. Und während ein Gegenstand an Jimmy vorbei in die Tiefe zischte, stieg ihm der unverwechselbare Geruch einer brennenden Lunte in die Nase. Dynamit!

»Beeilung!«, ertönte es erneut. Wessen Stimme war das? Sie hatte einen merkwürdigen Akzent.

Mit schmerzenden Händen zog Jimmy sich weiter

empor. Die Dynamitstange sauste in die Tiefe. Jimmy war fast in der Lobby. Aber er würde es nicht schaffen, bevor –

*BOOM!*

Jimmys Kopf schien zu explodieren. Mit aller Kraft stieß er sich von dem Kabel ab. Glühende Hitze schoss von unten empor. Die Druckwelle der Explosion trug Jimmy nach oben. Er erwischte die Kante des Ausstiegs zur Lobby und zog sich aus dem Schacht. Genau in dem Moment donnerte eine Flammensäule an ihm vorbei. Auf dem Bauch robbend brachte sich Jimmy vor der sengenden Hitze in Sicherheit.

»Jimmy!«, rief eine vertraute Stimme.

War das Eva? Jimmys Ohren waren immer noch betäubt durch die Explosion. Er richtete sich auf. Dann entdeckte er sie: Eva Doren spähte aus ihrem Versteck hinter dem Empfangstresen.

»Eva, alles in Ordnung?«, fragte Jimmy benommen.

»Das Gebäude wird angegriffen«, rief Eva atemlos.

»Deshalb verschwinden wir jetzt auch von hier.«

»Oh, Jimmy!« Helen kam auf ihn zugestürzt, um ihn zu umarmen. Endlich. »Hast du was von Georgie und Felix gehört?«

Jimmy bemerkte den sorgenvollen Blick seiner Mutter und erwiderte: »Sie müssten eigentlich im Unterschlupf sein.«

»Also sind sie in *England*?«

»Ja. Warum?«, fragte Jimmy. »Was ist geschehen?«

Seine Mutter antwortete nicht. In diesem Moment

bemerkte Jimmy Stovorsky, der auf drei Gestalten in schwarzen Kampfanzügen zuging und ihnen die Hand schüttelte.

»Gott sei Dank habt ihr es rechtzeitig geschafft«, murmelte er auf Französisch.

Bilder schossen durch Jimmys Kopf: das völlig verwüstete Kellergeschoss der Botschaft; unzählige *NJ7*-Agenten, die sich verletzt auf dem Boden wälzten. Dafür waren diese Männer verantwortlich.

»Du hast ein Spezialkommando gerufen?«, schrie Viggo und stieß den Zeigefinger in Stovorskys Richtung.

»Jetzt ist keine Zeit zu diskutieren«, erwiderte Stovorsky. »Lasst uns von hicr verschwinden.« Er marschierte in Richtung Ausgang.

»All das hätte vermieden werden können!«, schrie Viggo ihm hinterher. »Was ist, wenn …?« Er senkte die Stimme und blickte zu Saffron, dic stöhnend in einer Blutlache lag. Er beugte sich zu ihr hinunter und hob sie sanft auf.

»Hört jetzt auf damit, ihr beiden«, unterbrach sie Helen. »Wir müssen hier weg.« Sie zog Stovorsky weiter, doch er blieb wie angewurzelt stehen und drehte sich zu Viggo um.

»Was hast du denn erwartet?«, bellte er. »Glaubst du vielleicht, ich habe meinem Land einen Angriff auf die Briten befohlen, nur um meine eigene Haut zu retten?« Viggo antwortete nicht, aber er schäumte vor Wut.

Stovorsky fuhr fort: »Ich habe erst Hilfe angefordert,

nachdem Coates einen kriegerischen Akt gegen Frankreich begangen hatte.«

»Du hast uns alle in Gefahr gebracht«, flüsterte Viggo zornerfüllt. »Du hast uns versichert, dass der *DGSE* nichts von deinem Aufenthaltsort weiß.«

»Und du warst so dumm, mir zu glauben.«

Stovorsky winkte Viggo kurz zu, dann marschierte er davon. Die drei Soldaten eskortierten ihn nach draußen. Dem Lärm in den oberen Stockwerken nach zu schließen, befanden sich dort weitere Spezialkräfte und hielten den Rest des *NJ7* in Schach. Die Männer in den schwarzen Kampfanzügen bewegten sich rasch und entschlossen. Seltsamerweise hatten sie alle dieselbe Größe bis auf einen, der viel zu klein und schmal für ein Spezialkommando erschien. Jimmy konnte die Augen nicht von ihnen wenden, obwohl er wusste, dass sie eiskalte Agenten waren, die jeden töten würden, der sich ihnen in den Weg stellte.

Ein schwindelerregender Energiewirbel machte sich in seiner Brust breit. Dann waren Stovorsky und die Soldaten verschwunden.

Jimmys Mutter packte ihn bei den Schultern. »Komm jetzt«, beharrte sie.

Eilig verließ die kleine Gruppe die Botschaft und trat auf die Straße. In der Ferne heulten Polizeisirenen. Viggo kochte immer noch vor Wut. Er trug Saffron in den Armen, die eine Spur von Blutstropfen hinterließ.

»Dafür bist du verantwortlich!«, schrie er, obwohl Stovorsky nirgendwo mehr zu sehen war.

»Nein«, ertönte es über ihnen. Jimmy blickte nach oben. Das *DGSE*-Spezialkommando hangelte routiniert eine Strickleiter an der Fassade der Botschaft empor und hatte fast schon das Dach des Gebäudes erreicht. Ein paar Meter unter ihnen kletterte Stovorsky.

»England hat das zu verantworten!«, schrie er. »Und das nächste Mal, wenn wir nach Großbritannien kommen, dann an der Spitze einer Armee!« Mit diesen Worten schwang er sich über den Rand des Daches.

Jimmy hatte keinen Schimmer, wie sie von dort oben entkommen wollten. Nirgendwo war ein Helikopter oder ein Flugzeug zu hören. Da waren nur die sich nähernden Polizeisirenen. Vielleicht wartete im Hydepark auf der anderen Seite des Gebäudes ein Transporter auf sie? Aber egal wie, Jimmy war überzeugt, dass dieses mit tödlicher Effizienz agierende Team einen sicheren Weg finden würde, die eigenen Leute sicher nach Frankreich zurückzubringen.

Das Dröhnen eines Automotors riss Jimmy aus seinen Gedanken. Er blickte auf und sah ein schwarzes Taxi um die Ecke biegen. Der Wagen hielt direkt vor der Botschaft. Als Jimmy erkannte, wer auf dem Rücksitz saß, hüpfte sein Herz vor Freude – es war Felix. Sein Freund steckte den Kopf aus dem Fenster und zwitscherte: »Braucht hier jemand ein Taxi?«

»Felix!«, rief Jimmys Mutter. Dann entdeckte sie Georgie. »Georgie!« Sie rannte um den Wagen, um ihre Tochter zu umarmen.

»Hi, Mum«, antwortete Georgie, als sei alles in bester Ordnung. »Wie geht's dir?«

»Ich ... ich dachte, du ...«, stotterte Helen mit Tränen in den Augen. Sie nahm Georgies Gesicht in ihre Hände.

»Wieso weinst du denn?«, fragte Georgie. Ihre Mutter lächelte nur und drückte sie erneut an sich. »Ist schon gut, Mum«, sagte Georgie leicht peinlich berührt. »Ich bin ja auch froh, dich zu sehen.«

Inzwischen waren Viggo und Jimmy hinten ins Taxi gestiegen. Vorsichtig betteten sie Saffron auf ihren Schoß.

»Macht schon«, drängte Jimmy. »Lasst uns von hier abhauen.« Jimmys Mutter ließ Georgie los und riss die Fahrertür auf.

»Hey!«, rief der Fahrer. Es war ein alter Mann, dessen Gesicht so von Linien zerfurcht war, dass es einer Straßenkarte Londons glich.

»Raus hier!«, kommandierte Helen.

»Was soll das?«, knurrte der Taxifahrer.

Helen packte ihn beim Kragen, löste seinen Sicherheitsgurt und zerrte ihn aus dem Taxi.

»Tut mir leid«, entschuldigte sie sich, als sie den armen Mann auf der Straße absetzte. »Ihre Adresse steht ja auf der Fahrerlizenz im Wagen. Wir werden Sie großzügig entschädigen.«

Das Gesicht des Fahrers nahm eine Farbe an, die Jimmy noch nie zuvor bei einem Menschen gesehen hatte – es war ein dunkles Rot, das an manchen Stellen fast lila wirkte. Helen ignorierte seine lautstarken Proteste und klemmte sich hinters Lenkrad. Felix hüpfte mit breitem Grinsen auf den Beifahrersitz.

»Los geht's!«, rief er. Die Sirenen wurden immer lauter.

»Wartet.« Das war Eva, die immer noch in der Eingangstür der Botschaft stand. Jimmy sprang aus dem Taxi, um sie mit sich zu ziehen. Doch sie bewegte sich nicht von der Stelle. Was war so wichtig, dass sie ihre Flucht verzögerte?

»Sie werden dich immer weiter jagen, Jimmy«, erklärte Eva leise. »Sie werden nie damit aufhören.«

Jimmy musterte sie. Was wollte sie nur? Jede Sekunde konnten die Polizeieinheiten sie einkesseln.

»Sie vertrauen mir«, fuhr Eva fort. Jimmy hatte sie nie so verzweifelt erlebt. »Wenn ich hierbleibe, kann ich dir helfen. Wenn ich mitgehe, dann werden sie uns beide jagen.«

Jimmy war sprachlos. Eva hatte bereits so viel für ihn getan und sich selbst dabei in äußerste Gefahr gebracht. So wie sie jetzt vor ihm stand, war sie ein komplett anderer Mensch als das Mädchen, das er früher so nervig gefunden hatte. Ihm war nie aufgefallen, wie clever und tapfer sie war. Und ihm war klar, dass sie mit ihrem Vorschlag absolut recht hatte.

Wenn Eva jetzt mit ihnen flüchtete, dann wäre Miss Bennett hinter ihnen beiden her. Aber wenn sie blieb, konnte sie Jimmy als Informantin dienen. Allerdings ging sie damit ein großes Risiko ein. Eva Doren bot sich freiwillig als Doppelagentin an.

Sie sahen einander an, voll tiefem Verständnis für den jeweils anderen. Dann drehte sich Eva abrupt um und verschwand in der Botschaft. Am liebsten hätte Jimmy sie zurückgehalten. Eine so schwerwiegende Entscheidung erforderte Zeit. Doch die hatten sie nicht.

Widerwillig lief er zurück zum Taxi. »Alles klar«, verkündete er mit heiserer Stimme. »Und jetzt lasst uns von hier abhauen.« Endlich setzte sich das Taxi in Bewegung, röhrte die Straße hinunter, direkt an einem Konvoi Streifenwagen vorbei, die in die entgegengesetzte Richtung jaulten. Als sie vorüber waren, schob Felix die Plexiglasscheibe beiseite und beugte sich nach hinten.

»Ich wusste, dass du es schaffst, Jimmy«, strahlte er und boxte seinen Freund spielerisch. »Ich erkläre *Operation Daumenschraube* hiermit zu einem absoluten Erfolg.«

»Was ist das für ein komisches Zeugs in deinem Haar?«, fragte Jimmy.

Felix zupfte ein wenig eingetrocknete Schmiere von seinem Kopf. »Äh, meine Tarnung?«

»Wo soll ich hinfahren?«, fragte Helen, die durch den dichten Verkehr der Londoner Innenstadt kurvte. Sie schnappte sich eine alte Straßenkarte vom Boden und warf sie Jimmy nach hinten. Er entfaltete den Plan und fand rasch den gesuchten Ort.

»Hierhin«, verkündete er und stieß den Finger auf eine große grüne Fläche.

»Was soll da sein?«, spottete Felix. »Das ist ja mitten in der Pampa.«

Jimmy schaute ihn an und erlaubte sich ein smartes Grinsen. »Deine Eltern.«

Felix brach in ein wildes Jubelgeheul aus. Er hüpfte auf seinem Sitz auf und ab und boxte in die Luft. Währenddessen blickte Jimmy zu Saffron. Ihr Gesicht wurde mit jeder Sekunde blasser.

»Sie wird durchkommen«, beruhigte ihn Viggo, der Jimmys bedrückte Miene bemerkte. »Wenn ihr Körper nicht ständig durch weitere Stöße erschüttert wird und wir sie irgendwohin bringen können, wo ich sie operieren kann.«

*WUMMS!*

»Was war das?«, kreischte Felix.

»Haben wir irgendetwas gerammt?«, schrie Viggo.

*PÄNG!*

Eine Hand krachte durchs Fenster. Es regnete Glassplitter in den Fahrgastraum des Taxis. Dann tauchte draußen vor dem Fenster ein Gesicht auf. Irgendwie hatte es Mitchell geschafft, auf dem Dach des Taxis zu landen.

# KAPITEL 25

Bevor jemand reagieren konnte, hatte Mitchell Jimmy beim Kragen geschnappt und seinen Kopf aus dem Fenster gezogen.

»Anhalten!«, schrie Georgie. »Er hat Jimmy!«

»Weiterfahren«, befahl Viggo.

Jimmy konnte die Stimmen im Taxi kaum verstehen. Der Fahrtwind zerrte an ihm. Mitchell starrte ihn hasserfüllt an und packte ihn an der Kehle. Jimmy spannte jeden Muskel in seinem Hals. Plötzlich spürte er Hände an seinen Beinen. Viggo versuchte ihn in den Wagen zurückzuziehen.

Jimmy blickte nach vorn. Ein fetter Lastwagen schoss direkt auf seinen Kopf zu. Er schüttelte Viggo ab, griff durch das zerbrochene Fenster und packte Mitchells Hemd. Nur Sekundenbruchteile bevor der Lastwagen an ihnen vorbeidonnerte, zog Jimmy sich komplett aus dem Taxi. Er schwang sich aufs Dach und landete mit einem dumpfen Krachen auf Mitchell.

Im Inneren des Taxis duckte Felix sich instinktiv, als sich das Dach nach innen ausbeulte. »Wie hat der Kerl uns gefunden?«, schrie er.

»Chris«, zischte Helen, »wir haben immer noch die Ortungschips in unseren Fersen.«

»Die haben euch Chips implantiert?«, fragte Georgie entgeistert. »Und ihr habt das *vergessen*?«

Viggo knurrte frustriert. Er spähte aus dem Rückfenster hinauf in den Himmel. »Wie haben die so schnell einen Hubschrauber in die Luft bekommen?«

Auch Georgie drehte sich um und blickte nach oben. Tatsächlich. Da war ganz eindeutig ein Helikopter hinter ihnen her.

Auf dem Dach des Taxis tauschten Jimmy und Mitchell Schläge mit der Geschwindigkeit von Maschinengewehrsalven aus. Jimmy wirbelte tief gebückt herum und rutschte immer wieder auf der glatten Oberfläche aus. Sie bewegten sich so artistisch wie Breakdancer, aber hinter ihren Schlägen steckte eine vernichtende Kraft.

»Du musst das nicht tun«, rief Jimmy. Mitchells Antwort bestand nur aus weiteren Hieben und Tritten. Jimmy parierte sie und versuchte es erneut: »Du musst kein Killer sein. Das ist nur deine Konditionierung. Aber du kannst sie kontrollieren.«

»Ich *bin* meine Konditionierung«, fauchte Mitchell wütend. »Da ist nichts anderes in mir.«

Das Taxi schleuderte um eine Ecke und sie rutschten beide zur Seite. Jimmy packte die Funkantenne. Er umklammerte sie so fest, dass seine Hände wie weiße Krallen aussahen. Er hing jetzt auf der Seite des Taxis.

Und als es wieder geradeaus fuhr, stieß er sich von der Tür ab. Die Antenne fest im Griff schwang er sich um die Vorderseite des Wagens. Im Flug drehte er sich und zielte mit dem Knie auf Mitchells Kiefer. Mit einem hässlichen Krachen prallten sie zusammen.

»Gib mir den Stift da«, rief Viggo. Felix zog einen Kugelschreiber aus der Halterung am Armaturenbrett und reichte ihn Viggo. Einen Augenblick später hatte Viggo Schuh und Socken ausgezogen. »Die folgen den Signalen des Ortungschips«, fuhr er fort. »Sie werden uns jede Sekunde auf ihrem Monitor haben. Fahr möglichst im Sichtschutz von Lastwagen und nutze jeden Tunnel.« Er bohrte die Spitze des Kugelschreibers in seinen Fuß, ohne einen Mucks von sich zu geben. Nur die Grimasse auf seinem Gesicht zeugte von dem Schmerz. Nach weniger als einer Minute drehte Viggo den Stift und schnippte eine winzige Metallkugel heraus. Georgie hob sie auf und wischte das Blut ab.

»Noch nicht rauswerfen«, befahl Viggo. »Warte, bis wir sie alle haben und schmeiß sie dann zusammen raus. Dann folgt der *NJ7* ihrem Signal und verliert unsere Spur.« Georgie nickte.

»Du bist dran«, erklärte Viggo und beugt sich zu Helen vor. Sie schwang ihr Bein auf die Vorderbank, sodass sie kaum mehr übers Steuer hinwegsehen konnte. Trotzdem lenkte sie das Taxi weiter geschickt durch den Verkehr. Viggo stieß den Kugelschreiber in ihre Ferse und pflückte kurz darauf eine weitere Metallkugel heraus. Georgie sammelte auch diese ein und untersuchte sie, verblüfft über die Zähigkeit ihrer Mutter. Trotz der Schmerzen in ihrer offenen Wunde steuerte Helen Coates das Taxi wieder in Höchstgeschwindigkeit durch London. Sie hatten kaum an Tempo verloren.

Jimmy war am Rande seiner Kräfte. Seine Konditionierung entfaltete sich mit jeder Minute weiter und passte sich an die neuen Situationen an. Trotzdem steckte in ihm immer noch der Mensch Jimmy. *Warum hilft mir denn niemand?*, dachte er. Klar, seine Mutter musste das Taxi fahren. Es war überlebenswichtig, dass sie aus der Stadt kamen, bevor der *NJ7* sie einholte. Aber warum griff Viggo nicht ein und zerrte Mitchell vom Dach? Aber noch bevor er den Gedanken zu Ende gedacht hatte, stürzte sich Mitchell schon wieder auf ihn.

»Bringen wir's hinter uns«, keuchte Saffron vom Boden des Taxis aus. »Und dann hilf Jimmy.« Ihr Gesicht war leichenblass und ihre Augen hatten jede Farbe verloren. »Diesen Eingriff wirst du nicht überleben«, krächzte Viggo. Saffron zwang sich zu einem Lächeln. Für Georgie wirkte sie wie eine Oase der Schönheit inmitten des ganzen Blutes und des Chaos.

»Du hast die Wahl«, wisperte Saffron. »Entweder du schmeißt den Ortungschip raus oder du musst mich selbst rausschmeißen.«

In Viggos Augen standen die Tränen. »Du darfst nicht sterben«, schluchzte er.

Saffron nickte lächelnd.

Jimmy drückte Mitchells Gesicht gegen das Dach des Taxis. Seine Konditionierung tobte in ihm und drängte den menschlichen Anteil zurück. Doch plötzlich bäumte sich Mitchells gesamter Körper auf. In einer blitzschnellen Drehung schleuderte er Jimmy von sich. Jimmy war verblüfft über Mitchells Kraft. Und dann spürte er, wie sich der ältere Junge mit seinem ganzen Gewicht auf ihn warf. Der Aufprall nahm ihm die Luft. Mitchells Unterarm drückte mit der Gewalt einer hydraulischen Presse auf Jimmys Kehle.

»Du hättest lieber im Schredder bleiben sollen«, brüllte Mitchell. Er hockte auf Jimmy und nahm ihm die Luft zum Atmen. Jimmys Gesicht wurde rot, dann blau. Während er vergeblich nach Luft rang, gaukelte ihm sein Bewusstsein Trugbilder vor. Er sah sich in seinem alten Zimmer. Er wusste, dass er niemals dorthin zurückkehren würde, trotzdem konnte er es ganz real vor sich sehen. Und er hörte Georgies Stimme, die ihn spielerisch neckte.

Alles um Jimmy herum begann zu verschwimmen. Er schmeckte Blut. *Woher kommt das*?, wunderte er sich. Er versuchte seinen Arm unter den Körper des anderen Jungen zu schieben und ihn abzuwerfen. Doch Mitchell sah die Bewegung kommen und packte Jimmys Handgelenk.

In Jimmys Kopf tobte seine Konditionierung. Und dann hörte Jimmy tief in seinem Inneren eine leise Stimme. Es war eine menschliche Stimme – seine eigene. Es war seine einzige Chance. Langsam begannen sich Jimmys Lippen zu bewegen.

»Was hast du gesagt?«, bellte Mitchell. »Waren das etwa deine letzten Worte?«

»Mi … Mi … Mitchell«, keuchte Jimmy.

»Was hältst du davon, wenn ich dich zuerst töte«, fauchte Mitchell, »und du dann deine letzten Worte sprichst?« Er stieß ein gepresstes Lachen aus. Es kostete ihn seine ganze Kraft, Jimmy in dieser Position zu halten. Und dann gelang es Jimmy endlich, den Satz hervorzustoßen.

»Dein Bruder … lebt.« Jimmy spürte, wie Mitchell kurz erstarrte. Sein Griff lockerte sich.

»Was?«, schnappte Mitchell.

In diesem winzigen Augenblick der Ablenkung befreite Jimmy sein Handgelenk aus Mitchells Umklammerung. Blitzschnell fuhr er mit der Hand in die Tasche und zückte seine einzige Waffe. Seine Konditionierung war so übermächtig gewesen, dass er sie bis jetzt völlig vergessen hatte – den Schlüssel zur Aufzugstür.

Jimmy rammte den Schlüssel in Mitchells Flanke. Als Mitchell zurückfuhr und Jimmys Kehle losließ, wurde Jimmys Körper augenblicklich von neuem Leben durchströmt. Und ohne erst nach Luft zu schnappen, zog Jimmy die Beine an und trat mit voller Wucht in Mitchells Gesicht.

Mitchell wurde nach hinten geschleudert. Vergeblich versuchte er, sich am Taxi festzuklammern. Mit den Armen rudernd stürzte er rückwärts auf die Straße. »Jimmy!«, schrie er, während er über den Asphalt rollte.

Jimmy atmete für einen kurzen Augenblick tief durch. Er sah, wie Mitchell sich aufrappelte und nach dem Schlüssel in seiner Seite griff. Ihre Blicke begegneten sich.

Mitchell schrie irgendetwas. Jimmy versuchte, es über den Verkehrslärm hinweg zu verstehen. Dann hörte er das schwache Echo der Worte: »Wo ist mein Bruder?«

Zum ersten Mal seit langer Zeit spürte Jimmy keine Wut mehr in sich. Der mörderische Instinkt in ihm ebbte ab. Da war nur noch eine tiefe Traurigkeit, die er in Mitchells Miene gespiegelt fand. Die beiden Jungs starrten einander an, bis das Taxi mit Vollgas um eine Ecke bog.

Sobald Mitchell außer Sichtweite war, kletterte Jimmy zurück ins Taxi. Und nun wurde ihm klar, warum Viggo ihm nicht hatte helfen können.

Der Mann beugte sich über Saffron, die jetzt auf dem Bauch im Fußraum lag. Viggo hielt einen Kugelschreiber umklammert und sein Hemd war blutbefleckt. Seine Miene war höchst konzentriert, während er vorsichtig in Saffrons Ferse stocherte und nach der Metallkugel suchte.

# KAPITEL 26

Das Taxi jagte am Themseufer entlang. Außerhalb Londons floss der Strom jetzt viel gemächlicher. Als sie über die Kingston Bridge donnerten, drehte sich Georgie zu dem zersplitterten Fenster. Mit aller Kraft schleuderte sie die drei Ortungschips hinaus und zielte dabei auf ein unter ihnen hindurchfahrendes Schiff.

Die drei Metallkugeln segelten einige Sekunden durch die Luft und hüpften dann über das Schiffsdeck. Das Dröhnen des Helikopters über ihnen wurde langsam schwächer und entfernte sich. Aber die Gefahr war noch nicht vorüber. Jimmy bemerkte die Tränen in den Augen seiner Begleiter. Keiner von ihnen sah ihn richtig an.

Saffron lag jetzt auf dem Bauch in ihrem Blut. Jimmy kniete sich hin und hielt ihren Kopf, sodass sie freier atmen konnte. Währenddessen kümmerte sich Viggo um ihre Wunde. Jimmy musterte Viggos Gesicht und fand dort seine eigene tiefe Besorgnis wieder. Die Augen des Mannes hatten rote Ränder. Alle paar Sekunden wischte er sich die Tränen mit dem Ärmel ab. *Komisch*, dachte Jimmy, *würde ich das nicht genauso tun, wenn ich meine Tränen wegwische*? Es war eine ganz normale Alltagsgeste, trotzdem kam sie Jimmy irgendwie sehr vertraut vor. Er studierte Viggos Gesicht noch intensiver. *Sehen wir uns nicht sogar ähnlich?* Die Kraft in seinen Armen schwand und beinahe hätte er Saffrons Kopf fallen lassen.

»Ruhig halten, Jimmy«, brummte Viggo. Er bemerkte nichts von Jimmys prüfenden Blicken. Er senkte den Kopf und flüsterte in Saffrons Ohr: »Keine Sorge, alles wird gut.«

Doch die Stimme des Mannes bebte und Jimmy konnte seine Worte kaum verstehen.

»Ich werde dich immer lieben«, flüsterte er fast tonlos. »Und ich werde dich rächen.«

*Ich werde dich rächen.* Die Worte hallten in Jimmys Kopf wider.

Der Rest der Fahrt verlief schweigend. Jimmy hatte so viele Fragen. Aber jedes Mal, wenn er ansetzte, schienen sich die Worte in seinem Mund zu verflüchtigen. Niemand wollte Viggo stören. Er war unaufhörlich mit Saffrons Verletzung beschäftigt. Natürlich hätte man sie alle sofort verhaftet, wenn sie Saffron in ein Krankenhaus gebracht hätten.

Endlich erreichten sie das Dorf. *Die Muzbekes haben eine gute Wahl getroffen*, dachte Jimmy. Der Ort war klein und absolut unauffällig. Die Häuser waren aus gleichmäßigen grauen Ziegelsteinen. Sie glichen einander wie ein Ei dem anderen. Dieser Ort lockte ganz sicher keine Touristen an. Wahrscheinlich vergaßen manchmal sogar seine Einwohner, dass es ihn gab.

Jimmys Mutter verlangsamte das Tempo, damit sie nach der *Bed-and-Breakfast*-Pension Ausschau halten konnten. Schließlich entdeckte Jimmy über einer Eingangstür ein verwittertes Schild. Darauf stand ein einzelnes verblasstes »*B*« – das zweite war offenbar abgeblättert.

»Sieht ziemlich runtergekommen aus, der Laden«, brummte Jimmy leise.

Neben dem Haus befand sich eine Auffahrt. Helen rollte den Kiesweg hinauf in einen kleinen, von Mauern umgebenen Innenhof.

Felix sprang als Erster aus dem Taxi. Er rannte auf das alte Gästehaus zu. »Mum!«, rief er. »Dad!«

Bevor er die Eingangstür erreichte, flog sie auch schon auf. Neil und Olivia Muzbeke kamen mit ausgebreiteten Armen auf Felix zu und drückten und küssten ihn. Seine Freudenschreie wurden von den heftigen Umarmungen fast erstickt. Endlich war ihre Familie wieder vereint. Georgie betrat gemeinsam mit ihnen das Haus, wo die freudige Begrüßung lautstark fortgesetzt wurde.

Jimmy kletterte aus dem Taxi und blieb im Innenhof stehen. Im Haus plapperte Felix wie ein Wasserfall. Sicher gab er bereits seine ganzen Erlebnisse zum Besten – angefangen mit dem Flug nach Frankreich bis hin zur Rückkehr nach England und allem, was dort geschehen war. Jimmy war jetzt nicht in der Stimmung dafür. Vor allem wollte er nicht noch mehr Danksagungen über sich ergehen lassen müssen.

»Helen, warte.« Viggo sprang aus dem Taxi und wischte sich das Blut von den Händen. Jimmys Mutter drehte sich zu ihm um.

»Wie geht's Saffron?«, fragte sie.

»Ihr Zustand ist kritisch. Aber sie wird durchkommen – vorausgesetzt, ich finde einen Arzt für sie.«

Helen schwieg, daher stellte Jimmy die Frage, die ihr ganz offensichtlich auf der Zunge lag. »Wo willst du einen Arzt finden, der keine Fragen über uns stellt?«

Viggo seufzte. »Ich versuche ein paar alte Freunde zu kontaktieren. Es gibt immer noch Menschen in diesem Land, die wissen, was eine echte Demokratie ist. Und schon bald werden es mehr und mehr Menschen sein, die diese Regierungsform zurückfordern.«

»Brauchst du Hilfe?«, fragte Jimmy sofort. »Sollen wir mitkommen?«

Viggo stieß einen rauen Laut aus, der wohl wie ein Lachen klingen sollte. »Nein, Jimmy. Aber danke für dein Angebot. Du bleibst bei deiner Mutter. Hier bist du in Sicherheit. Und in guten Händen.« Er blickte Jimmys Mutter an. »In besten Händen.«

Helen reichte Viggo schweigend die Wagenschlüssel. Sie starrten einander eine gefühlte Ewigkeit an, dann umarmten sie sich. Viggo wuschelte Jimmy durchs Haar und sprang dann ins Taxi. Als er rückwärts aus dem Innenhof stieß, sah Jimmy durch die Windschutzscheibe sein Gesicht. Er wirkte wie ein Mann, dessen eigentliche Arbeit jetzt erst begann. Jimmy hob die Hand, um ihm zu winken, doch da war Viggo bereits verschwunden.

»Kommst du mit rein, Jimmy?«, fragte seine Mutter sanft.

Jimmy schüttelte seine leichte Benommenheit ab. Plötzlich fühlte er ein riesiges Gewicht auf sich lasten. Am liebsten hätte er sich zu Boden sinken lassen. Er konnte seiner Mutter nicht in die Augen sehen.

»Wer ist mein Vater?«, flüsterte er leise.

»Was hast du gesagt?«

Jimmy blickte zu seiner Mutter auf. *Welche Geheimnisse verbirgt sie vor mir?*, dachte er. Dann wiederholte er, diesmal entschlossener: »Wer ist mein Vater?«

Helen stand wie angewurzelt da, von seiner Frage völlig überrumpelt. »Dein Vater …«, begann sie, verstummte dann aber.

Jimmy fixierte sie. »Er hat es mir gesagt. Er hat mir verraten, dass er nicht mein Vater ist.« Jimmy sprach langsam und deutlich. Seine Mutter legte eine Hand vor den Mund. Nach ein paar Sekunden legte sie Jimmy den Arm um die Schultern. Sie gingen gemeinsam zum anderen Ende des Innenhofs und setzen sich auf zwei umgedrehte Blumenkübel.

»Es ist gemein von ihm, so etwas zu sagen«, begann sie. Dann machte sie eine lange Pause. Jimmy wartete ungeduldig auf ihre Erklärung. »Faktisch gesehen hat er recht«, fuhr sie schließlich fort. »Du trägst die Gene eines anderen Mannes in dir. Aber Vater sein bedeutet weit mehr als das. Dein Vater ist vor allem *der* Mann, der dich großgezogen und geliebt hat – und ich bin mir sicher, dass er dich noch immer liebt.«

Jimmy starrte ins Leere. »Wer ist der andere Mann?« Die Worte purzelten regelrecht aus seinem Mund. Er merkte, wie sich der Körper seiner Mutter verspannte, und blickte ihr ins Gesicht. Er sah dort eine gewisse Härte, so wie in den gefahrvollsten Momenten, die sie durchlebt hatten.

»Jimmy«, sagte sie, »du bist ein ganz eigenständiger Mensch.« Sie wandte sich ihm zu. »Ich hätte niemals zu hoffen gewagt, dass du so eine Chance bekommst. Du kannst ein Leben unabhängig von *NJ7* führen. Vielleicht nicht an diesem Ort, denn hier werden sie dich finden. Aber du wirst wachsam sein und ihnen entkommen.«

Jimmy blickte zu Boden und Ärger stieg in ihm auf. Warum sagte sie ihm nicht die Wahrheit?

»Wer ist mein biologischer Vater?«, beharrte er und schloss für einen Augenblick die Augen, als wolle er die endlosen Erklärungen seiner Mutter ausblenden. *Nur ein Name* dachte er, *mehr will ich ja gar nicht.*

Seine Mutter holte tief Luft. »Eines Tages wirst du verstehen, warum ich dir das jetzt nicht sagen kann«, verkündete sie.

Jimmy öffnete die Augen und blickte tief in ihre. Er wollte seine Mutter anflehen, es ihm zu sagen, doch irgendetwas in ihrem Gesichtsausdruck schnürte ihm die Kehle zu.

»Ich verstehe, wie sehr dich das beschäftigt. Und das ist auch in Ordnung«, fuhr seine Mutter fort. »Aber im Augenblick brauchst du nur zu wissen, dass dieser Mann tot ist.«

Jimmy spürte, wie irgendetwas in ihm zerbrach. Doch seine Frage war immer noch nicht beantwortet. Und dann wiederholte sie den Satz, diesmal lauter und mit einer abschließenden Geste: »Dieser Mann ist tot.«

Sie drückte Jimmy an sich und strich ihm übers Haar. »Komm ins Haus, wenn du bereit bist«, flüsterte sie. Dann erhob sie sich, warf Jimmy ein rasches Lächeln zu und humpelte ins Haus.

Jimmy saß wie angewurzelt. Nur mit Mühe unterdrückte er seine Tränen. Er hatte mal ein ganz normales Leben geführt. Er war zur Schule gegangen, hatte Fernsehen geschaut, Computerspiele gespielt. Und er hatte einen Vater gehabt. *Aber er ist nicht mehr mein Vater*, sagt er sich. *Mein wahrer Vater ist tot.* Plötzlich wurde er von Wut überschwemmt. Sie war stärker als je zuvor. Seine Hände zitterten und sein Gesicht wurde glühend heiß. Eine Million Gedanken schossen ihm gleichzeitig durch den Kopf.

Seine Mutter hatte ihn sein ganzes Leben über belogen. Und noch immer rückte sie nicht mit der Wahrheit heraus. Was hatte er verbrochen, dass er so ein Dasein voll düsterer Geheimnisse, Gewalttätigkeit und Grausamkeit verdient hatte? Inzwischen war es nicht nur seine Konditionierung, die ihn zum Töten nötigte. Auch durch die Lügen seiner Eltern war er zu brutalen Kämpfen gezwungen worden.

Jimmy marschierte hinüber zum Gästehaus und begrüßte mit einem gezwungenen Lächeln seine Freunde. Ja, er beherrschte es mittlerweile ziemlich gut, wie ein

Automat zu reagieren. Mehr als je zuvor hatte Jimmy das Gefühl, dass ihm jemand seine Menschlichkeit geraubt hatte. Und die größte Schuld daran trug der amtierende Premierminister.

Ian Coates spielte nervös mit seinem Cognacschwenker. Der Flug verlief absolut ruhig und die Privatmaschine war mit allem erdenklichen Luxus ausgestattet. Trotzdem standen tiefe Sorgenfalten auf Coates' Stirn. Er presste das Telefon fest ans Ohr.

»Sparen Sie sich Ihre Entschuldigungen, Miss Bennett«, knurrte er. »Ich will, dass sich die gesamte Nation auf den Kriegsfall vorbereitet.« Um ihn herum versenkten seine Mitarbeiter ihre Nasen noch tiefer in den Akten.

»Vergessen Sie Dr. Higgins«, fuhr der Premierminister fort. »Er ist auf der Flucht. Ich möchte, dass er durch den besten verfügbaren Mann ersetzt wird. Und das ist Ark Stanton.« Der Ohrhörer des Telefons gab beinahe seinen Geist auf während Miss Bennetts' lautstarker Erwiderung.

»Es ist mir völlig egal, wie oft er im Gefängnis saß, Miss Bennett. Oder mit welchen terroristischen Organisationen man ihn in Verbindung bringt. Der Mann ist ein Genie. Und er ist der einzig annehmbare Ersatz für Dr. Higgins.« Erneut wurde Coates unterbrochen, doch diesmal würgte er Miss Bennetts Proteste kurzerhand ab.

»Hören Sie«, fauchte der Premierminister. »Wenn

wir gegen Frankreich Krieg führen, brauchen wir vor allem zwei Dinge – die USA als Partner an unserer Seite und die modernste Technologie. Für Ersteres sorge ich. Sie kümmern sich um den zweiten Punkt, indem Sie mir Ark Stanton herbeischaffen.«

Er wollte schon das Telefon in die Dockingstation hämmern, da ließ ihn eine Äußerung Miss Bennetts innehalten. Er lauschte aufmerksam. Und in den folgenden Sekunden entfärbte sich sein Gesicht zu einem fast blütenreinen Weiß. Als Miss Bennett geendet hatte, wirkte er wie erstarrt. Und dann stellte er in Zeitlupe das Telefon neben sich ab.

»Paduk«, flüsterte er. Er brachte kaum einen Ton heraus. Er räusperte sich und wiederholte: »Paduk.« Der riesige Agent stampfte durch den Mittelgang heran und ließ sich in den Sessel gegenüber fallen.

»Was gibt's, Sir?«

»Miss Bennett…«, setzte Ian Coates an.

»Ja, Sir, was ist mit ihr?«

»Sie hat ein paar Agenten beauftragt, Dr. Higgins' Akten zu sichten.«

»Ich weiß«, erklärte Paduk mit wesentlich selbstbewussterer Stimme als Coates. »Diese Agenten sollten die Unterlagen nach nützlichen Informationen für seinen Nachfolger durchforsten.« In dem nun folgenden Schweigen wurde die ganze Panik des Premierministers offenbar.

»Und was haben sie herausgefunden?«, fragte Paduk besorgt.

Ian Coates senkte die Stimme, sodass nur Paduk ihn verstehen konnte. »Vor vierzehn Jahren hat Dr. Higgins zusammen mit Memnon Sauvage in einem *NJ7*-Team zusammengearbeitet.«

Paduk nickte. »Ich weiß. Sie waren Freunde.«

»Aber als Sauvage dann zum Feind überlief«, krächzte Coates, »war er gerade mit einem geheimen Projekt beschäftigt.«

»Projekt? Welches Projekt?«

»Die beiden realisierten gemeinsam ihr eigenes Geheimvorhaben: ein drittes Experiment.« Paduk blickte verdutzt. »ein drittes Experiment mit einem modifizierten Killer«, wiederholte Coates. Und wie aus Schreck vor den eigenen Worten hob er die Hand vor den Mund. »Jedes Experiment wurde bei einem anderen Embryo vorgenommen. Und ein drittes Experiment bedeutet ...« Er verstummte. Seine Augen zuckten wild umher. »Als Sauvage sich nach Frankreich absetzte, verfügte er über alle nötigen Mittel ...«

Seine Stimme drohte zu versagen. Am Ende des Satzes drang nur noch Luft aus seinem Mund. Paduk beugte sich zu ihm hinüber. »... um einen dritten Killer zu entwickeln.«

Mit einer abrupten Kopfbewegung kippte Ian Coates seinen Brandy hinunter. Dann begann er umständlich seine Krawatte zurechtzurücken. In wenigen Minuten würde die Maschine zum Landeanflug auf Washington DC ansetzen.

In dieser Nacht teilten sich Jimmy, Felix und Georgie wieder ein Zimmer. Wie sich herausstellte, hatte die Frühstückspension schon seit Jahren keine Gäste mehr gehabt, weswegen das ältliche Besitzerehepaar sie alle nur zu gerne willkommen hieß.

Jimmy lag im Dunkeln und seine Augenlider wurden von Minute zu Minute schwerer. Doch jedes Mal, wenn er sie schloss, tauchte in seinem Kopf das Bild dieses Agenten auf, der in Neil Mutzbekes Zelle am Boden gelegen hatte. Jimmy fehlte die Kraft, diese schrecklichen Bilder zu verdrängen. Und dann, ohne es richtig zu bemerken, wurden seine Gedanken mehr und mehr von seinem Vater in Beschlag genommen. Welche Rolle hatte dieser Mann gespielt, als der *NJ7* Mitchell auf Jimmy angesetzt hatte? Und wo war er viele Jahre zuvor, als Viggo zum ersten Mal dem *NJ7* entkommen war? War sein Vater damals einer der Verantwortlichen? Oder war er gerade im Einsatz, um den Lebensunterhalt für seine Frau und seine kleine Tochter zu verdienen – als Agent?

Jimmy öffnete die Augen. Wenn mit dem Schlaf solche Gedanken kamen, dann blieb er lieber wach. Er richtete sich im Bett auf und spähte zu Georgie hinüber. Schwer zu sagen, ob sie schlief. Sollte er ihr verraten, was er über ihren Vater herausgefunden hatte? *Nicht jetzt*, beschloss er. *Möglicherweise auch nie.*

»Hey, was geht ab?«, flüsterte Felix in der Dunkelheit.

»Hey«, erwiderte Jimmy.

»Bist du wach?«

Und bevor Jimmy antworten konnte, fragte Felix: »Was meinst du, können wir eine Weile hier in dieser Bude bleiben?«

»Keine Ahnung«, flüsterte Jimmy. »Aber vermutlich eher nicht.«

»Du hast recht. Wir müssen immer in Bewegung bleiben.« Felix' Augen begannen zu leuchten. »Hey, wir besorgen uns ein Schiff, schaffen jede Menge Computerkram an Bord und leben wie die Techno-Piraten.«

»Was plant ihr beiden da schon wieder?« Georgie saß senkrecht im Bett. Sie wirkte nicht so, als hätte sie überhaupt ein Auge zugemacht.

»Naja, wir könnten uns zum Beispiel von Tintenfischen ernähren …«, begann Felix. Dann legte er mit einer der wildesten ersponnenen Geschichten los, die Jimmy je von ihm gehört hatte. Es schien, als hätte ihn die Wiedervereinigung mit seinen Eltern zu noch größeren Verrücktheiten inspiriert. Jimmy saugte seine Worte förmlich in sich auf. Georgie musste gegen ihren Willen lachen und nach einer Minute hatte sie Jimmy angesteckt. Mit jedem Glucksen und Kichern seiner Schwester schrumpften die Sorgen in Jimmys Brust: von der Größe eines Leuchtglobus auf Fußballgröße und schließlich auf die eines Pingpongballs.

Sie hockten die halbe Nacht so zusammen, bis sie völlig erledigt waren. Und viel später, als sie schon wieder in ihren Betten lagen und langsam eindämmerten, hörte Jimmy ein leises Flüstern.

»Glaubst du, Saffron kommt wieder in Ordnung?«, fragte Felix.

»Ich weiß nicht«, erwiderte Jimmy.

Er musste an Viggos Miene denken, als er mit dem Taxi davongerast war. *Dieser Mann wird Saffron auf keinen Fall sterben lassen,* dachte er. Viggo würde alles in seiner Macht Stehende unternehmen, um sie zu retten. *Aber was, wenn es ihm trotz allem nicht gelingt?*

Irgendwann waren im Raum nur noch ihre leisen Atemgeräusche zu hören. Aber auch das brachte Jimmys kreisende Gedanken nicht zur Ruhe. In ihm hallten Viggos Worte wider. *Ich werde dich rächen*, hatte er verkündet. Jimmy brachte das einfach nicht mehr aus seinem Kopf.

Kurz vorm Einnicken suchte ihn erneut das Bild eines Gesichts heim: Es war der Mann, den er für seinen Vater gehalten hatte. Zuerst versuchte er, es beiseitezuschieben. Doch dann konzentrierte er seine ganze Aufmerksamkeit darauf. Tief in Jimmy regte sich sein Killerinstinkt.

JOE CRAIG

AGENT IN HÖCHSTER GEFAHR

– VORAB-LESEPROBE –

# KAPITEL 1

Jimmys Augen öffneten sich, noch bevor er richtig wach war. Sein Schädel pochte und ein weiterer unheimlicher Albtraum verflüchtigte sich, an den er sich nicht erinnern konnte. Wie üblich hatte seine Konditionierung die Kontrolle über sein Gehirn übernommen, während er schlief. Sie flutete jeden Winkel seines Körpers mit hochbrisantem Wissen und unterstützte die Förderung seiner außergewöhnlichen Fähigkeiten. Jeden Tag wurde Jimmy ein wenig mehr zu einem hochgefährlichen Superagenten.

Er fragte sich, was ihn geweckt hatte. Dem Dämmerlicht nach zu urteilen, war es früher Morgen. Jimmy wagte nicht, den Kopf zu drehen. Möglicherweise wurde er beobachtet. Stattdessen lauschte er aufmerksam, analysierte jedes Geräusch. In seiner Brust regte sich ein vertrautes Gefühl. Es war die Paranoia, die er nicht mehr abschütteln konnte. Sie war zu einem selbstverständlichen Teil seiner selbst geworden. Und er hatte gelernt, ihr zu vertrauen.

Seine rechte Wade zuckte unter der Bettdecke. War das ein Warnsignal? Ebenso gut konnte es völlig bedeutungslos sein. Seit der *NJ7*, der geheimste und modernste militärische Geheimdienst der Welt, versucht hatte ihn aus seinem Elternhaus zu verschleppen, lagen Jimmys Nerven blank. Dabei war das nur knapp einen Monat her, doch es fühlte sich an wie eine Ewigkeit.

Seither lebte Jimmy in dem Wissen, dass der *NJ7* seine Gene manipuliert hatte. Jimmy Coates war dazu bestimmt eine biologische Kampfmaschine zu werden, die mit dem achtzehnten Lebensjahr voll einsatzfähig sein würde. Das Ganze schien ihm immer noch völlig unglaublich. Jimmy hielt sich nach wie vor für einen ganz normalen Jungen. Doch er war alles andere als normal.

Jimmy stellte sich vor, wie beständig Millionen elektrischer Impulse von seinem Gehirn ausgingen und seinen Körper widerstandsfähiger und kampfbereiter machten. Doch das, was er jetzt spürte, war mehr als die gewohnten Symptome seiner Konditionierung.

Die Zimmertemperatur war gesunken. Von irgendwoher wehte ein leichter Windzug. Und das, obwohl sie die Fenster beim Zubettgehen geschlossen hatten. Jimmy lag dem Fenster abgewandt, daher konnte er es nicht überprüfen. Und wie hätte jemand ein Fenster von draußen einschlagen können, ohne sie alle zu wecken?

Sorgfältig musterte er den Teil des Raums, der in seinem Blickfeld lag. Er registrierte die Silhouetten der in Schatten gehüllten Möbel. Drei Betten standen im Raum, mit dem Kopfteil zur Wand. In dem Bett neben ihm schlief sein Freund Felix tief und fest.

Aus den Augenwinkeln sah Jimmy das Fußende des dritten Bettes. Die Füße seiner Schwester bildeten einen kleinen Hügel unter der Bettdecke. *Okay*, dachte er, *Felix und Georgie sind also nicht entführt worden. Für den Anfang schon mal ganz gut.*

Jimmy war sich ständig bewusst, dass nicht nur sein eigenes Leben bedroht war. Auch Georgie, Felix und Jimmys Mutter schwebten in permanenter Gefahr.

Erst am Abend zuvor waren sie in dieser Frühstückspension irgendwo im Nirgendwo eingetroffen, auf der Flucht vor dem *NJ7*. Felix' Eltern, Neil und Olivia Muzbeke, versteckten sich schon seit einiger Zeit hier.

Sein eigener Vater – oder besser gesagt, der Mann, den er bisher für seinen Vater gehalten hatte – war nicht bei ihnen. Er hatte sich von Jimmy abgewandt, als ihm klar wurde, dass Jimmy nicht bereit war, seiner Bestimmung zu folgen und für den *NJ7* zu töten. *Du bist nicht mein Sohn*. Diese Worte von Ian Coates hatten Jimmy schwer getroffen und lösten noch immer eine Woge hilfloser Wut in ihm aus. Das und die Tatsache, dass Ian Coates, der neue Premierminister von Großbritannien, ihn eliminieren lassen wollte.

Plötzlich hörte Jimmy etwas. Das Geräusch war so leise, dass es fast von Felix' gleichmäßigem Schnaufen übertönt worden wäre. Augenblicklich identifizierten seine Agenteninstinkte das Geräusch: Es klang, als streife etwas Hauchzartes über das Parkett. Das verriet ihm zwei Dinge. Erstens: Es war definitiv jemand in den Raum eingedrungen. Zweitens: Wer auch immer es war, er war äußerst gefährlich.

*Sie haben mich gefunden*, dachte Jimmy. Panik erfasste ihn und gleichzeitig erwachten die Instinkte, die in ihm angelegt waren. Sie fegten seine Angst einfach beiseite. Und noch bevor er einen Gedanken fassen konnte, handelte Jimmy blitzartig.

Mit seinem rechten Bein schleuderte er seine Bettdecke in Richtung Fenster. Sie wickelte sich um die sich nähernde Gestalt. Im gleichen Moment sprang Jimmy im Bett auf – gerade noch rechtzeitig. Der Eindringling schleuderte die Decke zurück auf die Matratze.

Dann federte Jimmy auf der Matratze und stieß sich mit den nackten Füßen kräftig ab. Er schnellte in einen Salto und landete in Verteidigungshaltung direkt vor seinem Angreifer. Beide hatten sich völlig geräuschlos bewegt. Felix und Georgie schlummerten immer noch friedlich. Nun konnte Jimmy zum ersten Mal einen Blick auf den Eindringling werfen. Er war klein – überraschenderweise kaum größer als Jimmy – und sein Körperbau war eher zart. Das Gesicht war unter einer schwarzen Sturmmaske verborgen, ein schwarzer Kampfanzug umhüllte seinen schlanken Körper. Auf seiner Brust bemerkte Jimmy drei vertikale Streifen. Obwohl er mit seiner Nachtsichtfähigkeit Farben schwer unterscheiden konnte, war ihm klar, dass sie grün sein mussten. Der grüne Streifen war das Abzeichen des *NJ7*. Aber warum waren es hier drei? Er schob diese irritierende Beobachtung beiseite, da ihm plötzlich der schreiende Kontrast zwischen dem militärischen Outfit seines Angreifers und seinem eigenen mit Häschen bedruckten Schlafanzug bewusst wurde, den er sich von den Besitzern der Frühstückspension hatte ausleihen müssen. Plötzlich war er sich seiner ganzen Verletzlichkeit bewusst und begann zu zittern.

Jimmy fixierte die Augen des Eindringlings – ihr blasses Blau wurde von seiner Nachtsicht noch intensiviert. Das eisblaue Augenpaar musterte Jimmy von Kopf bis Fuß.

»Der Schlafanzug gehört mir nicht«, bemerkte Jimmy. »Normalerweise schlaf ich in einem T-Shirt und …«

»Was geht ab?«, unterbrach ihn Felix gähnend. Sein Haar stand wild nach allen Seiten und er blinzelte verwirrt. Für seine Augen war es immer noch viel zu dunkel.

Jimmy warf ihm einen kurzen Blick zu, doch das war ein Fehler. Diesen Sekundenbruchteil nützte die maskierte Gestalt und stürzte sich auf ihn. Jimmy wich ihr aus, indem er sich zu Boden fallen ließ. In einer blitzschnellen Bewegung rollte er unter seinem Bett hindurch und tauchte auf der anderen Seite wieder auf.

»Bist du das, Jimmy?«, fragte Felix.

Der Eindringling hechtete über das Bett auf Jimmy zu – direkt vor Felix' Nase.

»Morgen, Felix«, grunzte Jimmy, wirbelte um die eigene Achse, sprang in die Luft und riss dabei das Bein nach oben. Er erwischte seinen Angreifer mitten im Flug und traf ihn krachend. »Bisschen Unterstützung wäre nett.«

Die beiden Kämpfer donnerten zu Boden. Das Geräusch weckte nun auch Georgie.

»Jimmy, alles in Ordnung?«, flüsterte sie besorgt. Sie erhielt keine Antwort. Also hüpfte sie aus dem Bett und stolperte zum Lichtschalter.

Jimmy umklammerte den Angreifer mit ganzer Kraft. Die beiden rangen verbissen miteinander und wälzten sich in einem Durcheinander aus Armen und Beinen. Jimmys besondere Kräfte liefen jetzt auf Hochtouren. Er befreite einen Arm, packte den Kopf des Angreifers, drehte ihn und drückte ihn zu Boden. Dann riss ihm Jimmy die schwarze Maske vom Kopf.

Jimmy richtete sich ein Stück auf, wobei er den Eindringling weiter am Boden festhielt. Nur war dieser – wie er überrascht feststellen musste – gar kein *Er*. Etwas kitzelte an Jimmys Lippen. Lange Haare streiften sein Gesicht. Er blies sie weg, ohne dabei seinen Griff zu lockern. Ein merkwürdiger Geruch lag in der Luft. War das etwa Kokosnussshampoo?

Inzwischen hatte Georgie den Lichtschalter gefunden – aber er funktionierte nicht. Verzweifelt hämmerte sie darauf herum. Der Raum blieb dunkel. Stattdessen suchte sie nach dem Türgriff. In dem Moment bäumte sich die unbekannte Person plötzlich so heftig auf, dass Jimmy heruntergeschleudert wurde. Sie warf sich auf ihn, presste die Luft aus seinen Lungen und stürzte sich dann auf Georgie.

Georgie hatte gerade die Tür einen Spalt geöffnet, da krachte die Angreiferin gegen ihren Rücken. Die Tür schlug wieder zu und Georgies Gesicht wurde gegen das Holz gepresst. Sie wollte um Hilfe schreien, aber bevor sie einen Ton herausbrachte, wurde sie gepackt und zurück auf ihr Bett geschleudert. Die mysteriöse Gestalt drückte die Bettdecke auf Georgies Gesicht und rollte sie auf den Bauch. Georgie versuchte erneut zu schreien, aber die Bettdecke erstickte jedes Geräusch. Georgie war jetzt so fest darin eingewickelt, dass sie ihre Arme nicht mehr bewegen konnte.

Jimmy schüttelte seine Benommenheit ab und trat fest gegen Georgies Bett. Es knallte gegen seine Angreiferin und brachte sie aus dem Gleichgewicht. Sofort hechtete Jimmy über das Bett hinweg und versuchte erneut, sie zu packen. Doch sie wirbelte herum wie eine Breakdancerin. Und bei jeder ihrer Drehungen landete ihr Fuß voll in Jimmys Gesicht.

Felix war jetzt aus dem Bett und tapste mit ausgestreckten Armen durch den Raum. Als er die Wand erreichte, tasteten seine Hände nach dem Lichtschalter. Er hatte nichts von Georgies vorherigen Versuchen mitbekommen. Diese protestierte wütend in ihrem Bettkokon, strampelte und wand sich, um sich zu befreien.

»Keine Sorge, Jimmy«, verkündete Felix. »Ich bin unterwegs.« Und dann schrie er, so laut er konnte: »Hilfe!«

»Still, Felix«, schnappte Jimmy, der zurückwich, um weiteren Tritten zu entgehen. Das Letzte, was er jetzt brauchte, war die Aufmerksamkeit der Nachbarn. Das würde in null Komma nichts den *NJ7* auf ihre Spur bringen. »Geh und hol meine Mum.«

Felix wandte sich der Tür zu, doch die Angreiferin

hielt ihn auf. Genau darauf hatte es Jimmy abgesehen. Er glitt unter Felix' Bett, winkelte seine Beine an, spannte all seine Muskeln und wuchtete die eine Seite des Betts nach oben, bis es senkrecht in der Luft stand. Dann ließ er es mit einem gezielten Tritt zur anderen Seite umkippen. Der Bettrahmen zersplitterte in zig Stücke. Das Bett war verkehrt herum gelandet – direkt auf Jimmys Gegnerin.

Jimmy zerrte sie unter den Trümmern hervor. Er setzte sein Knie auf ihren Rücken und bohrte seinen Ellbogen in ihren Nacken. Diesmal würde sie ihm nicht entkommen.

»Ich bin auf eurer Seite!«, brachte sie mit erstickter Stimme hervor. Jimmys innere Spannung ließ ein wenig nach, aber er blieb äußerst wachsam.

»Das ist ein Trick«, warnte ihn Georgie. Sie hatte sich endlich von ihrer Decke befreit.

»Wer bist du?«, wollte Jimmy wissen. Mit jeder Sekunde wurde ihm klarer, dass seine Angreiferin nicht zu einem *NJ7*-Einsatzkommando gehörte. Statt einer Antwort schob sie ihre Hand in die Tasche. Erneut spannte Jimmy alle Muskeln, doch seine Gegnerin zog nur ein kleines schwarzes Plastikteil hervor. Sie drückte einen Knopf und alle Lichter im Raum gingen an.

Jimmy spürte, wie der Körper seiner Angreiferin unter ihm nachgab. Fast so, als würde etwas Luft herausgelassen. Der Kampf war vorüber. Sie gab auf – zumindest für den Augenblick. Jimmy erhob sich und trat langsam zurück.

Und nun sahen sie alle zum ersten Mal das Gesicht der mysteriösen Gestalt. Jimmy, Georgie und Felix schnappten überrascht nach Luft. Vor ihnen auf dem Boden lag ein Mädchen etwa in ihrem Alter. Eine wilde Mähne kastanienbrauner Haare umrahmte ihr Gesicht. Jimmy war überrascht. Felix war völlig fasziniert.

»Ich bin gekommen, um mich mit dir zu unterhalten«, erklärte das Mädchen. Sie redete leise und ihr leichter Akzent ließ ihre Stimme ein wenig exotisch klingen.

Jimmy verzog keine Miene. »Wenn das für dich eine Unterhaltung war«, erwiderte er, »dann bin ich ziemlich gespannt auf unseren ersten Streit.«

*Weiter geht es mit Jimmy Coates'*
*drittem Abenteuer im September 2017 in:*
*J. C. – Agent in höchster Gefahr*

© privat

Joe Craig, geboren 1981 in London, arbeitete als erfolgreicher Songwriter, bevor er seine Leidenschaft für das Schreiben von Jugendbüchern entdeckte. Mit »J. C. – Agent im Fadenkreuz« schaffte er den internationalen Durchbruch. Wenn er nicht schreibt, liest er an Schulen, spielt Klavier, erfindet Snacks, spielt Snooker, trainiert Kampfsport oder seine Haustiere. Er lebt mit seiner Frau, Hund und Zwergkrokodil in London.

*Von Joe Craig bereits erschienen:*

**J. C. – Agent im Fadenkreuz** (Band 1; 17393)

Joe Craig

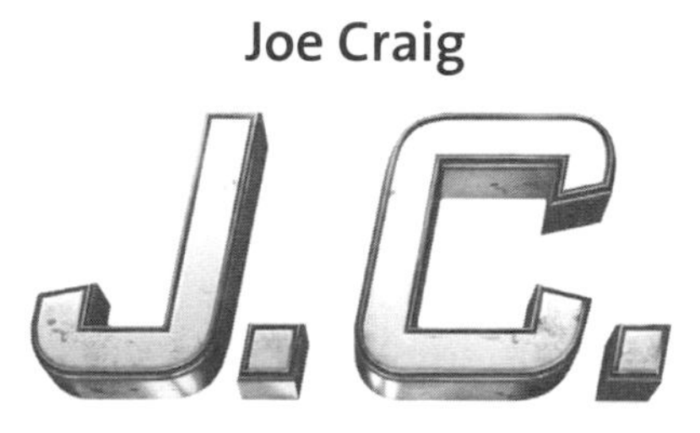


Jimmy Coates ist äußerlich betrachtet ein ganz normaler 12-Jähriger. Doch der Schein trügt: Er ist ein genetisch veränderter Super-Agent des Britischen Secret Service NJ7. Für den NJ7 ist Jimmy eine ihrer mächtigsten Waffen. Jimmys Fähigkeiten entwickeln sich im Laufe seines Heranwachsens mit ihm. Sobald er 18 ist, wird er ein voll ausgebildeter Agent sein, der seiner neoliberalen autoritären Regierung als tödliches Instrument dienen soll. Doch Jimmy beschließt, dass er allein entscheiden wird, wofür er seine Kräfte einsetzen will. Und so wird J. C. zum meistgejagten Jungen des Planeten.

J.C. - Agent im Fadenkreuz
Band 1, 320 Seiten,
ISBN 978-3-570-17393-0

J.C. - Agent auf der Flucht
Band 2, 336 Seiten,
ISBN 978-3-570-17394-7

J.C. - Agent in höchster Gefahr
Band 3, ca. 320 Seiten,
ISBN 978-3-570-17461-6

20264_3

www.cbj-verlag.de